D1260212

RH+
REDHORSE

Rafał A. Ziemkiewicz

Michnikowszczyzna

ZAPIS CHOROBY

Na murach Lipska legł bitewny pył
A w kraju dźwięczy melodyjka stara
Że ten, kto wczoraj jakobinem był
Jutro zostanie namiestnikiem cara

Jerzy Czech,
„Książę Józef Poniatowski"

...pokolenie moich rodziców: u progu III RP zachłysnęli się dyskursem o wolności i demokracji narzuconym przez „Gazetę Wyborczą". Do nich już nic nie dotrze. Oni kochają Michnika.

Roman Graczyk, były publicysta „GW", wyrzucony, kiedy na posiedzeniu redakcji skrytykował linię gazety wobec lustracji.

Wstęp

Nie przepadam za pisaniem wstępów, ale w tej książce nie da się tego uniknąć. Muszę bowiem od razu lojalnie uprzedzić tych spośród Czytelników, którzy spodziewają się po mnie zdemaskowania Adama Michnika, jakichś rewelacji o jego potajemnych konszachtach politycznych, rodzinnych powiązaniach albo niecnych, ukrywanych przed opinią publiczną intencjach, że ich rozczaruję. Adam Michnik istnieje tu tylko taki, jakim zaprezentował się sam w swoich artykułach, esejach i przemówieniach. Odwołuję się wyłącznie do jego ogólnie dostępnych wypowiedzi i do faktów, które są powszechnie znane, choć przez niektórych wypierane ze świadomości; moją jedyną ambicją jest ułożenie ich na użytek Czytelnika w logiczny ciąg przyczyn i skutków.

Podobne rozczarowanie czekać też może tych, którzy czując na Michnika gniew – do czego są przecież liczne powody, omawiane w tej książce – oczekują mocnych słów, jadowitych złośliwości i grubych obelg. Są autorzy znacznie ode mnie w tym lepsi i zamiast rywalizować, odsyłam po prostu zainteresowanych do nich.

Nie jestem dziennikarzem śledczym, odkrywającym to, co osoby publiczne, szczególnie ludzie władzy, pragną przed opinią publiczną ukryć. Nie jestem też mścicielem, który zamierza swoim pisaniem odegrać się na redaktorze naczelnym „Gazety Wyborczej" za spustoszenia, jakie wyrządził.

Jestem publicystą. Stałem się nim po trosze z przypadku, ale po trosze także z wiary, że zwracając się do moich rodaków słowami, przekonam przynajmniej niektórych z nich do spraw, w które mocno wierzę. Przede wszystkim do tego, że państwo polskie, które odzyskaliśmy, a za walkę o które poprzednie pokolenia Polaków płaciły straszliwą cenę, jest wielkim skarbem i ciąży na nas odpowiedzialność, byśmy go ponownie nie zaprzepaścili, jak to się już w naszej historii zdarzało. I do tego, że aby Polska była krajem silnym, nowoczesnym i cywilizowanym, zapewniającym swym obywatelom maksimum dobrobytu i praw, musimy oprzeć ją na uczciwych zasadach – wolnego rynku, sprawiedliwości oraz osobistej wolności obywateli, ale i odpowiedzialności, egzekwowanej od nich przez system prawny. Do tego wreszcie, że nie wygrzebiemy się z cywilizacyjnego upadku i moralnej degrengolady, jeśli nie przywrócimy znaczenia takim zapomnianym słowom, jak: przyzwoitość, uczciwość, honor czy godność. Prawość nie jest w życiu narodów luksusem; jest warunkiem ich trwania i rozwoju.

Nie ja jeden wierzyłem, że po upadku komunizmu tej prawości będzie w Polsce przybywać. Stało się inaczej. Zbudowano Polskę, która, mimo formalnej zmiany ustroju, nigdy nie odcięła się od bandyckich zasad rządzących gnijącym socjalizmem. Zbrodniarze, kanalie i karierowicze z komunistycznych sitw i mafii pozostali „właścicielami" III RP, tak jak byli „właścicielami" peerelu. Drańśtwo nie przestało popłacać, a uczciwość nie przestała być frajerstwem. Szanujący się publicysta nie może się z tym godzić. A to znaczy, że nie może nie zmierzyć się z problemem winy i odpowiedzialności tych, którzy nam taką koślawą Polskę zafundowali. Tych, którzy chytrze zaplanowali i przeprowadzili ustrojową transformację w taki sposób, aby swoje przywileje komunistycznej bezpieki i nomenklatury zamienić na przywileje oligarchii pieniądza w państwie postkomunistycznym, formalnie demokratycznym i wolnorynkowym, w istocie – na poły feudalnym. I tych, którzy występując z mandatem społecznego poparcia, jako rzecznicy Polski pokrzywdzonych, podeptanych przez czerwoną dyktaturę – ową nieuczciwą przemianę „przyklepali". Bo albo okazali się za głupi na równorzędnych dla Jaruzelskiego i Kiszczaka partnerów w grze, którą tamci z nimi podjęli, albo po prostu zdradzili, uwiedzeni możliwością dołączenia do kasty uprzywilejowanej.

Uczciwy publicysta nie może więc nie czuć się w obowiązku stanąć do walki z Adamem Michnikiem, który był jednym z głównych konstruktorów III Rzeczpospolitej i który ochoczo podjął się roli głównego ideologa postkomunizmu. Czy pchnęło go do tego wyrachowanie, czy zaślepienie i pycha? Czy odegrał rolę złego demiurga, czy pajaca w rękach znacznie od niego sprytniejszych gangsterów? Osobiście jestem przekonany, że w obu wypadkach prawidłowa jest odpowiedź druga, i w dalszych rozdziałach przedstawię Czytelnikowi świadczące o tym dowody – ale tak czy owak, jego motywacje są sprawą mniej istotną od jego działań.

Adam Michnik interesuje mnie w tej książce (i w ogóle) wyłącznie jako osoba publiczna. Jako propagandysta, przez wiele lat bez skrupułów używający „Gazety Wyborczej" jako narzędzia do urabiania opinii publicznej i robienia polskiej inteligencji wody z mózgów, jako działający w skrytości zaplecza działacz polityczny, żywiący ambicję kreowania i strącania w niebyt partyjnych liderów. A Michnik jako osoba publiczna interesuje mnie z kolei mniej niż fenomen, który stał się jego udziałem – fenomen michnikowszczyzny. Stąd tytuł tej książki.

Michnikowszczyzna – to nie tylko zespół głoszonych przez Michnika tez i postulowanych przez niego zachowań. To grono ludzi współtworzących jego propagandową linię w „Wyborczej" i w innych, poddających się jej wpływowi, mediach. To przede wszystkim liczne grono adresatów tej propagandy, związanych z Michnikiem emocjonalnie w stopniu nie mniejszym, niż wykpiwane na salonach moherowe babcie przepojone są podziwem dla księdza Rydzyka. To rzesza polskich inteligentów i jeszcze liczniejsza – półinteligentów, którzy ulegli graniczącemu z amokiem uwielbieniu dla redaktora naczelnego „Wyborczej" jako wyroczni etycznej, politycznej i intelektualnej.

Ci ludzie wydają mi się ciekawsi niż sam Michnik. Jak to możliwe, jak dało się to zrobić, że powszechna opinia, tyleż bezkrytycznie, co z histeryczną wręcz zajadłością, przyjęła za pewnik, że człowiek głoszący tezy nader wątpliwe i publicysta zaprzeczający sobie w co drugim zdaniu, jest wielkością? I to tak niekwestionowaną, iż wszelka próba polemiki czy weryfikacji jego wielkości sama w sobie kompromituje i wyrzuca poza nawias cywilizowanej debaty publicznej każdego, kto by się jej podjął?

Zapewniam Państwa, że na mój stosunek do Adama Michnika, Urbana III Rzeczpospolitej (przyjaźń obu panów jest powszechnie znana, więc nie sądzę, by Michnik odebrał to określenie jako obelgę, choć w moim przekonaniu jest obelgą – na którą w pełni zasłużył), nie mają wpływu żadne osobiste uczucia. Ani negatywne, ani pozytywne. Sugestię, jakobym Michnika nienawidził, czy zgoła miał na jego punkcie obsesję, do której to sugestii sprowadzają się „polemiki" ze strony jego podwładnych, kwituję wzruszeniem ramionami. Takich sobie po prostu w „Gazecie" Michnik wychował pomagierów, że nie potrafią niczego, prócz „demaskowania" niskich intencji i schorzeń umysłowych przeciwnika. Zupełnie też nie działa na mnie często, choć tylko kuluarowo stosowany przez obrońców Michnika argument litości: zostawcie go już w spokoju, przecież jest człowiekiem przegranym, wycofał się, jest chory...

Nie bardzo wierzę w to ostatnie, sądzę, że mamy do czynienia raczej z chorobą dyplomatyczną, potrzebną, aby Michnik bez utraty twarzy mógł zostać przez udziałowców „Agory" odsunięty od kierowania gazetą. W wieczór poprzedzający ogłoszenie hiobowej wieści o ciężkim stanie naczelnego „Wyborczej" i jego hospitalizowaniu w szpitalu płucnym, odbywała się promocja książki Janusza Głowackiego. Ponieważ publikuję w tej samej co on oficynie wydawniczej, przypadkiem zostałem zaproszony. Adam Michnik robił za główną gwiazdę imprezy. Brylował, odpalał jednego papierosa od drugiego, co chwila wymieniał trzymany w ręku kieliszek na pełny, i, o ile mogę być pewnym, bo nie obserwowałem zbyt uważnie, ani razu nie zakasłał.

Ale – być może się mylę. Nie jestem lekarzem. Ewentualna choroba Adama Michnika – osoby prywatnej, nawet gdyby doprowadziła do najgorszych skutków, nie może chronić przed rozliczeniem Adama Michnika – osoby publicznej. Przez prawie piętnaście lat Michnik sprawował rząd dusz nad wielką częścią polskiej inteligencji, przez tych piętnaście lat narobił w jej umysłach straszliwych spustoszeń, i bez ich wskazania oraz osądu nie będziemy w stanie zbudować Polski lepszej niż ta, której był ideologiem.

Z tych samych względów nie można zgodzić się z sugestiami, by o Michniku nie pisać, skoro już owego rządu dusz nie sprawuje, by go oszczędzić jako postać przegraną i wobec rozmiarów tej przegranej – tragiczną.

Jak mawiają Amerykanie – *It's nothing personal, man.* To nie jest sprawa osobista. Michnik nie sprawuje już rządu dusz, trudno powiedzieć, czy jeszcze kieruje bodaj swoją własną gazetą (w chwili gdy piszę te słowa, od wielu miesięcy wydaje się, że nikt nią w ogóle nie kieruje) – ale jad, który wsączył w polskie umysły, wciąż je zatruwa. Fałsze, które upowszechniała jego propaganda, wciąż pokutują w publicznych sporach, a absurdy, które podniósł do roli aksjomatów, wciąż dla wielu pełnią rolę drogowskazów. Nie wolno milcząco przejść nad nimi do porządku dziennego i bez wchodzenia w polemikę, bez refleksji głosić rzeczy diametralnie sprzecznych. Choć polska ociężała umysłowo inteligencja właśnie tak najbardziej lubi – gotowa równie gorąco przyklaskiwać i temu, co mówi, że czarne, i temu, co dowodzi, że białe, byle owej sprzeczności nie eksponować, byle było słodko, miło, przyjemnie i bezkonfliktowo.

Tak, Adam Michnik poniósł klęskę. Praktycznie na wszystkich możliwych polach. Po pierwsze, jako polityczny demiurg – bo partie, którym kibicował, zostały przez Polaków wysłane na grzybki, a liderzy, których kreował, musieli odejść, nierzadko z wściekłością, że – jak publicznie pożalił się przy mnie jeden z nich – ludzie na każdym spotkaniu każą mu się tłumaczyć z bruderszaftów Michnika i w ogóle postrzegają jego partię jako przybudówkę do „Gazety Wyborczej". Po drugie, jako orędownik wizji postępowej, socjaldemokratycznej przemiany peerelu w kraj przypominający Francję a nie Irlandię, nie wspominając już o USA – bo Polska poszła ostatecznie w innym niż jej wskazywał kierunku, a jego propagandowe natarcie na „endecki ciemnogród", zamiast znieść narodową prawicę z powierzchni ziemi, raczej jej pomogło.

Poniósł też klęski bardziej dotkliwe. Jako autorytet moralny – bo człowiek postrzegany powszechnie jako niepokorny, więzień polityczny i odważny dysydent, z własnego wyboru stał się lokajem. Obrońcą nieuczciwie zdobytych przywilejów, dworskim pochlebcą nowych elit władzy, ślepym na gangsterskie rodowody swych nowych przyjaciół, za to z pałkarską gorliwością rozprawiającym się z wyrazicielami powszechnego rozczarowania; z rzecznikami krzywd tych właśnie ludzi, których dawny bunt przeciw niesprawiedliwości wyniósł go do rangi kumpla ministrów i prezydentów. Stał się, mówiąc krócej, chodzącym potwierdzeniem gorzkiej mądrości, iż nie ma bardziej zajadłych reakcjonistów niż byli rewolucjoniści, którym wreszcie udało się posmakować władzy.

Wreszcie – poniósł klęskę jako intelektualista. I osobiście sądzę, że to może być dla niego najbardziej bolesne.

To jest przykre nawet dla kogoś, kto, tak jak ja, nigdy nie pałał do Michnika sympatią.

Popatrzcie: książki redaktora naczelnego wciąż największej i najbardziej opiniotwórczej polskiej gazety, człowieka, którego nazwisko przywoływane jest w mediach nieustannie, mającego na skinienie dziesiątki klakierów gotowych w każdej chwili wysmarować dowolnych rozmiarów panegiryk, cieszącego się taką sympatią wpływowych mediów, że każdy z tych panegiryków natychmiast zostanie wydrukowany w ogromnym nakładzie, odczytany w radiu i telewizji – książki kogoś tak sławnego i chwalonego od kilku lat ukazują się z adnotacją „zrealizowano ze środków Ministerstwa Kultury"! Cała ta gigantyczna maszyna promocyjna, jaką ma Michnik do dyspozycji, nie jest w stanie zachęcić do kupna jego dzieł grupy ludzi na tyle licznej, aby ich sprzedaż była opłacalna choćby na minimalnym poziomie. Przeciwnicy Michnika, których rzeszy dorobił się równie licznej, jak zwolenników, nie kupują jego książek ze względów oczywistych. Ale zwolennicy? Oni również ani myślą. Owszem, ze szczerym ogniem odprawią rytualne pokłony i potwierdzą, że Michnik jest wielkim mędrcem, ale sami na wczytywanie się w jego mądrości nie mają najmniejszej ochoty. Nie potrzebują w najmniejszym stopniu wgłębiać się w jego rozwlekłe wywody o jakobinach czy „polskim piekle". Po co? Przecież i bez tego wiedzą, że są one arcymądre i wspaniałe.

Nie mogło być inaczej. Takimi metodami, po które Michnik sięgnął, metodami zakrzykiwania i zamilczania, etycznego szantażu, moralnego terroru, arbitralnego wyrokowania, co podłe, a co szlachetne, wykluczającego wszelkie wątpliwości, wszelką dyskusję – nie można sobie wychować zwolenników innych niż bezmyślni potakiwacze. To oczywisty skutek pójścia na skróty, postawienia na argument siły zamiast na siłę argumentów.

A przecież nie jest to jeszcze najgorsze. Najgorsza, tak sądzę, musi być dla niego świadomość – choć nie wiem, czy już ją posiadł – iż klęskę tę zadał sobie sam. Rys autentycznego tragizmu Michnikowi nadaje fakt, że Michnika-intelektualistę zabił nikt inny, tylko Michnik-polityk. Jest coś odrażająco fascynującego, gdy wczytując się w publicystykę Michnika z ostatnich kilku dziesięcioleci (a tę lekcję przerobiłem i jest ona jednym z istotnych powodów powstania niniejszej książki), obserwujemy, jak staje się ona coraz płytsza, jak potrzeba doraźnego przykopania nakłada kaganiec myślom, jak intelektualista sam się ochoczo kastruje, by osiągnąć maksymalną ostrość zderzenia czerni i bieli. Jak finezja ustępuje miejsca łopatologii, a analiza zanika na rzecz żonglerki faktami, osobami i cytatami, choćby najbardziej karkołomnej, byle tylko pozwalała każdego pisarza, każdą postać historyczną i każdy autorytet zaprząc do bieżących kampanii prowadzonych akurat przez Michnika-polityka.

Znowu – nie byłby ten upadek tak niski, gdyby nie otoczenie się klaką, zawsze zachwyconą, zawsze sypiącą komplementami, usłużną. Gotową przyjąć wiwatami każdy pomysł szefa, nawet najbardziej bezsensowny i szkodliwy dla niego samego.

Wielcy myśliciele nie pozostawiają po sobie klakierów. Pozostawiają uczniów, całe intelektualne szkoły. Jeśli ktoś twierdzi, że mam w Michniku cenić myśliciela – proszę, niech mi pokaże, gdzie owi uczniowie Michnika, i na czym polega jego szkoła. Ja, mimo wysiłków, niczego podobnego zauważyć nie mogę. Zamiast spójnej myśli, Michnik, jako autor esejów i książek, pozostawia po sobie tylko pokrętny styl – styl wyróżniający się wielką zręcznością w gmatwaniu spraw prostych, w błyskotliwym prowadzeniu Czytelnika do wniosków całkowicie nielogicznych i stwarzaniu wrażenia, że wnioski te zostały w trakcie wywodu udowodnione – wrażenia, któremu ulec może tylko ten, który na wstępie lektury odżegna się od krytycyzmu i, jak to się dzieje podczas czytania beletrystyki, „zawiesi swą niewiarę".

Adam Michnik poniósł klęskę, to już dziś oczywiste – ale czy to znaczy, że można udać, iż go nigdy nie było? Że wszystkie tezy, które wygłosił, wszystkie działania, które zainspirował, nie miały miejsca? Przecież ten człowiek zmarnował nam piętnaście lat niepodległości! Współkształtował to kulawe państwo, z którego dziś, gdy piszę te słowa, dziesiątki tysięcy młodych, pracowitych, przedsiębiorczych i nierzadko dobrze wykształconych obywateli wieją na potęgę drzwiami i oknami do Anglii, do Irlandii, gdziekolwiek, byle dalej, w poszukiwaniu normalnego życia. A zarazem – sam został przez nie ukształtowany. Bo – i to dla mnie jedna z istotniejszych tez tej książki – mimo całej swej politycznej zręczności, Michnik nie stałby się tym, kim się stał, gdyby nie trafił w oczekiwanie na kogoś właśnie takiego. Oczekiwanie, którego możemy i powinniśmy się dziś wstydzić, ale które po roku 1989 było może najważniejszym, a zupełnie do dziś nieopisanym zjawiskiem społecznym.

Adam Michnik zasługuje na sprawiedliwość. Trzeba mu tę sprawiedliwość – jedni powiedzą „wymierzyć", a inni „oddać". Ale w każdym razie trzeba się na nią zdobyć. Trzeba wreszcie przynajmniej spróbować.

Oto moja próba.

Nie będę walczył bronią nienawiści

Koniec kwietnia roku 1990. Prezydentem Polski jest jeszcze Wojciech Jaruzelski, jego wieloletni najbliższy współpracownik Czesław Kiszczak, jako minister spraw wewnętrznych, sprawuje niepodzielną kontrolę nad wojskowymi i cywilnymi służbami specjalnymi, a pierwszy niekomunistyczny premier, Tadeusz Mazowiecki, broniąc w telewizji obecności w Polsce okupacyjnych wojsk sowieckich, używa tradycyjnego argumentu komunistycznej propagandy – że chronią nas one przed obcą agresją (kto konkretnie chce nas napaść – nie uściśla, ale może chodzić tylko o NATO i niemieckich rewizjonistów). W rządzie na czele części resortów stoją ludzie nominowani przez opozycję, ale stanowiska wiceministrów, dyrektorów departamentów i wojewodów pozostają nienaruszoną domeną starej, partyjnej nomenklatury.

Mimo tego nikt nie ma wątpliwości, że półwiecze komunistycznej władzy nad naszym krajem nieuchronnie dobiega końca. Nie tylko nad naszym – w ciągu dziesięciu miesięcy, jakie minęły od „kontraktowych" wyborów, po raz pierwszy w dziejach peerelu sankcjonujących istnienie opozycji, sąsiednie komunistyczne reżimy waliły się jeden po drugim jak kostki domina. Mur berliński leży w gruzach, a Nicolae Ceauşescu w ciemnym grobie, jako ostatni już i najbrutalniej potraktowany z odstawionych od władzy przywódców środkowoeuropejskich Kompartii. Na praskim Hradzie zasiada od niedawna, jako prezydent wolnej Czechosłowacji, wieloletni więzień polityczny Vaclav Havel – niecały miesiąc wcześniej spotkał się z Lechem Wałęsą, który wciąż pozostaje tylko szefem związku zawodowego. Wiele wskazuje, że właśnie irytacja Wałęsy tym faktem będzie prawdziwą przyczyną wzbierającej już wojny na górze.

Ale to mordercze starcie, w którym byli bohaterowie obrzucą się najgorszym błotem i skutecznie zniszczą w oczach społeczeństwa mit „Solidarności", jeszcze przed nami. Na razie wiadomo, że będą wybory prezydenckie i że będzie w nich kandydował przywódca „Solidarności". Kto się tym interesuje, wie też, że Wałęsa zablokował starania prowadzone przez grupę wpływowych działaczy postsolidarnościowej „lewicy laickiej" o przekształcenie Komitetu Obywatelskiego w poddany jednolitemu przywództwu ruch polityczny. I że wywołane tym napięcie pomiędzy ową grupą działaczy a Wałęsą jest już zbyt silne, aby mogło się rozejść po kościach. Na razie wyraża się ono w coraz bardziej zjadliwych filipikach na łamach „Gazety Wyborczej" i „Tygodnika Solidarność", Tadeusz Mazowiecki już straszy na posiedzeniu Komitetu Obywatelskiego „polskim piekłem" – ale fasada jeszcze nie pękła.

Patrząc na nią z zewnątrz wciąż można sądzić, że wszystko jest na dobrej drodze: komuna w odwrocie, może nie tak szybkim, jak by się chciało, ale jednak. A do władzy idą nasi. Bohaterowie „Solidarności" i podziemia, ludzie prawi, którzy cierpieli za wolność prześladowania, byli wsadzani do więzień, internowani, nękani ciągłymi aresztowaniami i rewizjami. Pewnie mają swoje wady, ale jednego możemy być pewni: że nas nie zdradzą.

Jest kwiecień 1990 i pewne rzeczy wydają się oczywiste. Polska odzyskuje wolność po 50. latach okupacji. Wyzwala się z ustroju, który zwycięska Armia Czerwona, przy tchórzliwej bierności naszych „aliantów" z Zachodu, narzuciła tu przemocą – z Polaków nie chciał go nikt, poza garstką renegatów z całkowicie agenturalnej, kontrolowanej niepodzielnie przez Stalina PPR. Był to ustrój oparty na zbrodni, zakłamaniu i przymusie. Ustrój, który przedstawiał się jako spełnienie odwiecznych marzeń o powszechnej sprawiedliwości i dobrobycie, a w rzeczywistości wymuszał posłuszeństwo nieustającą inwigilacją, terrorem i rozdawaniem swoim kolaborantom przywilejów i luksusów, które w kraju normalnym nie były żadnymi luksusami, tylko towarami powszechnie dostępnymi na wolnym rynku. Komuniści odpowiadali za gigantyczne zbrodnie, za Katyń, za męczeństwo tysięcy żołnierzy Armii Krajowej, za zmiażdżenie czołgami wolnościowych zrywów w Poznaniu w 1956 i na Wybrzeżu w 1970, a całkiem niedawno – za stan wojenny, aresztowania i morderstwa „nieznanych sprawców". Odpowiadali za nędzny poziom życia, za ruinę gospodarki, za ograbienie kraju... Nie chcę tej wyliczanki dłużyć, bo nie piszę „Czarnej księgi komunizmu" – w każdym razie, było oczywiste, że komunizm był złem i że z tym złem trzeba skończyć definitywnie.

Partia komunistyczna, która nazwała się Polską Zjednoczoną Partią Robotniczą (trzy kłamstwa w nazwie: nie była ani partią polską, ani robotniczą, a leżące u jej zarania „zjednoczenie" PPR z PPS polegało na rozbiciu tej drugiej policyjnym terrorem i wchłonięciu grupy kolaborantów), formalnie już nie istnieje. Trzy miesiące wcześniej, na swym ostatnim zjeździe, przekształciła się w Socjaldemokrację Rzeczpospolitej Polskiej. Pozostawiła po sobie gigantyczny majątek gromadzony przez wiele lat kosztem społeczeństwa: budynki, ośrodki wypoczynkowe, ruchomości, pieniądze na krajowych i zagranicznych kontach, wszystko to, co gwarantowało kaście „właścicieli peerelu" życie zasadniczo lepsze od ich poddanych.

Pewne rzeczy, powtórzę, wydają się jeszcze oczywiste, bo jest dopiero kwiecień 1990 roku, jeszcze nie nastąpiło to, co Gustaw Herling-Grudziński nazwał „wielkim zamazaniem", a Zbigniew Herbert „zapaścią semantyczną" – pomieszanie dobra ze złem, zrównanie w prawach cwaniactwa z bohaterstwem i wielka amnezja. Proces, który do tego w następnych latach doprowadzi, właśnie się zaczyna. Właśnie teraz.

Jest 28 kwietnia 1990 roku i obraduje akurat ostatni Sejm peerelu. Nie jest to Sejm wybrany demokratycznie – zgodnie z kontraktem politycznym zawartym przy Okrągłym Stole pomiędzy komunistyczną generalicją, a grupą działaczy opozycji arbitralnie wyznaczonych przez Lecha Wałęsę, wyborcy mogli głosować swobodnie tylko na 35 procent mandatów (wszystkie zdobyli kandydaci z listy firmowanej znakiem „Solidarności"), a pozostałe z góry przyznane zostały obozowi władzy. Bogiem a prawdą, jest ten Sejm jeszcze mniej demokratyczny, niżby to wynikało ze wspomnianego kontraktu, bo przywódcy „strony społecznej" zgodzili się pomiędzy pierwszą a drugą turą na zmianę ordynacji, po to, by mimo wszystko mogło wejść do Sejmu 33 komunistów ze skreślonej przez większość wyborców tzw. listy krajowej (lista krajowa liczyła 35 nazwisk, ale skreślając je na krzyż niektórzy, przez niedbalstwo, nie dociągnęli kreski do nazwisk zamykających obie kolumny druku – dlatego tych dwóch z samego końca wcisnęło się do parlamentu normalną drogą). Mimo wszystko Sejm ten sprawuje się dość przyzwoicie. Pezetpeerowcy są na razie oszołomieni tempem, w jakim przodujący ustrój zawalił się w kraju i wszędzie dokoła, są przestraszeni tym, co może się zdarzyć, podnoszą więc grzecznie łapki tak, jak widzą, że się tego od nich oczekuje; ich dotychczasowi akolici z „sojuszniczych" stronnictw formalnie weszli w koalicję z „Solidarnością", czy raczej z samym Lechem Wałęsą, który reprezentuje ją w przejściowym okresie. Obywatelski Klub Parlamentarny mógłby w tej sytuacji swobodnie przeforsować każdą ustawę, jaka tylko jest potrzebna, aby ostatecznie dobić czerwoną mafię.

Tylko że OKP wcale nie ma takiego zamiaru. A ściślej - nie cały OKP. Już dwa miesiące wcześniej wewnątrz dawnej „drużyny Wałęsy" zarysował się ostry podział zagrażający rozłamem. Część posłów OKP, głównie tych „z terenu", z tylnych ław poselskich, uważa, że należy robić to, co zostało Polakom obiecane i co sami Polacy wybrali, popierając w wyborach masowo „Solidarność" - kończyć z komunizmem. Część, w tym większość prezydium, przeciwstawia się wszelkim takim pomysłom. Poseł ziemi bytomskiej Adam Michnik krzyczy wtedy na zwolenników rozliczeń i dekomunizacji (choć samo słowo jeszcze się nie pojawia), że są „frustratami bez kwalifikacji". Tej obelgi będzie potem z zamiłowaniem używał wobec wszystkich swoich politycznych przeciwników.

Czytelnik, który spraw tych nie pamięta, nie śledził ich na bieżąco, może podejrzewać mnie o słowną manipulację. Wyjaśnijmy więc od razu: gdy piszę, że Adam Michnik „krzyczy", nie jest to żadna retoryka, tylko po prostu prawda. Michnik w owym czasie krzyczy bardzo często. Używa mocnych słów, podkreśla je uderzeniami pięścią w mównicę. Równie emocjonalny jest wtedy, gdy pisze. Nie on jeden zresztą. Współczesnego czytelnika, jeśli zechce zagłębić się w żółknące z wolna gazety z tamtego okresu, musi uderzyć ton ogólnej histerii, egzaltacja i zaprzęganie najwyższych racji etycznych do banalnych skądinąd przepychanek o władzę. Ale histeryczność wystąpień Michnika, ich patos, łatwość w sięganiu po wielkie słowa i po grube bluzgi zwracają uwagę nawet na tym tle. Sprawujący swą funkcję od kilku miesięcy redaktor naczelny „Gazety Wyborczej" zachowuje się, jakby poznał jakąś straszną prawdę o mających nastąpić nieszczęściach i jako jedyny wiedział, jak im zapobiec. Zresztą od czasu do czasu daje temu przekonaniu wyraz otwarcie. Tuż po „kontraktowych" wyborach, gdy okazało się, że głosujący wycięli w pień listę krajową, a tego samego dnia komuniści chińscy zmasakrowali na placu Tienanmen protestujących pokojowo studentów, Michnik przestrzegał na łamach „Gazety Wyborczej", że i u nas, jeśli rozbiórka peerelu posunie się za daleko, może w każdej chwili dojść do podobnej tragedii. W późniejszych tekstach wielokrotnie przywoływał widmo wojny domowej, wspierając się przykładem byłej Jugosławii albo rozszalałej rewolucji – z jakobińskim terrorem, z masowymi mordami, obozami i innymi prześladowaniami.

Czytając te jeremiady dzisiaj, na spokojnie, trudno się nie śmiać. Straszenie ruską inwazją miało może jeszcze jakiś sens; o tym, że Sowieci ani nie mają na nią ochoty, ani nawet, choćby chcieli, nie są w stanie interweniować, bo i u nich już wszystko się wali w drebiezgi i niewiele miesięcy minie, jak imperium czerwonej gwiazdy trafi wreszcie z dawna oczekiwany szlag – o tym w kwietniu 1990 wciąż jeszcze można było nie wiedzieć, chociaż kto bystrzejszy powinien się już od paru tygodni domyślać. Ale – wojna domowa? Jaka, na litość boską, kto niby miałby z kim walczyć, warszawiacy z poznaniakami, krakowiacy przeciwko góralom? Przecież Jugosławii, państwa skleconego sztucznie, na siłę łączącego narody o odmiennej historii, językach, religiach oraz kulturze, i od wieków ze sobą skłócone, Polska nie przypominała w najmniejszym stopniu. A komunizmu w tej postaci, jaki próbowali wtedy rozliczać „frustraci bez kwalifikacji", nie zamierzał bronić nikt, może poza kilkoma szurniętymi staruszkami pokroju towarzysza Mijala. Przecież powodem, dla którego w ogóle człowiek „Solidarności" mógł zostać premierem, czyli – dla którego posypał się pierwotny, napisany przez komunistyczną generalicję scenariusz ustrojowej transformacji, był właśnie fakt, iż PZPR przerżnął sromotnie także w tak zwanych „okręgach zamkniętych". To znaczy tam, gdzie głosowali milicjanci, wojskowi i partyjni dyplomaci. Oni, podpory reżimu i jego zbrojne ramię, też mieli już peerelu w jego dotychczasowym kształcie szczerze dosyć!

A owa „spirala nienawiści", która jakoby mogła się rozkręcić, jeśli tylko dałoby się do niej hasło wytoczeniem jakiemuś komuniście procesu? Nonsens nie mniejszy. Polskie społeczeństwo tego czasu w niczym nie przypominało zrewoltowanych mas, których aplauz wyniósł do rządów jakobinów czy bolszewików. Pozostawało w apatii, w totalnym zwisie. Uliczne manifestacje radykalniejszej części opozycji, pominiętej przez Wałęsę przy rozdawaniu zaproszeń do nowej władzy, budziły zainteresowanie przysłowiowego psa z kulawą nogą. Jeśli cokolwiek było w stanie to społeczeństwo zainteresować, to skrzykiwane przez komunistyczne neozwiązki strajki „płacowe", wyłącznie o podwyżki. A i to tylko dzięki temu, że strajki te nie wymagały żadnego wysiłku i niczym nie groziły. Twierdzenie, że na wieść o usuwaniu ze stanowisk pezetpeerowskich wiceministrów czy prezesów banków Polacy mieliby rzucić się wieszać zdrajców, jak za czasów Kilińskiego, jest tak absurdalne, że nie wiadomo, czy się śmiać, czy płakać.

Czy Adam Michnik wierzył wtedy w to, co pisał – czy też straszył swych czytelników cynicznie, na zimno? Czy sam działał powodowany histerią, czy też z premedytacją budował zręby propagandy, która miała taką histerię wytworzyć w społeczeństwie?

To dobre pytanie. Zostawmy je sobie na później i wróćmy do wspomnianego wcześniej sporu wewnątrz OKP, o, najkrócej mówiąc, stosunek do czerwonych. Oczywiście, nie zaczął się on awanturą na posiedzeniu klubu w lutym 1990. Tlił się już wcześniej. Ale wcześniej ugodowcy dysponowali potężnym argumentem: nie można wykonywać gwałtownych ruchów, bo wejdą Sowieci i poleje się krew. Działając w atmosferze tej grozy, premier Mazowiecki, zasłużony opozycyjny intelektualista, ale polityk kompletnie nieudolny, przez całe swoje premierowanie panicznie wystrzegał się zmian. Kadrowych czy systemowych, jakichkolwiek – poza zmianami w gospodarce, zresztą ograniczonymi na razie niemal wyłącznie do polityki monetarnej, nazwanymi hasłowo „planem Balcerowicza". Zmiany makroekonomiczne miały, tak, zdaje się, widział pierwszy niekomunistyczny premier swą misję, zastąpić na razie wszelkie zmiany polityczne i w perspektywie lat stworzyć dopiero właściwy grunt umożliwiający powolne kontynuowanie ustrojowej przebudowy, mającej dać Polsce w bliżej nieokreślonej, ale raczej odległej przyszłości, pewien zakres autonomii. Toteż na wszystkie naciski ze swego obozu, by ruszyć wreszcie coś tu albo tam, odpowiadał Mazowiecki, że nie czas na to, że nie wolno działać zbyt pochopnie. Nawet cenzurę, ten powszechnie znienawidzony i naprawdę przez nikogo już wtedy niebroniony relikt reżimu, planował jeszcze na początku roku 1990 tylko jakoś zdemokratyzować i złagodzić, zamiast rozpędzić ją na cztery wiatry. Mianowany przez niego podsekretarz stanu Jerzy Ciemniewski, który dwa lata później na chwilę wskoczy w światło reflektorów, demaskując rząd Olszewskiego jako zagrożenie dla demokracji, otwarcie uzasadnia potrzebę zachowania tej instytucji: „trzeba zabezpieczyć państwo przed przestępstwami prasy". Dopiero Sejm udaremni te plany, wykreślając zaplanowane na cenzurę wydatki z przedłożonego przez rząd projektu budżetu.

Jeśli wierzyć generałowi Kiszczakowi, doszło do takiego absurdu, że to on właśnie, Kiszczak, musiał wielokrotnie prosić premiera o mianowanie w resortach siłowych „solidarnościowych" wiceministrów, przed czym Mazowiecki opierał się jak mógł, przerażony, że tak śmiałe uderzenie we wszechwładzę PZPR mogłoby sprowokować wojnę domową.

Osobiście nie jestem skłonny do nadawania nadmiernej rangi wspomnieniom takiego, nazywajmy w tej książce sprawy i ludzi po imieniu, komunistycznego zbrodniarza, jakim jest Kiszczak. W tej kwestii jednak może mówić prawdę, solidarnościowi figuranci w ministerstwach „siłowych" byli mu wtedy rzeczywiście na rękę.

Ale jeśli ktoś nie wierzy, to można znaleźć inne przykłady absurdów, do jakich doprowadził upór Mazowieckiego w realizacji planu stopniowego, rozpisanego na wiele lat scenariusza „finlandyzowania" Polski – na przekór faktowi, że imperium sowieckie właśnie wali się w gruzy, co ów scenariusz uczyniło bezsensownym. Oto w marcu 1990 Krajowa Komisja Wykonawcza NSZZ „Solidarność" wystąpiła do premiera z dramatycznym apelem o przyśpieszenie prywatyzacji przedsiębiorstw państwowych. Związek zawodowy domagał się przyśpieszenia prywatyzacji! Czy związkowcy nagle zakochali się w kapitalizmie? Nie, po prostu widzieli, obserwowali to z bliska w setkach miejsc w całej Polsce, jak z państwowego majątku, rozkradanego przez dyrektorów i prezesów z partyjnej nomenklatury, z dnia na dzień coraz mniej zostaje.

Mazowiecki, który w swym sejmowym *exposé* skreślił słowo „kapitalizm", zastępując je diabli wiedzą co znaczącym, ale strawniejszym dla ludzi wychowanych w kulcie „sprawiedliwości społecznej" określeniem „społeczna gospodarka rynkowa", oparł się, oczywiście, także i tym naciskom – hamowana przez niego prywatyzacja miała przeciągnąć się na następnych piętnaście lat, i w chwili, gdy piszę te słowa, wciąż jeszcze nie doczekała się zakończenia. Mazowiecki był w ogóle mistrzem świata w hamowaniu. W 1980 roku, jako ekspert wspomagający swą radą strajkujących w Gdańsku robotników bezskutecznie perswadował im, żeby wycofali się ze zbyt daleko idących żądań, jak zwolnienie więźniów politycznych czy utworzenie wolnych, niezależnych związków zawodowych. A już zupełnie niedawno, kiedy na początku lipca 1989 Adam Michnik opublikował na łamach swej gazety artykuł „Wasz prezydent, nasz premier" – ciekawa rzecz: sumienie Michnika, które niedługo potem tak bardzo się na ten problem wyczuliło, wtedy jeszcze jakoś nie zwróciło mu uwagi, że nawołuje do złamania ustaleń Okrągłego Stołu, a przecież *pacta sunt servanda!* – Mazowiecki na łamach „Tygodnika Solidarność" odpowiedział mu tekstem pod wszystko mówiącym tytułem „Śpiesz się powoli", mnożącym obiekcje, dlaczego na tworzenie solidarnościowego rządu jest jeszcze grubo za wcześnie.

Mimo wszystko sam wkrótce potem przyjął od Wałęsy misję tworzenia takiego właśnie rządu. Jeśli rząd ten miał zmienić PRL w wolną, kapitalistyczną Polskę, to powierzenie kierowania nim właśnie komuś takiemu trudno uznać za cokolwiek innego niż horrendalne nieporozumienie. Ale jeśli komuś zależało na tym, by tak wszystko zmienić, żeby w istocie rzeczy zmieniło się jak najmniej – to uczynienie pierwszym niekomunistycznym premierem poczciwej safanduły stanowiło strzał w dziesiątkę.

Przez całą jesień 1989 płonęły w Polsce ogniska, w których esbecy palili swoje archiwa. A przy okazji spontanicznie je rozkradali, słusznie zakładając, że papiery na przyszłych ministrów i prezesów to w niepewnych czasach doskonała polisa. Nikt im nie przeszkadzał, ale przez pięćdziesiąt lat SB naprodukowała zbyt wiele bumagi, żeby dało się wszystko zniszczyć metodami chałupniczymi. Dlatego rozzuchwaleni bezkarnością esbecy zaczęli bez cienia skrępowania wysyłać całe ciężarówki teczek do zmielenia w papierni. I to nie rokowało szansy na pozbycie się kompromitującej dokumentacji w krótkim czasie; na dodatek nie mogło pozostać niezauważone. Prostoduszni działacze „Solidarności" z terenu, zupełnie nieświadomi, w jakich politycznych meandrach zdążyła już ugrzęznąć „góra", zaczęli alarmować, dzwonić do regionów, do znajomych opozycjonistów – przecież niszczenie tych dokumentów było w świetle prawa, tego wciąż jeszcze obowiązującego prawa peerelu, przestępstwem, i to dość ciężkim. Różnymi drogami trafiały te sygnały do Mazowieckiego, a ten, w imię praworządności, to znaczy nieuchybiania podziałowi kompetencji między resortami, odsyłał przychodzących z nimi do właściwego dla sprawy ministra, czyli generała Kiszczaka. Tego właśnie, na którego polecenie jego współpracownik, generał Dankowski, zorganizował całą akcję niszczenia archiwów i ją nadzorował. W późniejszym czasie zostanie to nawet oficjalnie stwierdzone, a sąd III RP wymierzy mu karę – pogrożenie palcem czy coś równie dotkliwego. Nie będzie to ani pierwszy, ani najbardziej jaskrawy przykład zdumiewającej niezdolności – czy raczej niechęci – wolnych i niezawisłych sądów III RP do satysfakcjonującego zamknięcia jakiejkolwiek afery.

Generał Kiszczak zajęty był w tym czasie dokładnie tym samym, co jego podwładni, tylko oczywiście na odpowiednio wyższym szczeblu. Parę lat później, przed sejmową komisją, która miała ustalić, kto odpowiada za stan wojenny (a jakże, była taka – niestety, mimo usilnych starań, nie zdołała na zadane pytanie znaleźć odpowiedzi), emerytowany już Kiszczak opowiadał o tym z rozbrajającą szczerością, zupełnie niezrażony faktem, że opowieścią tą przyznaje się do popełnienia szeregu przestępstw; zresztą słusznie się tym nie przejmował, bo, faktycznie, nikt nie odważył się tego faktu nawet zauważyć. Przychodzili do mnie, jako do ministra spraw wewnętrznych różni działacze byłej opozycji – streszczam jego dłuższą wypowiedź własnymi słowami – ci zahaczeni już w strukturach władzy, i ci dopiero do nich aspirujący, i pytali, co na nich mam. A ja wtedy dzwoniłem do archiwum, kazałem sobie przynieść odpowiednią teczkę i przy zainteresowanym wrzucałem ją do niszczarki.

Kiszczak nie wspominał, co wtedy czuł, ale zgaduję, że musiał dusić się od tłumionego śmiechu – już kilka lat wcześniej teczki, które teraz demonstracyjnie niszczył, stwarzając frajerom złudne poczucie bezpieczeństwa, zostały na jego polecenie przezornie zmikrofilmowane. Czy kopie tych mikrofilmów znalazły się także w Moskwie, historycy nie są zgodni, ale żaden z nich nie wyklucza, że tak się zdarzyć mogło.

Tymczasem jednak bezczynność rządu, jak się już powiedziało, i ugodowa postawa prezydium OKP, budziła z każdym tygodniem coraz większą irytację wśród posłów, którzy dostali się do Sejmu dzięki zdjęciu z Wałęsą i znaczkowi „Solidarności”. Z owej irytacji wziął się między innymi projekt, by upaństwowić majątek byłej PZPR.

Merytorycznie – trudno było tej inicjatywnie cokolwiek zarzucić. Majątek Kompartii został przecież w całości zagrabiony narodowi. W roku 1989, jak wyliczył zajmujący się sprawą historyk, składki członkowskie wyniosły jedynie 4 proc. bieżących funduszy partii. Był to oczywiście czas upadku, ale i w lepszych dla partyjnej dyscypliny chwilach wpływy ze składek nie stanowiły więcej niż kilkanaście procent tego, co PZPR wydawał na same pensje swojego aparatu. Resztę dawały partii różnego rodzaju haracze i wymuszenia. Kiedy na przykład PZPR budowała sobie siedzibę w centrum Warszawy, na jej sfinansowanie rozprowadzono „cegiełki". Rozprowadzono je w taki sposób, że w zakładach część pensji „wypłacono" pracownikom - za jedno, partyjnym czy nie - tymi właśnie „cegiełkami". Kiedy PZPR chciała zająć jakiś budynek na swe agendy czy pałacyk na ośrodek wczasowy, to go zajmowała, a jeśli spodobało jej się mieć nowy, to kazała go zbudować, i nikt się nie przejmował, w papierach jakiego funduszu której z państwowych instytucji zaksięgowano potem wydatki. Wszystko należało do państwa, a państwo należało do partii komunistycznej.

PZPR nie miała kłopotu ze zdobywaniem pieniędzy: w samym tylko roku 1989 przyznała ona sobie bezpośrednio z budżetu państwa 13 mld złotych dotacji oraz 18 mld „kredytu". Biorę to słowo w cudzysłów, bo ów „kredyt", przy liczącej sobie wtedy kilkaset procent miesięcznej stopie inflacji, oprocentowany był na... 3 procent (słownie: trzy procent). Do tego dochodziły ulgi podatkowe dla RSW „Prasa"*, też będące bezpośrednim wsparciem dla PZPR, która z owej firmy, mającej praktyczny monopol na wydawanie i dystrybucję w peerelu gazet i czasopism, zgarnęła o tyle większy zysk.

Podobnie jak PZPR, ciągnęły z państwa pieniądze jej „sojusznicze stronnictwa", ZSL i SD. Ten stan rzeczy wkurzył bardzo działaczy zasłużonej w podziemiu

---

* Robotnicza Spółdzielnia Wydawnicza „Prasa Książka Ruch"

Konfederacji Polski Niepodległej, którzy w październiku 1989 zaczęli nawet akcję okupowania gmachów PZPR, domagając się przyjęcia przez Sejm ustawy o partiach politycznych i równych szans. „Solidarnościowy" minister Hall wystąpił wtedy z żarliwą obroną stanu posiadania „legalnych partii politycznych", a wciąż nielegalną KPN postraszył „interwencją służb porządkowych". Pogróżki nie zostały zrealizowane – protesty KPN i innych partii radykalnie antykomunistycznych, żądających natychmiast wolnych wyborów, likwidacji PZPR oraz ukarania winnych jej zbrodni, wypaliły się w końcu same, nie znajdując większego poparcia społecznego. ZOMO jeszcze od czasu do czasu pałowało manifestantów domagających się wyprowadzenia z Polski sowieckich wojsk albo odejścia Jaruzelskiego, ale czyniło to tylko wtedy, gdy maszerowali oni na gmachy publiczne. Ta powściągliwość irytowała innego członka rządu, Jacka Kuronia. Jak sam napisał w swoich wspomnieniach (w czasach, gdy normy dobrego smaku i granice debaty publicznej wyznaczał jego wierny uczeń, nikt poza nim samym napisać by tego nie śmiał), na posiedzeniach rządu nalegał, aby z młodzieżą okupującą komitety partii czy siedziby PRON* milicja postępowała stanowczo. „Kiedy naciskałem, że należy ich stamtąd wyrzucić siłą, to się okazało, że minister Kiszczak jest chory, boli go gardło i nie może przyjść na posiedzenie rządu, aby to omówić. A generał Dankowski, jego wiceminister, doradzał cierpliwość" – pisał Kuroń.

---

* Patriotyczny Ruch Odrodzenia Narodowego

Niesamowite meandry historii, przyznacie Państwo. Kiszczak naciskał na Mazowieckiego, żeby wreszcie mianował solidarnościowych wiceministrów w milicji i bezpiece, a w tym samym czasie Kuroń naciskał na Kiszczaka, żeby kazał pałować – jak nazywała ich propaganda stanu wojennego – „rozwydrzonych wyrostków", których jeszcze parę lat wcześniej tenże Kuroń wraz z innymi przywódcami opozycji sam zachęcał do rzucania się na szpalery uzbrojonych po zęby zomowców, po to, aby w ten sposób zmusić władzę do rozpoczęcia z opozycją pertraktacji. Kiszczak zaś zasłaniał się bólem gardła, bo, jak można sądzić, podejrzewał, że to gra, że solidarnościowi partnerzy, w oczy deklarując gotowość współpracy i lojalność, chcą go po prostu wydudkać: sprowokują jakąś solidniejszą drakę, aby zyskać pretekst do zerwania zawartych porozumień i, w atmosferze zrozumiałego oburzenia społeczeństwa na kolejne pałowanie, wysiudają go z resortu, zastępując kimś, kto będzie miał wszystko do zawdzięczenia nowej sile przewodniej. Czyż nie dlatego Mazowiecki zwleka z wprowadzeniem ludzi „Solidarności" do resortu, żeby nie było wątpliwości, że za spałowanie okupującej partyjne siedziby KPN-owskiej i innej młodzieży ponosi odpowiedzialność nie rząd Mazowieckiego, a wyłącznie Kiszczak? – musiał kombinować szef MSW i trudno odmówić tym kombinacjom logiki. Doświadczony w partyjnych intrygach komunista nie wierzył w czystość intencji wczorajszych przeciwników, spodziewał się po nich takich zagrań, jakie sam by pewnie stosował na ich miejscu. Można powiedzieć, że zdecydowanie Kuronia nie doceniał. Albo, że go zdecydowanie przeceniał - zależy, z jakiej strony patrzeć.

Takie historie z początków ustrojowej transformacji - znalazłoby się ich więcej, ale książka nie o tym - mogą nielicho skonfundować kogoś, kto bezkrytycznie uwierzył w ucukrowaną przez michnikowszczyznę wizję porozumienia Polaków „przychodzących z różnych stron historycznego podziału".

Jeszcze dziś, gdy piszę te słowa, opublikowanie w „Arcanach" i „Życiu Warszawy" protokołów przesłuchań Jacka Kuronia z drugiej połowy lat osiemdziesiątych sprowokowało redaktora naczelnego „Gazety Wyborczej" do rozpętania prawdziwej histerii. W protokołach tych nie było niczego, co by na Kuronia rzucało jakikolwiek cień, niczego, co by dawało asumpt do oskarżenia go o jakieś ciche porozumienia z komuną - przeciwnie, mogą one stanowić kluczowy dowód fałszywości takich oskarżeń, bo gdyby SB miała do Kuronia i jego środowiska jakieś inne „dojście", owe niekończące się przesłuchania po prostu nie miałyby sensu. Każdy, kto zadał sobie trud przeczytania dokumentów, których ujawnienie wywołało w pewnym momencie tak wielką wrzawę, zgodzi się ze mną, iż równie dobrze mogłyby się one ukazać w „Gazecie Wyborczej". Bo cóż z nich wynika? To, że lider Komitetu Obrony Robotników wykorzystywał przesłuchania i „rozmowy ostrzegawcze", aby klarować prowadzącemu je esbekowi, że kierownictwo PZPR musi się z „Solidarnością", a ściślej, z Wałęsą, dogadać, musi pójść na ustępstwa, bo po pierwsze, bez wsparcia „Solidarności" nie uda się przeprowadzić reform niezbędnych dla wyciągnięcia kraju z gospodarczego kryzysu, a po drugie, eskalacja represji doprowadzić może tylko do tego, że zamiast Wałęsy i grupujących się przy nim umiarkowanych czy też rozsądnych działaczy z KOR i organizacji katolickich, ton zaczną nadawać opozycyjni radykałowie – a ci doprowadzą do jakiejś kolejnej katastrofy i do ruskiej interwencji, na uniknięciu czego rządzącej ekipie powinno zależeć, choćby dlatego, że to by oznaczało także jej koniec.

Tylko tyle – i aż tyle.

Mogłyby więc owe protokoły swobodnie ukazać się w „Gazecie Wyborczej", ze wstępniakiem Adama Michnika, w którym ten napisałby, że oto mamy przed oczami dowód politycznego geniuszu i szlachetności Jacka Kuronia. Choć był wtedy więźniem, choć zupełnie zrozumiałe byłoby, gdyby człowiek w jego sytuacji zawziął się i starał jak najbardziej zaszkodzić tym, z rąk których tyle wycierpiał – potrafił się ponad to wznieść. I uporczywie, przez lata, wyciągał do prześladowców rękę, tłumaczył im cierpliwie, że porozumienie ponad podziałami jest koniecznością, że stoją za tym wyższe racje, aż w końcu jego przesłanie dotarło do reformatorskiej części obozu władzy, i zaowocowało Okrągłym Stołem, tym wspaniałym aktem pojednania, o doniosłości którego pisał Michnik nieraz... I tak dalej.

Ale przypadkiem protokoły z IPN zostały wydrukowane gdzie indziej bez błogosławieństwa Michnika i bez jego, należycie ustawiającego sprawę, komentarza. Reakcją była więc furia. W pompatycznym wstępniaku Michnik rozdarł szaty, że oto jacyś „dranie, którym nie powinno się podawać ręki" plugawią i bezczeszczą pamięć człowieka tak wspaniałego, jakim był Kuroń. Przeciwko tej „podłości" zmobilizowała „Gazeta Wyborcza" intelektualistów i byłych opozycjonistów, których głosy wydrukowano wewnątrz tego samego numeru. Wśród nich znalazł się – jak raz jako pierwszy – głos profesor Barbary Skargi, filozofa i etyka, częstej uczestniczki rozmaitych tego typu kampanii. Warto go zacytować w całości, bo ujawnia całą kuriozalność zachowania michnikowszczyzny w tej sprawie:

„IPN opublikował rozmowy Jacka Kuronia z SB zapewne w intencji zbezczeszczenia jego pamięci. Świadczy to tylko o głębokiej ignorancji historycznej autorów. Jacek Kuroń nie prowadził negocjacji z UB, lecz posłużył się jego oficerami, innej drogi nie miał, aby przekazać najwyższej władzy swoją wizję rozwiązania sytuacji i możliwości pokojowej transformacji systemu. Trzeba podziwiać przenikliwość polityczną Jacka Kuronia, jego upór i odwagę, dzięki którym przekonał o konieczności porozumienia, a więc zorganizowania Okrągłego Stołu. Chwała mu za to. Radykalne grupy opozycyjne wbrew politycznej mądrości do dziś marzą o szubienicach i krwi, nie zdając sobie sprawy, że ich działania powodowałyby chaos, narażając nasz kraj na niebezpieczeństwo".

Słowem: na jednym oddechu oznajmia profesor Skarga, że Kuroń miał rację, proponując ubecji swego rodzaju sojusz przeciwko opozycyjnym radykałom, że „chwała mu za to" – i że stwierdzenie faktu, iż to właśnie zrobił, bezcześci jego pamięć.

I tego się potem trzymano. W ślad za pierwszymi wyrazami oburzenia przyszły następne, z całej Polski – publikacja, przypomnę, miała premierę w elitarnym dwumiesięczniku, a potem przedrukowano ją w lokalnej gazecie warszawskiej, praktycznie niedostępnej poza stolicą, więc wielu uczestników protestów wobec „opluwania" i „bezczeszczenia pamięci Jacka" nawet nie próbowało udawać, że wiedzą, o co chodzi. Zbiorowy list z protestem wystosowali do prezydenta byli działacze KOR. „Gazeta Wyborcza" wyłożyła ten list wirtualnie do podpisu w swoim portalu internetowym, zachęcając do masowego podpisywania (mimo łatwości, z jaką to pozwalało zostać byłym członkiem KOR, liczba podpisów nie była oszałamiająca). Z inicjatywy równie jak starsi oburzonej młodzieży tłumy obrońców Kuronia spotkały się nad jego grobem, aby w natchnionych mowach opowiedzieć tam, jak wspaniałym i bez skazy był on człowiekiem. Co prawda, wspomniana publikacja w najmniejszy sposób tego nie kwestionowała, ale, po pierwsze, co mają do rzeczy fakty, gdy autorytety moralne dają wyraz wyższym uczuciom, a po drugie, w odpowiedzi na całą tę pompę odezwali się działacze Ligi Polskich Rodzin, że Kuroń był zdrajcą podobnym do targowiczan i w związku z tym należy mu z tego powodu odebrać order Orła Białego (poza wszystkim, akurat całkiem bez logiki, bo skoro już się kogoś nazywa targowiczaninem, to wypada wiedzieć, że właśnie order Orła Białego zdobił przed wiekami piersi większości z nich, w ogóle zdobił wiele nikczemnych i dla Polski szkodliwych kreatur, z carycą Katarzyną na czele; trudno pojąć, dlaczego III RP uznała właśnie ten order za godne jej wyróżnienie, nie spieram się zresztą, może słusznie) – co oczywiście podochociło obrońców Kuronia do jeszcze bardziej pompatycznych wystąpień.

Słowem – zupełny cyrk. Tylko że w roku 2006 można było ten cyrk wyśmiać w mediach porównywalnych zasięgiem z „Gazetą Wyborczą". Jeszcze kilka lat wcześniej było to niemożliwe. Wstępniak Michnika i następujące po nim wyrazy poparcia środowisk opiniotwórczych miałyby moc na długo wykluczającą „paszkwilantów" i „drani" z życia publicznego.

Był to cyrk, ale coś nam pokazał – mianowicie, jak silny jest lęk michnikowszczyzny przed łamaniem jej monopolu na interpretację historii najnowszej, przed weryfikowaniem jej jedynie słusznych sądów, które obowiązywały przez kilkanaście lat. Jaką wściekłość i oburzenie budzi w niej fakt, że ktoś odważa się zaglądać w dokumenty, pytać, mówić o sprawach, które uczyniła ona ściśle strzeżonym tabu – mniejsza z tym, co mówi, ale że w ogóle ma czelność to robić! I jest to postawa w bezwstydzie swych uzurpacji racjonalna. To nic, że publikacja w istocie nie wyrządzała Kuroniowi żadnej szkody – tym łatwiej było wykonać atak uprzedzający, zmobilizować społeczne oburzenie. Bo jeśli michnikowszczyzna pozwoli, żeby takie publikacje się ukazywały, to prędzej czy później cały mit założycielski III RP spruje się w diabły.

(Amen.)

Ale, skoro już się wdałem w tę dygresję o Kuroniu i Kiszczaku... W swojej książce „Salon – rzeczpospolita kłamców" Waldemar Łysiak (poza tym, że eseista, publicysta i powieściopisarz, także znany w środowisku bibliofil) chlubi się nabytkiem z jednego z warszawskich antykwariatów: egzemplarzem książki Jacka Kuronia z jego odręczną dedykacją dla Czesława Kiszczaka. Dedykacja, której faksymile zamieszcza, jest bardzo serdeczna, ale nie po to o tym piszę, żeby czynić z tej serdeczności Kuroniowi wyrzuty. Chodzi o sam fakt, że książka ta – jeszcze za życia i autora, i obdarowanego – znalazła się w antykwariacie. Rzecz chyba oczywista, że książki podarowanej nam przez człowieka, którego cenimy i uważamy za osobę ważną, opatrzonej jego serdeczną dedykacją i podpisem, nie wyrzucamy. Ustawiamy ją na półce, nawet jeśli zupełnie nas nie interesuje jej treść.

Chyba, że jest to prezent od kogoś, kogo mamy gdzieś.

Po roku 1989 nie tylko jeden Michnik doznał jakiegoś dziwacznego napadu miłości do Kiszczaka – choć u redaktora naczelnego „Gazety Wyborczej" dała ona objawy zdecydowanie najmocniejsze, aż do sławetnego pasowania szefa MSW na „człowieka honoru". Ludzie z podziemia, ludzie jeszcze niedawno wspaniali, odważni, niezłomni, odkryli nagle w swym prześladowcy nie tylko partnera kompromisu, ale człowieka godnego podania ręki czy wręcz rzucania mu się na szyję. Bezpieka miała dobrych psychologów. Ludzi, których inwigilowała latami, znała doskonale, poświęcała wiele wysiłku ich „rozłupaniu". Generał Kiszczak dobrze wiedział, jak ze swymi partnerami rozmawiać, żeby osiągnąć zamierzony efekt. Ale to, jak je nazwał Michnik, „pożegnanie z bronią" miało charakter jednostronny. Jakkolwiek oceniali starego ubeka prominentni działacze „Solidarności", jakkolwiek go zapewniali, że mile ich zaskoczył, że zmienili o nim zdanie, on bynajmniej się w nich nie zadurzył. Oczywiście, odpowiadał tym samym – panowie, przyznaję ze wstydem, myśmy was mieli za radykałów, nie doceniliśmy was, a wy tymczasem, i takie tam pierdzielenie. Ale w istocie rozgrywał ich cynicznie i na zimno. Niedługo po Okrągłym Stole nie zawahał się opublikować zdjęć – zrobionych chyba bez wiedzy fotografowanych – dokumentujących kompromitujące byłych opozycjonistów toasty w Magdalence. A podarowaną mu przez legendarnego przywódcę KOR i sumienie „Solidarności" książkę z jego odręczną dedykacją szurnął zaraz do antykwariatu – albo wręcz na śmieci, skąd dopiero wygrzebał ją i sprzedał na jabola jakiś menel.

Ale zabrnąłem w dygresję. Wróćmy do tego, że majątek PZPR w niczym nie przypominał majątku jakiejś uczciwej, zachodniej partii. Był to po prostu złodziejski łup, przy gromadzeniu którego nie zadbano nawet o pozory przestrzegania prawa, choćby tylko z gruntu niesprawiedliwego prawa peerelu. Komunistom do połowy lat osiemdziesiątych w ogóle by przez myśl nie przemknęło, że kiedykolwiek stracą władzę – wszak stały za nimi nieprzeliczone sowieckie dywizje. Czując się tak pewnie, nie dbali o pozory praworządności w żadnej sprawie. W peerelu, żeby zacząć od samych ustrojowych podstaw, formalnie władzę sprawował rząd. Ale wszyscy wiedzieli, że niczym on nie rządzi, że wszystkie decyzje zapadają w stosownych wydziałach KC PZPR i stamtąd wysyłane są „do wykonu". Faktyczną głową państwa był pierwszy sekretarz partii, zwany z ruska gensekiem. Nikomu nie chciało się tego wpisywać do jakichś konstytucji, cały system władzy w państwie był kompletnie nielegalny, co od czasu do czasu powodowało zabawne kłopoty protokolarne, kiedy, dajmy na to, gensek chciał się spotkać z jakimś przywódcą zachodnim. Bo teoretycznie partnerem dla zachodniego premiera był premier PRL, a dla prezydenta przewodniczący tzw. Rady Państwa. No, ale po co miałby poważny zachodni polityk spotykać się z figurantem?

Formalnie, weźmy inny przykład, według peerelowskiego prawa, stan wojenny wprowadzić mogła tylko wspomniana Rada Państwa. Ale kiedy Jaruzel rozkazał porozklejać wydrukowane wcześniej potajemnie w wojskowych drukarniach obwieszczenia, nie pofatygował się nawet, by dla picu powyciągać pajaców z tej Rady Państwa z łóżek, zebrać gdzieś na chwilę i kazać im podnieść ręce „za" – ba, nawet żeby ich, formalnie najważniejszych ludzi w państwie, o tym, co jakoby zdecydowali, poinformować, choć ich pod owymi obwieszczeniami podpisał. Stan wojenny był całkowitym bezprawiem, powtórzmy to jeszcze raz, nawet w świetle prawa peerelowskiego!

Pewne starania o formy podjęli komuniści dopiero potem, w schyłkowym okresie swej władzy. Na przykład peerelowski pseudosejm dostał do przegłosowania (i oczywiście przegłosował, jak wszystko, co dostawał) ustawę legalizującą Służbę Bezpieczeństwa, która przez cały czas peerelu funkcjonowała bez jakiejkolwiek podstawy prawnej. Ten ówczesny nagły przypływ praworządności pozostawił po sobie trwały ślad, jakim jest istnienie do dziś w pracach IPN zupełnie sztucznej cezury, rozbijającej badania archiwów na okres do

1983 roku i później, choć w owym 1983 roku nie zdarzyło się naprawdę nic, poza wyprodukowaniem świstka papieru.

* * *

Nieboszczka PZPR była w sposób oczywisty odpowiedzialna za szereg nieprawości. Jeśli ktoś nie podzielał ostrożności Mazowieckiego i zbudowania w Polsce normalnego państwa prawa spodziewał się nie kiedyś tam hen, ale w przyszłości realnie określonej, musiał brać pod uwagę, że ofiarom tych nieprawości wypadnie wypłacić jakieś zadośćuczynienia. Trudno było sobie wyobrazić bardziej godziwe wykorzystanie majątku nagrabionego przez komunistów, niż użycie go na rekompensaty dla ich ofiar. Poza tym, jeśli mówiło się – a w słowach nikt temu nie zaprzeczał – że w Polsce będzie budowana demokracja według wzorców zachodnich, to było oczywiste, że powstaną niezbędne w takiej demokracji partie polityczne. A te potrzebują do swej działalności pewnej bazy, która w kraju biednym nie powstanie sama, z dnia na dzień. Niektórzy uznają, że partie, jako instytucje pełniące w społeczeństwie demokratycznym ważką misję, zasługują na wsparcie ze środków publicznych – kierując się tym przekonaniem, przyjęto ostatecznie w III RP ustawę przyznającą partiom politycznym fundusze wypłacane z budżetu państwa, i nie słyszałem wtedy żadnego słowa krytyki takiego rozwiązania ze strony Adama Michnika. Czy, na przykład, ze strony wspomnianego przed chwilą Aleksandra Halla, który w rządzie Mazowieckiego odegrał żałosną rolę ministra oficjalnie do spraw kontaktów z partiami politycznymi, w rzeczywistości zajmującego się głównie przeciwdziałaniem ich powstawaniu, a jeśli już mimo wszystko powstawały, pilnowaniem, by nie miały żadnych środków do działania. Jeśli więc partie zasługują na wsparcie ze środków publicznych – to zamiast nakładać na ten cel haracz na społeczeństwo, chyba bardziej sprawiedliwie byłoby podzielić pomiędzy nie pieniądze, lokale i tytuły prasowe nieboszczki PZPR?

Ale majątek po PZPR przejęła jej spadkobierczyni – Socjaldemokracja Rzeczpospolitej Polskiej, partia utworzona na tym samym, ostatnim zjeździe PZPR, na którym, pośród różnych mało istotnych deklaracji, przyjęto także uchwałę o przekazaniu SdRP wszystkich dóbr byłej Kompartii.

Ta decyzja nie musiała być przez wolną Polskę szanowana. Można ją było podważyć z wielu powodów, począwszy od pochodzenia owego majątku z kradzieży, skończywszy na wątpliwej legalności samego zjazdu, w wyborze delegatów na który uczestniczyła, wedle niezależnych od samej PZPR danych, niewielka część członków, mniejsza od wymaganej statutem. Bo do chwili, gdy przygotowania do zjazdu się zaczęły, liczna jeszcze przed paroma miesiącami partia zdążyła się w obliczu wyborczej klęski oraz katastrofy „realnego socjalizmu" w krajach ościennych po prostu rozbiec i większość jej „mas członkowskich" wstydliwie trzymała się od wszelkich partyjnych ceremonii z daleka. Można więc było majątek PZPR skonfiskować bez oglądania się na pretensje jej aparatczyków, świeżo przemalowanych na socjaldemokratów. Jeśliby się chciało, rzecz jasna. Część posłów „Solidarności" chciała i uważała to za oczywiste.

Jesteśmy więc na sali sejmowej, 28 kwietnia 1990 roku, trwa debata nad projektem upaństwowienia majątku byłej PZPR i na sejmowej trybunie staje poseł OKP, Adam Michnik. Wygłasza z niej improwizowaną, pełną pasji mowę, która okaże się jednym z ważniejszych punktów debaty publicznej po roku 1989. Sam Michnik zresztą od razu ją za taką uznaje, bo dwa dni później mowę tę przedrukowuje „Gazeta Wyborcza", opatrując ją tytułem – arcymichnikowym! – „Nie będę walczyć bronią nienawiści".

* * *

Od razu, kiedy tylko zacząłem gromadzić pierwsze notatki do tej książki, stanął przede mną problem, jak wiele cytować z Michnika, na ile konkretnie wdawać się w polemiki z jego tekstami. Materiału do takich polemik byłoby bardzo dużo. Właściwie można by cytatami rozmaitych publicystycznych wystąpień Michnika oraz krytycznymi komentarzami do nich wypełnić całe opasłe tomiszcze. Tylko że lektura takiego tomiszcza byłaby równie nudna, jak czytanie kolejnych książek redaktora naczelnego „Wyborczej", i zapewne znalazłoby się do tej pracy równie niewielu chętnych. A o wsparcie finansowe z Ministerstwa Kultury nie mam zamiaru się ubiegać.

Przyjąłem więc zasadę, że będę cytował tylko tyle, ile jest niezbędne. Zainteresowani całością tekstów (jeśli takowi się znajdą, choć wątpię) bez trudu znajdą je sami. Wystąpienie, o którym tu mowa, potraktuję wyjątkowo obszernym omówieniem z uwagi na jego szczególną rolę w historii owej choroby umysłowej, nazywanej tutaj michnikowszczyzną.

Zaczyna je poseł Michnik od sprawy rent i emerytur – bo akurat kwestie majątku byłej PZPR oraz nowej ustawy emerytalno-rentowej omawiano dzień po dniu. Nawiasem mówiąc, podczas dyskusji o emeryturach i rentach poseł Michnik, wespół z Jackiem Kuroniem, bardzo aktywnie (i skutecznie) bronił byłych funkcjonariuszy przed próbą odebrania im emerytalnych przywilejów.

Zwróćcie Państwo uwagę: chodziło o odebranie PRZYWILEJÓW. Nikt nie postulował, by aparatczykom, milicjantom czy ubekom zabrać emerytury w ogóle – a tylko, by zrównać je z innymi. Nikt nie chciał, żeby ich traktowano gorzej niż pozostałych obywateli – a tylko, by zaczęto ich traktować tak samo. Postulowano jedynie zerwanie z reżimową zasadą, według której ludzie władzy wynagradzani byli emeryturami znacznie wyższymi niż ci, którzy przepracowali życie uczciwie i nie wysługiwali się komunie. Postulowano likwidację jednego z tych przywilejów, który mieszkańców państwa rzekomej „sprawiedliwości społecznej" dzielił na lepszych i gorszych – a więc postulowano powrót do tego, co stanowi cywilizacyjny standard.

Ale teraz, wracając do tamtej dyskusji, Michnik nie wspomina o meritum sprawy. Przypomina tylko głosy – bo i takie się w niej odezwały, głównie ze strony działaczy reżimowego OPZZ – domagające się radykalnego podniesienia wypłacanych rent i emerytur od zaraz. Bez trudu wykazując, że takie żądania, nieliczące się z realnymi możliwościami ledwie zipiącego państwa, są nieodpowiedzialne, stawia je na jednej płaszczyźnie z żądaniem nacjonalizacji mienia po PZPR stwierdzeniem, że w jednym i drugim nie chodzi o prawo, ale o zdobycie taniej popularności. „To podoba się ludziom... Jest to klasyczny zastępczy konflikt. Jest to klasyczny sposób zdobywania dla siebie popularności tam, gdzie o tę popularność jest trudno".

Odnotujmy tę retoryczną sztuczkę, jedną z tych, którą Michnik i jego totumfaccy będą stosować z zamiłowaniem przez wiele lat. Na zdrowy rozum – cóż niby ma piernik do wiatraka? Populistyczne żądanie posła X z OPZZ, żeby od zaraz podnieść wszystkie emerytury i renty dwukrotnie, z żądaniem posła Y z OKP, żeby odebrać postkomunistom nieprawnie zgromadzony majątek, w oczywisty sposób nie mają przecież ze sobą nic wspólnego. Ale to nieważne. Ważne, że porównanie z tym pierwszym od razu skutecznie deprecjonuje tego drugiego. Nie sposób zliczyć, ile razy w ten prosty sposób będzie zniesławiać „Gazeta Wyborcza" polityków czy publicystów, którzy czymś się jej narażą. Jeśli ktoś, powiedzmy, zaprotestuje przeciwko nazywaniu Auschwitz „polskim obozem śmierci", to dyżurny moralista „Gazety Wyborczej" odpowie w jednym tekście jemu i Bernardowi Tejkowskiemu, głoszącemu, że Żydzi są wszędzie i zajadle knują przeciwko Polsce. Jeśli kto inny skrytykuje zbyt ślamazarnie prowadzone reformy gospodarcze, ta sama gazeta wymieni go w artykule dającym zbiorowo odpór krytykom Leszka Balcerowicza, na konkretnym przykładzie poglądów senatora bredzącego o masońskim spisku, mającym na celu zniszczenie naszego kraju, i o „wrogach Polski, panach Jeffreyu i Sachsie".

„Gdybym ja, poseł, występując wczoraj, optował za podwyższeniem rent i emerytur i obniżeniem wieku emerytalnego, podobałoby się to moim wyborcom. I gdybym dziś przemawiał za całkowitą likwidacją majątku po byłej PZPR – też spodobałbym się moim wyborcom", konkluduje Michnik. Po tej ekspozycji sytuacja jest jasna, przynajmniej z punktu widzenia etyki. Z jednej strony populiści, którzy szukają łatwej popularności, z drugiej – Michnik, który na takie pokusy nie idzie.

Czas na kolejną retoryczną sztuczkę, również ze stałego Michnikowego repertuaru: „Co tyczy się rzeczywiście wstrząsających przykładów, o których mówili koledzy posłowie: jestem zdania, że w każdej konkretnej sprawie powinna być otwarta droga do sprawiedliwości. Natomiast jednym aktem nacjonalizując ten majątek, my tę właśnie drogę blokujemy".

Przypomina mi się, gdy to cytuję, czytana w dzieciństwie powieść, w której stary oszust wyjaśniał młodemu, że aby ukraść z kościelnej tacy talara, trzeba najpierw rzucić na nią denara. Deklarowanie się ogólnie po stronie tej właśnie idei, którą zwalcza, powtarza się w polemikach Michnika i jego ludzi regularnie. Oczywiście, komunistyczne zbrodnie trzeba rozliczyć, oznajmia Michnik, by potem na czterech pełnych kolumnach mnożyć trudności, które to uniemożliwiają, etyczne wątpliwości i argumenty praktyczne przeciwko takiemu rozliczeniu przemawiające. Ludzie, którzy dopuszczali się nieprawości, powinni zostać ukarani, oznajmia na wstępie – ale... I po tym „ale" zajmuje się przez cały tekst już tylko wzywaniem na wszelkie możliwe sposoby, aby prób ich karania zaprzestać.

Jacek Kuroń, mistrz i przyjaciel Michnika, podobną zasadę ujął w głośnym później powiedzonku o stadzie mustangów. Stada mustangów, miał powiedzieć, nie można zatrzymać, stając mu na drodze – trzeba zręcznie wskoczyć jak największemu mustangowi na kark, i pędząc wraz z całym stadem, z wolna, od środka, zmieniać kierunek, w którym ono biegnie. Widziano w tym powiedzonku metaforę strategii politycznej, jaką grupa Kuronia i Michnika zastosowała wobec „Solidarności". Ale oddaje ono także szerszą, nie tylko polityczną filozofię działania „lewicy laickiej"; w minionym piętnastoleciu zaznaczyła ona zresztą wyraźnie istotną mentalną odmienność pomiędzy ludźmi michnikowszczyzny a tak zwaną niepodległościową centroprawicą. Podczas gdy pierwsi stale kombinowali, gdzie by tu się jeszcze wkręcić i co przestroić na swoją modłę, główną troską tych drugich było, od kogo by się tu jeszcze demonstracyjnie odciąć i kogo pryncypialnie potępić.

„Wstrząsającym przykładom" niesprawiedliwości, podawanym przez goniących za tanim poklaskiem przeciwników, zaprzeczyć w oczy nie sposób i poseł ziemi bytomskiej nawet tego nie próbuje. Bierze je w nawias, i gdyby był mówcą mniej w retoryce wyćwiczonym, odsunąłby po prostu na bok: wymierzeniem sprawiedliwości... – przepraszam, nasz mówca wspomina tylko, arcyostrożnie, o „otwarciu drogi" do sprawiedliwości – w konkretnych sprawach zajmiemy się osobno. Ale Michnik poczyna sobie sprytniej. Oto, oznajmia, że właśnie nacjonalizując majątek po byłej PZPR ową drogę do sprawiedliwości zamykamy.

Dlaczego?

A bo tak.

Michnik nie fatyguje się, żeby swą zdumiewającą tezę jakoś uargumentować. Po prostu, istnienie „jednego aktu", jeśliby prawodawca taki przyjął, zamyka drogę do rozwiązań szczegółowych. Tak Michnik mówi i musicie mu wierzyć. Po pierwsze dlatego, że jeśli nie wierzycie, to jesteście po stronie prymitywnego populizmu, przeciwko szlachetnej wielkoduszności – to już zostało wyjaśnione na wstępie i zostanie jeszcze dobitniej wykazane za chwilę.

A po drugie dlatego, że jeśli nie uwierzycie i zaczniecie sprawę brać na rozum, dojdziecie nieuchronnie do wniosków zdumiewających. Jeśli „jednym aktem nacjonalizując" majątek PZPR zamyka się drogę do sprawiedliwego osądzenia nieboszczki Kompartii, to, logicznie, na przykład, przyjmując jedną ustawą kodeks karny, zamyka się drogę do wymierzenia sprawiedliwości wszelkiej maści złodziejom, bandytom i oszustom. To znaczy, że zamiast jedną ustawą wprowadzać zasadę, iż, dajmy na to, kto działając umyślnie w zamiarze osiągnięcia zysku pozbawia kogoś innego życia, podlega karze pozbawienia wolności od 10 lat do dożywocia, powinniśmy każdą sprawę każdego konkretnego zbrodniarza traktować osobno, i otwierać mu drogę do sprawiedliwości – w oparciu o Bóg jeden raczy wiedzieć co.

To znaczy, dojdziecie wtedy do jedynego logicznie możliwego wniosku, że Adam Michnik po prostu bredzi.

Ale może bredzi szczerze, spyta ktoś. Może naprawdę uważa, że jedną ustawą nie można załatwić spraw skomplikowanych, że to by było za proste... Wątpię, by takie pytanie padło, ale na wszelki wypadek wspomnijmy, że jeszcze w tym samym roku 1990, w numerze „Gazety Wyborczej" z 13 grudnia, Adam Michnik zaapeluje o uchwalenie – oczywiście, że „jednym aktem", bo jakże by inaczej – ustawy o abolicji dla winnych wprowadzenia stanu wojennego... pardon, dla „architektów" stanu wojennego. Michnikowszczyzna już wtedy nie może wykrztusić w tym kontekście słowa „winni" czy „odpowiedzialni", musi dokonywać leksykalnych łamańców, jakby stan wojenny był pałacem. Jeśli nacjonalizacja majątku byłej PZPR miała zamknąć drogę do sprawiedliwości w konkretnych wypadkach, to czyż abolicja, przyjęta zanim nawet rozpoczęto jakieś poważniejsze badania archiwów, nie zamknęłaby drogi do sprawiedliwości w tysiącach konkretnych spraw z tego okresu?

Więc logicznie dochodzimy do wniosku, że redaktor naczelny „Gazety Wyborczej" nie tylko bredzi, ale bredzi cynicznie.

O nie, kochani. Do takiego wniosku oczywiście dojść nie możemy, stop, w tył zwrot! Adam Michnik bredzić nie może, a już zwłaszcza cynicznie. Adam Michnik jest wielkim człowiekiem, autorytetem moralnym, bohaterem podziemia, laureatem niezliczonych tytułów honorowych, nagród i medali, *et cetera*, *et cetera*. Więc jeśli zastanowienie nad tym, co mówi, ma kogoś doprowadzić do takich wniosków – to znaczy, że nie wolno się zastanawiać. Wyłączcie swoje mózgi, złóżcie ręce do oklasków – tak się właśnie rodzi michnikowszczyzna – i słuchajcie dalej.

Dalej Michnik wraca do kwestii etycznych. Przypomina, że jedno z haseł głoszonych przez Lenina brzmiało „grab zagrabione" – przy okazji wzmiankując, że Lenina czytał, siedząc w więzieniu. Aż trudno uwierzyć, że syn dwojga ideowych komunistów, sam w dzieciństwie zafascynowany pismami klasyków tej ideologii i szukaniem w niej, czy raczej pomiędzy nią, a praktyką jej realizowania, sprzeczności, do czytania pism Lenina wziął się dopiero wtedy, kiedy go za owe wyszukiwanie sprzeczności zamknięto. Więc nawet w takim na pozór przypadkowym napomknieniu widziałbym raczej przemyślaną retorykę, jeszcze jeden sposób na zaznaczenie, że oto w osobie Adama Michnika – między innymi męczennika walki z komunizmem – szlachetność staje przeciwko niskim pobudkom ludzi kombinujących, jak by tu się łatwo przypodobać wyborcom.

Zresztą chwilę później rozjuszony mówca idzie już na całego:

„Ja znam ten język [zwolenników nacjonalizacji majątku po PZPR – RAZ], Wysoka Izbo. To jest język komunistycznego egalitaryzmu (...) I chcę powiedzieć, Wysoka Izbo, że w niektórych głosach (...) z przerażeniem usłyszałem ten ton, który słyszałem w prokuratorskich przemówieniach wtedy, kiedy sam siedziałem na ławie oskarżonych".

Patrzcie Państwo, jaka przewrotka! Oto postawiony zostaje znak równości pomiędzy komunizmem a antykomunizmem. To już nie złodziej jest zły – zły jest ten, kto chce złodziejowi odebrać.

„Znam ten ton bardzo dobrze, bardzo się go boję, i wiem, czego się boję" – ciągnie Michnik. O tym strachu za chwilę, teraz dalej: „byłem aresztowany i zatrzymywany wiele razy. Mnie nie trzeba tłumaczyć, że komunizm to nic dobrego i mnie nie trzeba przeciwko komunistom agitować. Ale właśnie z tej perspektywy chcę powiedzieć, że w niektórych głosach, o czym mówię z bólem, usłyszałem coś, co bym nazwał antykomunizmem jaskiniowym. Ja jestem antykomunistą i jako antykomunista tej jaskiniowości się boję".

Tak więc okazuje się, że są dwa antykomunizmy. Ten dobry i ten „jaskiniowy", przy czym o tym, który jest który, decyduje Adam Michnik, na mocy swojej martyrologii. Nawet tylko na podstawie tego jednego wystąpienia można zauważyć, czym się różni antykomunizm dobry od złego. Zły jest w wystąpieniach, „gdzie się PZPR miesza z błotem, przyrównuje do katyńskich morderców, mówi się, że byli gorsi niż Hitler". Z takimi deklaracjami Adam Michnik „nic wspólnego nie ma i nie chce mieć".

W „Gazecie Wyborczej" przez ostatnie szesnaście lat wiele napisano o neofaszystach, z różnych przyczyn znacznie więcej, niżby to wynikało z rzeczywistych rozmiarów zjawiska. Ani razu nie przyszło jej naczelnemu ani jego podwładnym do głowy, żeby było coś złego w przyrównywaniu naziola do esesmanów, którzy zaganiali Żydów w Auschwitz do komór gazowych. Jeśli jakiś głupi gówniarz zakłada opaskę z emblematami SS albo koszulkę ze swastyką, jeśli wyciąga łapę w nazistowskim pozdrowieniu i krzyczy „Heil Hitler", to wydaje się oczywiste, że sam podpisuje się pod tradycją wszystkich zbrodni dokonanych przez ludzi, którzy nosili te emblematy i pozdrawiali się w taki sposób.

Ale tu oto okazuje się, że dla Adama Michnika człowiek, który robił karierę w aparacie partii komunistycznej, który podpisał się w tym celu pod ideologią mającą na sumieniu i Katyń, i Wielki Głód, i niezliczoną liczbę innych zbrodni, który, mało tego, jako funkcyjny członek PZPR uczestniczył w zaprzeczaniu tym zbrodniom, i zacieraniu prawdy o nich (co każdy kodeks karny świata uzna za tzw. współudział po fakcie) – nie może być do oprawców z Katynia przyrównywany. Bo to przejaw mentalności jaskiniowej!

I by jaskiniowców do cna pognębić, rzuca im Michnik w twarze: „w stanie wojennym, po 13 grudnia i siedząc w kryminale, ja nie byłem aż tak ostrożny, żebym dzisiaj musiał być aż tak odważny".

W sztuce retorycznej michnikowszczyzny chwyt, jakiego tu używa Michnik stwierdzając „jestem antykomunistą" jest bliski omawianej już sztuczki z pozornym przyznawaniem zwalczanym tezom słuszności, po to, by wiarygodniej zabrzmiały zgłaszane wobec niej wątpliwości i obiekcje. Kiedy michnikowszczyzna rozpocznie niedługo później kampanię oskarżeń przeciwko Kościołowi, alarmując przed szykowanym nam jakoby „państwem wyznaniowym" na wzór Iranu Chomeiniego, niemal każdy z autorów biorących udział w tej kampanii zaznaczać będzie, że on też jest wierzącym katolikiem, i właśnie dlatego, z katolickich pozycji, potępia zaangażowanie Kościoła w życie publiczne.

O tym zresztą jeszcze parę słów za chwilę – na razie skończmy z analizowanym wystąpieniem. Wypada zauważyć, że w politycznym sporze z Michnikiem znaleźli się w roku 1990 ludzie, z których wielu w więzieniach spędziło nie mniej czasu od niego, nawet jeśli mniej wyraźnie było to odnotowywane przez zachodnie media i „Wolną Europę". Przypisanie przeciwnikom, że dziś są wobec komunistów odważni, bo wtedy, gdy trzeba było odwagi, oni byli „ostrożni", było więc zagraniem, mówiąc delikatnie, w oczywisty sposób nieuczciwym.

Ale nie ma się co szczypać i silić na delikatność. Można by, gdyby Michnik, do czego zawsze miał tendencję, po prostu zapędził się i w polemicznym ferworze tak akurat palnął. Ale i ten wątek z cytowanego przemówienia będzie potem przez michnikowszczyznę wielokrotnie powtarzany: ci, którzy dziś są przeciwko komunistom, to tchórze, nic w peerelu nie zrobili, a teraz niewczesnym radykalizmem leczą swe kompleksy. To „druga albo i trzecia brygada". „Radykałowie ostatniej godziny". Ci, którzy się na prawdziwą bitwę spóźnili, i teraz chcą się pastwić nad bezbronnymi jeńcami. Prawdziwi bohaterowie oporu, jak Adam Michnik, dziś są z byłymi komunistami w przyjaźni.

No cóż, przekartkujmy dzieła Michnika, szukając konkretnych nazwisk jego wrogów. Antoni Macierewicz – cokolwiek o nim sądzić, to on przyjmował Michnika i Kuronia do KOR, a nie odwrotnie. Jan Olszewski, obrońca w niezliczonych procesach działaczy opozycji. Krzysztof Wyszkowski, niestrudzony działacz Wolnych Związków Zawodowych. Zbigniew Romaszewski, działacz KOR nie mniej zasłużony od przywódców „lewicy laickiej". Kornel Morawiecki, przywódca najintensywniej prześladowanej przez bezpiekę „Solidarności Walczącej"... Kto głosił poglądy, przypisane przez michnikowszczyznę tym, którzy teraz są odważni, bo kiedy było trzeba, byli ostrożni? Anna Walentynowicz, Andrzej Gwiazda, Piotr Naimski, Kaczyńscy, Rokita, Szeremietiew, Niesiołowski – muszę wyliczać dalej?

No dobrze, mamy więc antykomunizm zły, jaskiniowy, który chce, by majątek po nieistniejącej już PZPR, który prawem kaduka uznaje za własny utworzona przez jej byłych liderów SdRP, stał się własnością niepodległej Polski. A ten dobry?

Cofnijmy się o parę akapitów:

„Słuchając tych głosów [tych jaskiniowych – RAZ] cały czas zastanawiam się, czy prawdą jest to, co przez tyle lat o nas mówili komuniści – że podstawowym celem naszej politycznej aktywności jest zlikwidowanie przeciwnika. Ja wierzyłem, wierzę i będę wierzył, że jest to nieprawda, że myśmy się nie po to angażowali. Ja wierzyłem i wierzę, że w tej nowej rzeczywistości, której budowa została zapoczątkowana na zasadzie kompromisu politycznego – a wszyscy, którzy w tej sali jesteśmy, ten kompromis aprobowaliśmy – otóż jest miejsce dla wszystkich".

Bodaj najbardziej tajemniczy i obfity w implikacje fragment całego wystąpienia, wart osobnego rozdziału. Przyjdzie nam do pojawiających się tu wątków wracać w dalszej części książki. Na razie krótko o tym, co na samym wierzchu.

Młodszemu czytelnikowi trzeba wyjaśnić, że, istotnie, stałym wątkiem komunistycznej propagandy było oskarżanie opozycji o to, że chce władzy i że jest przeciwko socjalizmowi (to zabawne, ale słowo „komunizm" było w oficjalnym języku peerelu niemile widziane, zapewne jako zbyt znienawidzone w społeczeństwie; oficjalnie mówiło się tylko o socjalizmie). Dziwne to „oskarżenia" z dzisiejszego punktu widzenia. Wiadomo, że po to istnieje opozycja, aby dążyć do przejęcia władzy. Wiadomo, że ludzie, którzy ważyli się stanąć do walki z totalitarnym, zbrodniczym reżimem, marzyli o tym, żeby ten totalitaryzm upadł – choć nie mieli na to nadziei i swą działalność traktowali bardziej w kategoriach moralnego sprzeciwu, dochowania wierności, herbertowskiego „dania świadectwa". Niemniej, w ustrojowym absurdzie, w którym występowanie przeciwko narzuconemu Polsce ustrojowi, przeciwko konstytucyjnemu „sojuszowi" ze Związkiem Sowieckim i równie konstytucyjnemu monopolowi władzy partii komunistycznej samo w sobie było z mocy prawa przestępstwem, żeby nie wylądować w turmie od razu, trzeba było ważyć słowa i deklaracje – udawać, że się krytykuje tylko „wypaczenia" i nie zamierza „obalać ustroju", a już zwłaszcza siłą. Każdy wiedział, że to teatr, ale propaganda peerelu traktowała te swoje oskarżenia bardzo poważnie. I do pewnego stopnia były one poważne, bo ich wysunięcie na łamach „Trybuny Ludu" z reguły oznaczało, że zaatakowanemu przygotowywano już proces z wiadomym z góry wyrokiem.

Ale oczywiście nikt się tym kamuflażem nie przejmował. I oto nagle, po roku 1989, już w wolnej Polsce, były więzień polityczny i były członek KOR traktuje tę propagandę poważnie, tak, jakby za czasów peerelu dążenie do całkowitego wyeliminowania z życia publicznego PZPR (bo przecież nie chodzi tu o fizyczną likwidację członków tej partii, tylko o „likwidację" polityczną) rzeczywiście było czymś złym. Tak złym, że podejrzenie, iż komuniści mogli mieć rację, najgłębiej Michnika zasmuca. Nie, nie po to istniała opozycja, nie po to się w nią angażowaliśmy, żeby komunistów odsunąć od władzy, ale po to, żeby w lepszej Polsce dla wszystkich, także dla nich, znalazło się miejsce.

Niejednemu działaczowi antykomunistycznej opozycji – a szczerze mówiąc, poza grupą współpracowników i przyjaciół Michnika, każdemu – na taki tekst musiała ze zdumienia opaść szczęka. Bo oto wyszło na to, że cały antykomunizm przed Okrągłym Stołem był zwykłą lipą. Że krzyczano „precz z komuną", ale naprawdę znaczyło to tylko, żeby komuna trochę się posunęła i dopuściła krzyczących do współpracy.

Oto ten „dobry" antykomunizm, „niejaskiniowy". Antykomunizm zakładający otwarcie na komunistów, współpracę z nimi, a w tym konkretnym przypadku – obronę ich przywilejów majątkowych przed niesłusznymi roszczeniami takich, którzy by chcieli z peerelem zerwać całkowicie.

Czyli nie żaden „antykomunizm", tylko, mówiąc językiem niezakłamanym, kolaboracja. O tyle szczególna, że niewymuszona, jak to w peerelu bywało – weźmy jako przykłady choćby taki „Pax", Koło Poselskie „Znak" albo utworzoną przez Jaruzela w 1986 roku Radę Konsultacyjną – przekonaniem, że w obliczu sowieckiej przemocy i ustaleń z Jałty trzeba się jakoś z reżimem dogadać, żeby jak najwięcej, ile się da, dla Polski ocalić.

Tym razem propozycja współpracy złożona zostaje komunistom przetrąconym, i przede wszystkim – pozbawionym decydującego dotychczas o wszystkim wsparcia „Wielkiego Brata". Adam Michnik – sądząc, że czyni to z pozycji siły – wyciąga do komunistów rękę nie dlatego, że stoi za nimi kilkadziesiąt sowieckich dywizji, niezliczone głowice atomowe i cały powojenny podział świata, w którym zwycięskie mocarstwa raczyły potraktować naiwnych Polaczków jako nawóz dla hodowanej wspólnie ze zbrodniarzami z Kremla roślinki Światowego Pokoju. Wyciąga do nich rękę, aby ich podnieść, pomóc się pozbierać, ochronić i uratować przed zepchnięciem ze sceny politycznej wolnej Polski. Poświęci temu kilka następnych lat gorączkowej aktywności.

Dlaczego to robi? Po szesnastu latach nietrudno na to pytanie odpowiedzieć. Ale w swoim sejmowym wystąpieniu z 28 kwietnia 1990 roku Michnik mówi tylko: „idzie mi tutaj o zasady".

I powtarza raz jeszcze: „idzie mi o etykę polityczną. Idzie mi o tę etykę dlatego, że słyszałem wczoraj i dziś głosy nasycone nienawiścią".

Po prostu – on, Michnik, nie będzie walczyć bronią nienawiści. On nienawiść odrzuca. Tak, jak kiedyś z pozycji moralnych rzucał wyzwanie reżimowi, wiedząc, że zapłaci za to prześladowaniami i więzieniem, jak kiedyś w imię racji etycznych nie wahał się w oczy (no, bez przesady – listownie, niemniej nader pryncypialnie) nawsadzać samemu generałowi Kiszczakowi, siedząc u niego w więzieniu, tak oto, w imię tych samych etycznych racji, idzie na kolejną wojnę – przeciwko nienawiści. Przeciwko „jaskiniowemu antykomunizmowi", którego się boi. Zwróćcie Państwo uwagę na to ciągłe podkreślanie odczuwanego strachu. Jakże znakomicie ustawia to retorycznie sytuację. Od razu znika obraz rzeczywistości – że Michnik staje po stronie tych, którzy w OKP rozdają karty, przeciwko tym, którzy się w nim nie liczą, że dysponent najpotężniejszej propagandowej tuby owego czasu miażdży oskarżeniami o podłość tych, którzy nie mają głosu, że staje po stronie posiadaczy i dysponentów nieograniczonej kasy, przeciwko, z przeproszeniem, gołodupcom, których jeszcze długo nie stać będzie nawet na porządny powielacz, na którym mogliby rozpowszechniać swoje jaskiniowe pomruki.

Adam Michnik boi się, i to ten strach zmusza go, by stanął, samemu nad tą koniecznością bardzo bolejąc, przeciwko mrocznej, potężnej sile – nienawiści.

Jakież to dla michnikowszczyzny charakterystyczne!

Zresztą, całe to przemówienie jest właśnie bardzo charakterystyczne. I dlatego pozwoliłem sobie tak długo zajmować nim uwagę Czytelnika. Bo nie było to wcale pierwsze wystąpienie Michnika w obronie komunistów, nie był to pierwszy atak na byłych kolegów z opozycji, którzy nagle stali się jego śmiertelnymi wrogami. Nie był to publiczny debiut „nowego Michnika", który już wcześniej zdołał wprawić w zdumienie wielu takich, co znając legendę Michnika – dynamitarda, uważali go za zaciekłego wroga komunizmu. Słowem, nie była to inauguracja michnikowszczyzny. Ale była to, niejako, michnikowszczyzna w pigułce. Było w tym sejmowym przemówieniu wszystko, co dla niej najbardziej typowe – i w warstwie meritum, i w stylu.

Właśnie dlatego warto było ten „zapis choroby" zacząć właśnie od niego.

A na zakończenie Michnik szarżuje już na całego:

„I chcę powiedzieć jeszcze, że nie jestem i nie chcę być adwokatem PZPR i tego, co z PZPR zostało".

Paradne! Oto przez wiele minut poseł Adam Michnik bronił PZPR i tego, co z PZPR zostało – i na koniec powiada, że wcale jej nie broni i nie zamierza tego robić.

A potem przez wiele lat przy każdej możliwej okazji, z godnym lepszej sprawy uporem i zapałem, robił właśnie, ni mniej, ni więcej, tylko za adwokata PZPR i tego co z niej zostało.

Niejaki major (pisałem już o nim w „Polactwie", ale tak tutaj ta anegdota pasuje, że muszę ją powtórzyć), komendant Szkoły Podchorążych Rezerwy, w której przyszło mi w roku 1988 odwalać „zaszczytny obowiązek obrony ludowej ojczyzny", zapadł w mojej pamięci zdaniem z porannego apelu, po tym, jak jeden – słownie jeden – podchorąży uchlawszy się dostał małpy i nieco zdemolował obiekt. „Za karę cała szkoła w nadchodzącym miesiącu nie dostanie przepustek", oznajmił, i na jednym oddechu dodał: „I nie jest to żadna odpowiedzialność zbiorowa!".

Nie, oczywiście. Jak się stu chłopa karze za pijaństwo jednego, to absolutnie nie jest to odpowiedzialność zbiorowa. Jak ktoś broni członków byłej PZPR przed utratą przywilejów, jakie im zaprzedanie się czerwonej mafii przyniosło, to wcale nie jest adwokatem tego, co z PZPR zostało. A za rzeczy pozostawione w szatni szatniarz nie odpowiada.

W każdym cywilizowanym kraju kogoś, kto by się posługiwał tego rodzaju argumentacją, zbyto by wzruszeniem ramion, a może nawet odesłano na leczenie psychiatryczne. Ale nie w kraju, po którym przejechał się walec komunizmu, i którego elity przez pół wieku, mozolnie, to kijem, to marchewką, przyuczano i wdrażano do sztuki dwójmyślenia.

Jak nazywały się państwa komunistyczne? Przypomnę: nazywały się „demokracjami ludowymi". Pomińmy, że to nonsensowna tautologia; przede wszystkim było to najbezczelniejsze w świecie kłamstwo. Ale w komunizmie wszystko było takim właśnie kłamstwem, i kto miał szczęście w nim nie żyć, nigdy nie zrozumie, do jakiego stopnia zakłamano w nim znaczenia słów. Komuniści nazywali się „siłami demokratycznymi" – w odróżnieniu od imperialistów, a w napadach ostrzejszej retoryki faszystów, czyli wyznawców wszystkich nurtów politycznych mieszczących się w prawdziwej demokracji. Komuniści nie budowali w Polsce komunizmu, skądże znowu, ani nawet socjalizmu – oni tu budowali właśnie „Polskę demokratyczną", w przeciwieństwie do przedwojennej Polski sanacyjnej. Kiedy pod koniec lat czterdziestych niszczono po kolei wszystkie niezależne od reżimu organizacje, „jednocząc" je przymusowo pod zarządem Partii, i to także nazywało się „demokratyzacją". Kiedy Jaruzelski rzucił czołgi, by zmiażdżyć próbę upomnienia się o wolność dla Polski, nie mówił, że broni komunizmu, tylko niepodległości. Zbrojąc się na potęgę i kreśląc plany nagłego, zmasowanego ataku na zachodnią Europę, komuniści „walczyli o pokój". Walka o pokój wymierzona była głównie w zagrożenie atomowe – jego likwidacji służyć miało użycie w tym ataku z zaskoczenia setek głowic jądrowych różnej siły, uprzedzające ruch wojsk i otwierające dla nich dogodne do przejścia pogorzeliska. Kiedy generał Kiszczak nagradzał pracowników resortu, którzy spreparowali lipne dowody, jakoby Grzegorza Przemyka pobili śmiertelnie sanitariusze, a nie milicjanci, to nagradzał ich za „zasługi dla pełnego ujawnienia prawdy" o tym zdarzeniu.

Napisałem na wstępie tego rozdziału, że w roku 1990 „pewne rzeczy były oczywiste". Powinienem oczywiście dodać – dla niektórych. Dla wtajemniczonych. Tych, którzy chcieli wiedzieć, którzy nie poddawali się powszechnemu zakłamaniu, szukali słów prawdziwych. Teraz przyszedł moment, żeby przywrócić słowom ich prawdziwe znaczenia. Żeby odkłamać polszczyznę potoczną, i tę używaną w mediach, i tę rozbrzmiewającą w biurach, sklepach i fabrykach. Sprawić, że niewola będzie nazywana niewolą, kradzież kradzieżą, a draństwo draństwem, że znikną z języka rozmaite komunistyczne potworki, w rodzaju „wypadków grudniowych" czy „wydarzeń radomskich".

To się nie stało. Zamiast uzdrowienia języka publicznej debaty przyszła michnikowszczyzna i zrobiła to samo, tylko po nowemu. Postulat postawienia przestępców przed sądem stał się „polowaniem na czarownice". Sprawiedliwość – zemstą, a domaganie się jej – nienawiścią. Gniew – frustracją. Próby tworzenia normalnego systemu partyjnego i żądanie wolnej dyskusji, prawa do sporu, bez którego o wolności i demokracji mowy być nie może, nazwano „polskim piekłem". A biurokratyczny, przeregulowany system gospodarczy, niedający obywatelom równych praw ani swobody realizowania swych pomysłów – „dzikim kapitalizmem".

Dotykam tu samej istoty tego, co nazywam michnikowszczyzną. Oto w krytycznym momencie, gdy wali się system oparty w znacznej części na załganiu pojęć – ogromna część polskiej inteligencji ochoczo przyjmuje za swój język nie mniej zakłamany, w analogiczny sposób nazywający czarne białym, a białe czarnym.

Dlaczego to się mogło udać?

O tym jest cała ta książka. Na razie ograniczmy się do stwierdzenia faktu, że się udało.

Że tak samo, jak wspomniany major mógł w naszym SPR-ze gadać, co chciał, niezagrożony, by ktokolwiek zauważył na głos ten oczywisty fakt, iż pieprzy od rzeczy – tak i Michnik już w kwietniu 1990 mógł sobie kpić w żywe oczy ze zdrowego rozsądku, bo wiedział doskonale, że ma publiczność, która każdą wypowiedzianą przez niego bzdurę łyknie z zachwytem i nie ośmieli się o nic pytać.

* * *

Stefan Kisielewski w ostatnich miesiącach życia pisze o przemianie Michnika: „Kochałem go niemal w okresie KOR-u, to było wspaniałe. Natomiast (...) dzisiejszy Michnik to totalitarysta! Demokratą jest ten, kto jest po mojej stronie. Kto ze mną się nie zgadza, jest faszystą i nie można mu podać ręki. A tylko Michnik wie, na czym polega demokracja i tolerancja. On jest tutaj sędzią, alfą i omegą".

* * *

Jeszcze słówko o martyrologii, skoro w analizowanym wystąpieniu – i nie tylko w nim – stanowiła ona tak istotny argument. Podobnie, jak nigdy nie był Michnik i nie chciał być adwokatem PZPR, tak i zawsze zwalczał wszelkie kombatanctwo. Oczywiście tylko kombatanctwo cudze. Swojego własnego używał natomiast jako argumentu, gdy trzeba było (a trzeba było rzadko i coraz rzadziej) przypomnieć, jakie ma prawo wyrokować, co jest szlachetne, a co podłe. W ślad za szefem czynili to i jego podwładni. Fakt, iż Adam Michnik był wielokrotnie aresztowany i więziony, nie tylko w omawianym wyżej sejmowym wystąpieniu, ale przy każdej możliwej okazji, był, i nadal jest, wykorzystywany jako argument, że Adam Michnik ma rację. A jeśli już nie sposób zaprzeczyć, że nie ma racji, to że jego intencje zawsze były idealistyczne, nieskazitelnie prawe i wręcz nie wolno ich brudnymi łapskami analizować. Pytałem tu retorycznie, co takiego Michnik stworzył w dziedzinie idei, co tak wielkiego napisał, że uważany jest za wielkość. Zadaję czasem to pytanie, pozując na prostaczka, któremu trzeba tłumaczyć rzeczy najoczywistsze. Odpowiedź jest czasem formułowana bardziej, czasem mniej agresywnie, ale jej sens zawsze jest taki sam: jak śmiesz, pętaku jakiś, podskakiwać do człowieka, który siedział w komunistycznym więzieniu!

I zazwyczaj towarzyszy jej pouczenie, że siedział tam właśnie za mnie, za to, żebym mógł dziś w wolnym kraju swobodnie głosić swoje poglądy. Zostawmy to na razie na boku. O tym, co Adam Michnik robił w wolnej już Polsce, aby uniemożliwić mi i wielu znacznie ode mnie ważniejszym, a jeśli zupełnie uniemożliwić nie mógł, to przynajmniej skrajnie utrudnić, swobodne głoszenie poglądów sprzecznych z aprobowanymi przez niego, będę pisał dalej. Zatrzymajmy się nad samym argumentem: Michnik siedział w komunistycznym więzieniu.

Siedział. Wiem, podziwiam odwagę i determinację, i darzę go za to szacunkiem (liczę się z tym, że czytelnik uzna to zapewnienie za gołosłowne albo zgoła parsknie nad nim śmiechem; nic na to nie poradzę, naprawdę jestem w tym zdaniu, jak i w każdym w ogóle zdaniu tej książki szczery). Ale, proszę wybaczyć, że sięgnę po argument drastyczny:

Władysław Gomułka też siedział w komunistycznym więzieniu.

I to w więzieniu stalinowskim, znacznie cięższym niż zakłady karne, w których Michnikowi, co stanowiło jego osobisty, niezwykle rzadki przywilej w systemie penitencjarnym peerelu, pozwalano pisać książki, tudzież obelżywe listy do ludzi z samego świecznika peerelowskiej hierarchii.

Ba – późniejszy I sekretarz i kat Wybrzeża siedział tam za prawicowość oraz polski nacjonalizm!

Sam fakt, że znało się Gomułkę i z nim współpracowało, stanowił wystarczający powód, by być aresztowanym, a nawet torturowanym dla wymuszenia zeznań na szykowany dla późniejszego genseka proces.

W każdej chwili mogli mu, jak to było w zwyczaju owych lat, przygiąć łeb nad kiblem i strzelić w potylicę, a potem zakopać w jednym z masowych grobów, których lokalizacji w większości do dziś nie znamy.

Czy to znaczy, że był polskim patriotą? Że naprawdę zależało mu na Polsce, że jako polityk kierował się jej interesem? Że naprawdę miał coś wspólnego z prawicą i nacjonalizmem?

Oczywiście, że nie. To znaczy tylko tyle, że był człowiekiem odważnym i ideowym. Wierzącym w swe ideały i gotowym raczej cierpieć, niż od nich odstąpić. Dodajmy, że jeszcze odpornym na pokusy materialne; mając władzę nad krajem, żył niemal w ascezie, i nigdy by na pewno nie przyjął żadnych akcji, choćby mu je nie wiem jak usilnie proponowano.

To piękne cnoty, i na pewno wiele znaczą, rzucone na jedną z szal tej wagi, na której porównują w zaświatach ludzkie zasługi i winy. Niekoniecznie jednak muszą przeważyć. Może być tak, że to, co rzucono na drugą szalę, okaże się znacznie cięższe.

W wypadku Gomułki, chyba się o to nie pokłócimy, było tak ponad wszelką wątpliwość.

Natomiast właśnie fakt, że Gomułka był w więzieniu, dał mu w momencie objęcia władzy niewiarygodną popularność. Tłum na warszawskim Placu Defilad, oklaskujący szaleńczo każde jego słowo, to nie fotomontaż. Tak było naprawdę, niestety. Na wieść o tym, że Polską rządzić ma gensek, który odsiedział swoje w komunistycznym mamrze za „nacjonalistyczno-prawicowe odchylenie", że do socjalizmu chce doprowadzić nas jakąś „polską drogą", znękani ludzie po prostu oszaleli ze szczęścia. Nawet prymas Wyszyński, świeżo wypuszczony z internowania, wezwał, by zagłosować na gomułkowską listę PZPR bez skreśleń. I Polacy zagłosowali. Bierutowskie referendum było bez wątpienia sfałszowane, wybory, w których kandydatów opozycyjnego PSL pakowała do więzień i mordowała UB także, ale na wybory gomułkowskie zdaniem historyków rzeczywiście poszła większość uprawnionych i rzeczywiście zagłosowała bez skreśleń. Niektórzy posuwali się do stwierdzenia, że to wystarczająca legitymizacja władzy komuny nad Polską.

Nie nadużywajcie, proszę, argumentu więziennej przeszłości Michnika. Może z niego wynikać więcej, niżby jego obrońcy chcieli.

* * *

O Gomułce, skoro został tu przywołany, jego były współpracownik wspominał: „miał naturę rewolucjonisty i uważał, że jak się ma rację – a on miał ją zawsze i opinii odmiennych do siebie nie dopuszczał – trzeba ją udowadniać tak długo, aż zwycięży". A następca na partyjnym stołku dodawał: „miał taką konstrukcję psychiczną, że wykluczała ona (...) przyznanie się do błędu".

O Adamie Michniku Krzysztof Leski, dziennikarz raczej z nim zaprzyjaźniony, napisał: „cierpi na taką chorobę, że nie potrafi przyjąć do wiadomości, że ktoś inny może mieć rację". To tylko jedna z wielu podobnych opinii, wyrażanych także przez ludzi z Michnikiem sympatyzujących.

Czy można się spodziewać, że człowiek, któremu nie zabrakło charakteru, by za swoją absolutną i jedyną rację iść do więzienia, ustąpi przed jakimkolwiek słabszym argumentem? I czy można się dziwić, jeśli wierząc w swą słuszność tak głęboko, uzna, iż dla Sprawy warto poświęcić pewne moralne skrupuły? Zwłaszcza, jeśli zapatrzy się w wielki cel?

„Myślałem, że mamy wielką, historyczną szansę zbudowania czegoś zupełnie nowego, co nie będzie prostą kalką zachodnich demokracji. Czegoś, co przyjmie dorobek Zachodu, ale pójdzie oczko dalej. To była idea Samorządnej Rzeczpospolitej" – wyjaśniał później Michnik swą postawę u zarania polskiej wolności.

Ideolog czasów NEP-u

Michnik wyciągnął do postkomunistów rękę w chwili dla nich trudnej. W pierwszych naprawdę wolnych wyborach – samorządowych, w maju 1990 – kandydaci startujący pod szyldem Socjaldemokracji Rzeczpospolitej Polskiej uzyskali w skali kraju 0,6 procenta mandatów.

Najpierw przyszła zupełnie nieoczekiwana klęska w kontraktowych wyborach. Wedle przewidywań największych pesymistów w obozie władzy miały one dać Komitetowi Obywatelskiemu połowę Senatu i niewiele więcej niż połowę z tych 35 procent, które teoretycznie mógł on zdobyć w Sejmie (do anegdoty przeszedł uważany przez Jaruzelskiego za wybitnego fachowca sekretarz KC Zygmunt Czarzasty – zbieżność nazwisk z późniejszym sekretarzem Krajowej Rady Radiofonii i Telewizji nieprzypadkowa – który w maju 1989 zwierzał się towarzyszom z obaw, że „Solidarność" może wypaść w wyborach za słabo, co całą operację dzielenia się z nią odpowiedzialnością za reformy gospodarcze postawi pod znakiem zapytania). Potem zaczął się nieoczekiwanie szybki upadek komunizmu w sąsiednich krajach i postępujący w tym samym czasie rozkład PZPR, a na końcu wspomniana katastrofa w wyborach samorządowych; nawet najlepiej zorientowani w ukrytych aktywach obozu władzy mogli być w szoku. A cóż mówić o niższych rangą komunistach, którzy nie wiedzieli, ile i na jakich kontach udało się ich szefom ulokować i jakie wychodzić gwarancje nietykalności dla aparatu? Ci byli więcej niż zaniepokojeni. We wspomnieniach ludzi „Solidarności" z tego okresu powtarzają się cytowane z rozbawieniem przypadki pielgrzymowania lokalnych kacyków do miejscowych Komitetów Obywatelskich... po wytyczne. Niekiedy wręcz przychodzili oni z pytaniami, kogo na jakie stanowisko życzą sobie przywódcy Komitetu, żeby mianować. Sługusi byłej „siły przewodniej" niedwuznacznie zgłaszali gotowość służenia nowej „sile przewodniej". Inni z tej samej przyczyny szukali okazji do podlizania się hierarchom Kościoła – partia, która wkrótce potem nienawiść do „czarnych" i histerię „państwa wyznaniowego" podniesie do rangi substytutu zbankrutowanej ideologii, zagłosowała na przykład posłusznie za ustawową poprawką nakazującą wychowywanie młodzieży w duchu wartości chrześcijańskich. Opowiadano mi o politruku z jednostki, w której miałem przykrość w 1988 roku odsługiwać „zaszczytny obowiązek obrony ludowej ojczyzny", znanym z tego, że w piątki osobiście oblatywał jadalnię, dopilnować, aby na stolikach nie stały, jak w inne dni, spodeczki z dżemem. Kiedy na fali zmian pojawił się w tej jednostce kapelan, nasz politruk czekał na niego przy bramie i przedstawił się z niskim ukłonem: „porucznik Pipsztycki, chrzczony" (oczywiście, nazywał się inaczej – kij mu w oko, takich jak on były tysiące i nie o tego jednego chodzi).

Zachował się jakimś cudem protokół (może wpadł między segregatory, kiedy inne palono na polecenie kierownictwa szykującej się do samorozwiązania partii) z posiedzenia sekretariatu KC w lipcu 1989, na którym Kiszczak alarmował, że dochodzą do niego „niepokojące głosy o zachowaniu niektórych towarzyszy". Towarzysze ci nawiązują podobno kontakty z młodszymi kadrami oficerskimi, wypytują o nastroje, sondują, co kadra myśli o kierownictwie i jak by się ustosunkowali, gdyby... Jednym słowem, Kiszczak doskonale sobie zdawał sprawę z sytuacji, i ostrzegał wspólników, że na tym zakręcie, na którym się w tej chwili znajdują, nie mogą być pewni poparcia swych podwładnych.

Żeby nie było nieporozumień – Kiszczak niepokoił się bynajmniej nie o to, że „młodsze kadry oficerskie" chcą zatrzymać proces reform, wrócić do marksizmu-leninizmu i przywołać na ratunek zagrożonemu przez kontrrewolucję socjalizmowi Armię Czerwoną. Zresztą towarzysz, którego konkretnie miał na myśli (z późniejszej relacji samego Kiszczaka wiadomo, że „sondującym" kadry oficerskie był Aleksander Kwaśniewski) nie uchodził bynajmniej za przywódcę partyjnego „betonu", tylko, przeciwnie, grupy gotowych do każdej ideowej wolty młodych cwaniaków. Kiszczak niepokoił się więc, że partyjni cwaniacy, i być może wraz z nimi młodsi oficerowie wojska i MSW, wyczekują dogodnego momentu, aby wkupić się w nową Polskę wymówieniem posłuszeństwa swym dotychczasowym zwierzchnikom.

Bo Kiszczak wiedział, że już nawet służby mundurowe, cóż mówić o aparacie, wyczekują hasła, by odciąć się od tracących władzę komunistycznych prominentów, oskarżycielsko krzycząc – to oni, to wszystko oni, myśmy musieli wykonywać ich rozkazy, ale zawsze byliśmy wiernymi Polakami i katolikami!

Całkowite rozbicie czerwonych i zrzucenie ich ze sceny politycznej, likwidacja ich jako samodzielnego politycznego podmiotu, było więc wtedy o włos! Gdyby „drużyna Wałęsy" w tym krytycznym momencie dała jasny sygnał: kończymy z komuną (bynajmniej nie myślę o żadnych gilotynach, tylko po prostu o decyzjach politycznych), wzbierająca gotowość ucieczki z tonącego ustroju przekroczyłaby zapewne masę krytyczną. A gdyby na dodatek „socjaldemokracja" Kwaśniewskiego i Millera pozbawiona została pieniędzy na umacnianie partyjnych struktur, jak nic podzieliłaby los rozłamowej Polskiej Unii Socjaldemokratycznej Fiszbacha (kto w ogóle jeszcze pamięta, że na ostatnim zjeździe PZPR podjęto również taką próbę zbudowania „uczciwej", nie postkomunistycznej lewicy?).

Michnik tego nie chciał. Od mniej więcej połowy 1989 grał już w zupełnie inną grę i z wielu względów potrzebował w niej postkomunistycznych przywódców jako sojusznika. Pomógł im więc i wziął w obronę przed niepodzielającą jego ugodowości częścią własnego obozu.

Nikomu wówczas nie przemknęło nawet przez myśl, że już za kilka lat sytuacja się odwróci. Że niebawem to postkomuniści staną się dominującą na polskiej scenie politycznej potęgą, a partia realizująca koncepcje Familii zepchnięta zostanie na margines. Michnik uważał – przyznaje się do tego otwarcie w przeprowadzonym na kolanach wywiadzie-rzece Jacka Żakowskiego „Między Panem a Plebanem" – że środowisko „Solidarności" ma przed sobą „co najmniej dwanaście lat" niczym niezagrożonej władzy. A nie miał powodu wątpić, że na posługiwanie się sztandarem „Solidarności" utrzyma monopol jego...

No właśnie, to dobry moment, żeby zadać sobie pytanie – jego co? Środowisko, grupa, koteria? „Salon", jak to nazywał Waldemar Łysiak, czy „Eleganckie towarzystwo", jak pisał Piotr Wierzbicki? Wokół Michnika nie buduje się przecież żadna sformalizowana struktura władzy. Rozwój sytuacji politycznej wymusi w pewnym momencie założenie partii, najpierw będzie się ona nazywała Ruchem Obywatelskim – Akcją Demokratyczną, potem Unią Demokratyczną, Unią Wolności, Partią Demokratyczną – demokraci.pl, ale ani Michnik, ani większość ludzi współdziałających z nim w pracy nad urabianiem polskich umysłów formalnie w tych strukturach nie uczestniczą. Partia pozostanie tylko politycznym ramieniem czegoś, co ma i większy zasięg, i większe ambicje.

Trudno o nazwę. Mamy do czynienia z tworem amorficznym, niesformalizowanym, ze środowiskiem, które nigdy nie pisało statutów, manifestów ani wytycznych. Po części pewnie dlatego, że „struktura ukryta jest silniejsza od jawnej", jak nauczał już Heraklit (Erich Fromm objaśnił, skąd ta siła się bierze, retorycznym pytaniem: „któż może zaatakować nieistniejące, któż może się buntować przeciwko niczemu?"). A po części, bo tego niespecjalnie potrzebowało, bo porozumiewało się instynktownie, złączone wspólnotą celów i typem wrażliwości, a czego nie wiedziało, znajdowało we wstępniakach, szkicach i felietonach obficie produkowanych przez michnikowszczyznę. Ale tę ostatnią nazwę chcę rezerwować tu dla zjawiska ze sfery debaty publicznej. A jak określić to, co mimo swej amorficzności stanowiło jednak w pewnym momencie realną i znaczącą siłę polityczną?

W „Polactwie" pozwoliłem sobie dwie główne siły, wiecznie odradzające się jako strony polskiego sporu, także sporu o Trzecią Rzeczpospolitą, nazwać „Familią" i „Konfederacją". Z jednej strony – przekonanie, że polska tradycja, religia, patriotyzm, w ogóle polska tożsamość jest nam kulą u nogi i przeszkodą w modernizacji, plus małpi zachwyt każdą intelektualną błyskotką z paryskich salonów. Z drugiej – bezmyślna obrona polskości, podnosząca zwykłą zapyziałość do rangi istności narodowego dziedzictwa. Później przeczytałem u Marka Cichockiego diagnozę mniej więcej zbieżną z tym, co próbowałem wyartykułować, tylko mądrzej napisaną, i posługującą się podziałem na „Oświeconych" i „Sarmatów".

Pojęcia „Familii" i „Konfederacji" wydają mi się zręczniejsze, więc pozwolą Państwo, że będę się ich trzymał.

Adam Michnik, jedna z głównych postaci Familii, uważa więc w tym czasie – wciąż jesteśmy myślami w roku 1990 – że jego środowisko jest potęgą w oczywisty sposób predestynowaną do sprawowania w Polsce władzy. Dlaczegóż nie miałby tak uważać? Familia to przecież najgłośniejsze nazwiska byłej opozycji – on sam, Kuroń, Geremek, wkrótce dołączy także Mazowiecki, pomniejszych nie licząc. Wspierają je uznani twórcy kultury – reżyser Wajda, noblista Miłosz, filozof Kołakowski, naukowcy. Wspiera je z emigracji Jerzy Giedroyc, a z Zachodu tamtejsze salony polityczne i intelektualne. Wielu wspiera z pewnymi zastrzeżeniami, ale Familia bez trudu przedstawia sprawę tak, że przeciętny obywatel o tych zastrzeżeniach nic nie wie. Bo, co najważniejsze, Familia ma w ręku propagandową potęgę – „Gazetę Wyborczą". Gazetę, która nadaje ton wszystkim mediom. Bo w tzw. publicznym radiu i telewizji, pod dyktando ludzi delegowanych tam przez Familię, urabiają opinię publiczną starzy fachowcy od propagandy, teraz nawróceni na michnikowszczyznę. Bo w rękach ludzi Familii są dwa radia tworzące duopol na rynku prywatnych mediów elektronicznych. A nowi ludzie u władzy, ramię w ramię ze starą kadrą, dbają o to, aby miażdżącej dominacji Familii w mediach nic nie zagroziło.

Jeśli ktoś może się wydawać Familii groźny, to konkurenci do przechwycenia sztandaru „Solidarności" – do niedawna cisi rywale, a teraz zupełnie już jawni wrogowie z byłej opozycji. To przeciwko nim trzeba stoczyć wielką batalię, to ich odsunąć od wpływu na politykę, zniszczyć propagandowo, opluskwić, zepchnąć na margines życia publicznego, odciąć od mediów i od wpływu na społeczeństwo. Stawką jest dwanaście lat niczym niezagrożonej władzy – a to oznacza możliwość przefasonowania Polski pod sznyt humanistycznych wartości, tolerancji, nowoczesności i sprawiedliwości społecznej. To oznacza możliwość zrealizowania utopii „Rzeczpospolitej Samorządnej", państwa, które nie będzie kopiowało rozwiązań zachodniej demokracji, ale pójdzie dalej – można się domyślać, że w kierunku ocalenia czegoś z wizji głoszonych u zarania opozycyjnej działalności przez Kuronia i Modzelewskiego.

Alternatywą, jak to otwarcie pisze Michnik, może być osunięcie się kraju w bagno ciemnoty, spirala rozliczeń, antysemickie ekscesy ulicznego motłochu, kołtuneria i nacjonalistyczna dyktatura.

A postkomuniści? W rok po kontraktowych wyborach wydają się tak przegrani i skompromitowani, że nikt przy zdrowych zmysłach nie spodziewa się, by jeszcze kiedykolwiek mieli wrócić do politycznej pierwszej ligi. No, może za paręnaście lat, jako jakaś zupełnie nowa, odmłodzona i wolna od peerelowskiego bagażu socjaldemokracja. Do tego czasu mogą liczyć na ograniczony elektorat, wywodzący się głównie z warstw w peerelu uprzywilejowanych.

Ale to wcale niemało. Zwłaszcza w połączeniu z wpływami, jakie ludzie postkomuny mieli i wciąż zachowują w aparacie państwa. Nie trzeba żmudnej kalkulacji, by uznać, że komuniści w nowym politycznym rozdaniu stają się wartościowym sojusznikiem.

Na pewno w każdym razie stają się Familii znacznie bliżsi, niż jacyś podnoszący głowę posolidarnościowi narodowi katolicy.

Była w tych rachubach jedna ogromna dziura, która je wkrótce miała zniweczyć. Jedno zasadnicze przeoczenie. Przeoczenie, nawiasem mówiąc, arcyinteligenckie. Bo polski inteligent, człowiek wyżywający się w gadaniu lub pisaniu, żyjący słowem i dla słowa, odziedziczył po swych szlacheckich przodkach pogardę i niezrozumienie dla spraw materialnych. Polityka go fascynuje, ale rozumie ją raczej jako politykowanie. Widzi w niej starcie racji, a nie grę interesów, na której wynik w stopniu większym od gadania wpływa – samo słowo brzmi brzydko – szmal.

Tym łatwiej było Familii tę sprawę przeoczyć, że jak na razie nie miała z funduszami wielkiego problemu. Były potrzebne, to po prostu się znajdowały – przykład sztandarowy to sama „Gazeta Wyborcza", założona bez zainwestowania jednego grosza, nie licząc symbolicznych udziałów wpłaconych przez trzech założycieli spółki „Agora". Jakoś nie myślano, że te fundusze miały jednak swojego dysponenta. I że byli nimi właśnie postkomuniści. A jeśli się tego domyślano, to nikt w tym nie widział problemu. Wręcz przeciwnie. Proszę bardzo, niech sobie mają tej kasy jak najwięcej, niech się w niej kąpią, niech Sekuła zapala sobie cygara studolarówkami i w ogóle; tym lepiej.

Zachowali się przywódcy Familii – najlepszy przykład, jaki mi przychodzi do głowy – niczym francuscy generałowie szykujący pierwszą wojnę światową, których cała uwaga skupiona była obsesyjnie na planie odbicia Alzacji i Lotaryngii. Kiedy wywiad alarmował, że Niemcy gromadzą potężne siły na ich lewym skrzydle, skąd mogą uderzyć przez Belgię i okrążyć Paryż, oni wcale nie zaprzeczali prawdziwości tych doniesień, tylko odpowiadali: tym lepiej! Im więcej rzucą sił na skrzydło, tym bardziej osłabią centrum, w którym my zaatakujemy!

To zaślepienie omal nie kosztowało Francuzów przegranej wojny, uratował ich „cud nad Marną". (To znaczy, tak to nazwali potem oni sami – laicka do bólu Francja wolała bredzić o cudzie niż powiedzieć prawdę, że ocaliło ją poświęcenie setek tysięcy rosyjskich chłopów, do zmasakrowania których Niemcy ściągnęli pod Tannenberg kilka dywizji z zachodu i w decydującym momencie tych właśnie dywizji nad Marną im zabrakło; cóż, byli to Rosjanie carscy, a więc francuskim intelektualistom niemili.) Familii natomiast nie miał kto przyjść z odsieczą i skutki zaślepienia były dla niej gorsze niż dla armii Joffre'a. Czerwoni robią na potęgę szmal? Nie zawracajcie głowy, to przecież tym lepiej, nic ich lepiej nie zwiąże z demokracją i kapitalizmem. Niech oni mają kasę, my mamy coś nieskończenie ważniejszego: racje moralne!

Jest wiele dowodów, że tak właśnie myślano wtedy w kręgu Michnika o uwłaszczaniu się nomenklatury i owym wielkim rozkradaniu Polski, którego częścią było także wyprowadzanie przez rozmaite spółki majątku po byłej PZPR.

Bardzo cennym źródłem do poznania myśli Adama Michnika są wywiady, których udzielał pismom zagranicznym. Do rodaków zwykle zwracał się on w sposób pokrętny, niejednoznaczny, w tonie – rozumiem rację wszystkich stron, zgadzam się oczywiście, że to a to trzeba zrobić, ale boję się, zastanawiam się, rozważam, pytam, czy możemy, co z tego wyniknie, czy mamy prawo to zrobić, i tak dalej. Jako publicysta Michnik stawia skuteczność perswazji ponad czystość wywodu. A jeśli chce się zdezawuować jakiś pogląd, znacznie skuteczniej jest nie zaprzeczać mu wprost, tylko, jak dobry adwokat, zasiewać wątpliwości. W odpowiednim czasie, nie od razu, wyciągnie się z nich taki wniosek, jaki był z góry założony. Znakiem firmowym Michnika-publicysty jest pokrętność. W niej osiągnął on niewątpliwe mistrzostwo.

W wypowiedziach adresowanych do czytelnika obcego ideolog Familii mniej się krępuje powiedzieć, co myśli – będziemy więc jeszcze nieraz korzystać z takich wypowiedzi.

Na razie fragment wypowiedzi z czerwca 1989 – wywiad dla belgradzkiego tygodnika „NIN": „Jeśli ludzie z nomenklatury wejdą do spółek akcyjnych, jeśli staną się jednymi z właścicieli, wówczas będą zainteresowani, by tych akcyjnych stowarzyszeń bronić, a system akcyjny niszczy porządek stalinowski".

W redagowanej przez Michnika gazecie tę linię obrony „uwłaszczenia nomenklatury" rozwija jeden z jego publicystów: „Chcąc uczynić reformy gospodarcze głębokimi i nieodwracalnymi warto uwikłać ludzi nomenklatury w działalność gospodarczą tak, by osobiście byli zainteresowani w powodzeniu i trwałości reform. W dodatku, gdyby udało się energię i niewątpliwe zdolności tkwiące w nomenklaturze zaprząc do uruchomienia martwych lub półżywych składników majątku narodowego, mogłoby się to opłacić także materialnie. Nie rozpaczam z powodu zaniżonych wycen majątku przechodzącego w ręce spółek nomenklaturowych. Zawsze można przecież oszacować. Że będzie to forma kredytowania? Będzie. Potraktujmy to jako odprawę nomenklatury, która społeczeństwu służyła, nie zasłużyła się, ale tracąc przywileje i zaszczyty czuje się wywłaszczona z dorobku dwóch pokoleń. Opowiadam się za odczepnym".

W podobnym duchu wypowiadają się na łamach autorzy lepsi i bardziej znani, w tym tacy jak Ernest Skalski czy Stefan Bratkowski (którego niedługo później Michnik z łamów „Gazety Wyborczej" szurnie w sposób pozbawiony jakiejkolwiek ogłady), ale cytuję ten właśnie fragment, bo przy okazji można się z niego przekonać, jak bardzo od samego początku michnikowszczyzna zakłamywała rzeczywistość. Stwierdzenie, jakoby nomenklatura „służyła społeczeństwu" i przyznawanie jej z tej racji moralnego prawa do jakiejś odprawy to zwykłe nonsensy – równie dobrze można by pleść o służebnej misji kapo w obozach koncentracyjnych. Jeszcze gorszą brednią jest przypisywanie nomenklaturze jakichkolwiek zdolności, jeszcze „niewątpliwych". Każdy, kto choć trochę pamięta, czym była nomenklatura, wie, że jedyną zdolnością, jaka się w niej liczyła, była psia wierność. Nie, wcale nie ideologii, choć oczywiście umiejętność deklamowania o zdobyczach socjalizmu, bratnim sojuszu i temu podobnych, jak również cierpliwego wysłuchiwania tych deklamacji na niezliczonych partyjnych nasiadówkach, była tu niezbędna. Chodziło o wierność swoim patronom i lojalność wobec podwieszonych. Bąbczak wisi pod Rębczakiem, Mrugała pod Deptułą, Wojtaszek pod Szpalerskim, a gdzieś tam w dalszym planie jeden jest człowiekiem jakiegoś tam Kociołka, a drugi Moczara czy innego łachudry. Wieloletnie kręcenie się na karuzeli nomenklaturowych stanowisk, z kombinatu do zjednoczenia, z centrali do departamentu i tak dalej, dawało mniej więcej takie samo przygotowanie do prowadzenia działalności gospodarczej, jak zawodowe szulerowanie w karty. Nomenklatura, jeśli czegoś mogła nauczyć, to tylko umiejętności funkcjonowania w strukturze mafijnej.

Były przewodniczący Związku Zawodowego Pracowników PZPR (powstało coś takiego w latach osiemdziesiątych, samo w sobie dowodząc, że ustrój kretynieje kompletnie), Wojciech Wiśniewski, spisał swe wspomnienia z tego okresu w książce pod znaczącym tytułem „Dlaczego upadł socjalizm?". Poza wszystkim, jest ta książka znakomitym portretem partyjnego aparatu, jego mentalności, kwalifikacji, przyzwyczajeń i typowych zachowań. Komu przyszłoby do głowy zobaczyć w nomenklaturze „fachowców", pełniących „służebną misję" wobec społeczeństwa, niech koniecznie sobie tę książkę przeczyta. „W rzadkich merytorycznych rozmowach z wyższą hierarchią uderzał mnie swoisty siermiężny praktycyzm. Moim rozmówcom wydawało się, że zadania, które przed nimi stoją, są proste i oczywiste. Żeby je wykonać, niepotrzebne są żadne spekulacje, wyrafinowane myślenie i wysiłki umysłowe, wystarczy po prostu więcej i ciężej pracować" – wspomina Wiśniewski, opisując, na czym ta ciężka praca polegała: na produkowaniu całych ton instrukcji i referatów, na niekończących się nasiadówkach i nieustającym młóceniu tych samych pozbawionych sensu stwierdzeń, często pod okiem Jaruzelskiego, który niczym dobrotliwy ojciec karcił za niedostatecznie ciężką pracę i wciąż nierozwiązane problemy, a potem nagradzał tych, którzy o problemach owych potrafili przemówić najbardziej wzruszająco. Ci „nawijacze" – a wymienia wśród nich Wiśniewski głównych cwaniaków z późniejszej SLD – wyraźnie się zresztą dystansowali od codziennego szarego urzędowania, zostawiając to starym frajerom, swą obecność w KC wykorzystywali jedynie do rzucenia się w oczy Jaruzelskiemu, bo dzięki jego życzliwości mogli powiększyć swe zdolności kombinowania na boku.

W jaki sposób mieliby „martwe lub półżywe składniki majątku narodowego" „uruchamiać" ci sami ludzie, których tępota i indolencja właśnie sprawiły, że stały się one martwe lub półżywe, wie chyba tylko nieszczęsny autor „Gazety Wyborczej", którego nazwiska przez litość nie będę tu unieśmiertelniał. Średnio zręczny polemista w kilku akapitach zrobiłby z niego i jego wywodów stertę gałganów. Ale w tym właśnie sedno sprawy, że taka polemika nie mogła się w gazecie Michnika ukazać, a jeśli nie mogła się ukazać tam, to właściwie nie miała się już gdzie ukazać.

Czytelnik, któremu chciało się nad sprawą zastanowić, mógł się żachnąć, że jak to, nasza gazeta przepuściła taką bzdurę? Może nawet zadzwonił z pretensjami albo i napisał list, którym użyźniono głębię redakcyjnego kosza. Ale większość przeczytała i bez szczególnego zastanawiania się nad tym łyknęła tezę, że to uwłaszczenie nomenklatury, o którym tyle krzyczą jacyś mniej znani, więc pewnie sfrustrowani działacze „Solidarności", to nic złego. A przy okazji także, że sama nomenklatura nie była taka zła, służyła Polsce, i coś się jej należy. Następnego dnia podobne mądrości wsączy swemu czytelnikowi gazeta w innym tekście, dotyczącym innej sprawy. I jeszcze następnego, i znowu – dzień po dniu. Dzień po dniu, od pierwszych chwil swego istnienia, gazeta posolidarnościowej opozycji, czyli, jak wtedy sądzono, jedyna gazeta wiarygodna, sączy w umysły swych czytelników spreparowaną, zupełnie fałszywą wizję świata, w którym komuniści nie są już źli, a największym zagrożeniem dla Polski i demokracji są ci, którzy wzywają do rozliczeń z peerelem.

A za tą litościwie rozpostartą nad nimi przez michnikowszczyznę zasłoną komuniści kradną na potęgę. Można powiedzieć, że dokonuje się „pierwotna akumulacja kapitału" III RP.

Idzie im to doskonale, bo od dawna wiedzieli, czego chcą, i byli do tego przygotowani. Operacja przechwycenia majątku narodowego, przekształcenie elity partyjnego aparatu w elitę pieniądza, nie była improwizacją.

Była głównym sensem całej ustrojowej transformacji.

Familia tego nie rozumie. Familia opowiada sobie i innym bajki, z których wynika, że komunistycznych generałów nagle ruszyło sumienie, nagle doznali jakiegoś niezwykłego porywu uczciwości i zapragnęli pokojowo wyjść z komunizmu. Można odnieść wrażenie, że w ogóle po to tylko byli komunistami, po to szli w generały i robili partyjne kariery, żeby wyczekać na odpowiednią chwilę i pozbyć się tego nieznośnego ciężaru władzy oraz wszystkich jej przywilejów

„Dlaczego upadł komunizm?" – pyta Michnik w tekście z 1999 roku i odpowiada, iż decydującym czynnikiem było „to, że Polacy chcieli rozmontować system dyktatury; ci Polacy, którzy służyli dyktaturze, z tymi, którzy się przeciw dyktaturze zbuntowali, umieli się w tym celu porozumieć. To była Wielka Polska Aksamitna Rewolucja (...) Powiodło się. Za zgodą wszystkich aktorów polskiej sceny politycznej powstał rząd Tadeusza Mazowieckiego. Ten rząd dokonał historycznego dzieła dekomunizacji".

Wszystko – całkowita nieprawda, od góry do dołu. Twierdzenie, jakoby rząd Mazowieckiego dokonał dekomunizacji jest po prostu nonsensem, także, jeśli dekomunizację rozumieć w sposób, jaki proponuje w swych artykułach Michnik, jako zmianę struktur, a nie ludzi. Mazowiecki nie zmienił także tych pierwszych. Przede wszystkim jednak całkowitą nieprawdą jest przypisanie komunistom zamiaru „rozmontowania dyktatury".

Przeciwnie. Komuniści siadali do Okrągłego Stołu właśnie po to, aby dyktaturę ocalić. Nie mieli najmniejszego zamiaru oddawać władzy ani wyrzekać się tego, co uważali za istotę ustroju, to znaczy uprzywilejowania nomenklatury. Jeśli Adam Michnik nie wierzy nikomu innemu, mógłby spytać o to Jerzego Urbana, który wielokrotnie otwarcie mówił, jakie były prawdziwe plany jego obozu i ubolewał, że nie powiodły się one wskutek socjotechnicznego błędu: trzeba było, mówi do dziś Urban, skrócić całe te negocjacje do kilku dni, ograniczyć je wyłącznie do kompromisu w sprawie nowej ordynacji wyborczej – rozwleczone na wiele tygodni, stały się bowiem rodzajem publicznego sądu nad peerelem, którego każdy kolejny dzień wzmacniał „stronę solidarnościową".

Wbrew temu, co uporczywie powtarza Michnik, zamiar komunistów był dokładnie przeciwny demokratyzacji kraju. Chodziło im o to, żeby – mimo rozpadu ideologii, partii na niej zbudowanej i mocarstwa okupacyjnego, które chroniło ich dotąd jako swoją marionetkową władzę – zachować stan posiadania reżimu. Chodziło im o zachowanie władzy i przywilejów w sytuacji niemożliwego już do opanowania własnymi siłami kryzysu gospodarczego, wymagającego posunięć tak trudnych do przyjęcia przez społeczeństwo, że gdyby firmowała je wyłącznie władza tak niepopularna, musiałoby dojść do buntu, którego słabnący i pozbawiony sowieckiego wsparcia reżim nie byłby już w stanie stłumić.

Służyć temu miało wciągnięcie do odpowiedzialności za reformy opozycji (pierwotnie raczej Kościoła, niż „Solidarności") – ale wciągnięcie jej w taki sposób, aby przenosząc na nią odpowiedzialność, nie dać jej realnej władzy. Jaruzelski, jak to wyjaśnił w rozmowie z Egonem Krenzem, ostatnim gensekiem NRD, chciał wpuścić do przedsiębiorstwa wspólników, ale zachować w nim pakiet kontrolny. Sposobem na to miało być przesunięcie głównego ośrodka władzy z PZPR, skompromitowanej w oczach społeczeństwa i, raz jeszcze odwołam się do opisu sporządzonego przez Wiśniewskiego, całkowicie już w tych latach niezdolnej zrobić czegokolwiek sensownego, do utworzonego w tym celu i wyposażonego w szerokie kompetencje urzędu prezydenckiego.

To, co nastąpiło po Okrągłym Stole, szybki rozpad struktur, na których opierała się władza komunistów, był dla nich samych – dla wszystkich zresztą – zaskoczeniem i szokiem, z którego ocknęli się po mniej więcej dwóch miesiącach; wtedy to, od sierpnia 1989, zaczyna się gorączkowa realizacja „planu B", możliwego wyłącznie dzięki kompletnej bierności i niezrozumieniu sytuacji przez Mazowieckiego, Wałęsę i ówczesne kierownictwo OKP.

Dziś znane są dokumenty i relacje, które nie pozostawiają co do tego żadnej wątpliwości, opublikowane w książkach historyków. Dlaczego Adam Michnik ignoruje tę wiedzę i z uporem powtarza bajki? Czy nie przyjmuje faktów do świadomości po prostu dlatego, że musiałby wtedy przyznać, jak monstrualnie się mylił?

* * *

Od którego właściwie momentu powinno się zacząć pisać historię III Rzeczpospolitej? Od Okrągłego Stołu? Zdecydowanie nie. Żeby mógł on dojść do skutku, już musiała być podjęta decyzja – „wpuszczamy opozycję we władzę". Kiedy ona zapadła? Już w drugiej połowie lat osiemdziesiątych można odnieść wrażenie, że trzymający władzę w peerelu zastanawiali się nie nad tym, czy się nią podzielić, tylko jak to zrobić w sposób dla nich najbezpieczniejszy i najkorzystniejszy. Na rok przed Okrągłym Stołem w poufnej rozmowie z biskupem Orszulikiem towarzysz Ciosek naszkicował mu projekt nowej struktury władzy, w istocie potem zrealizowany: z prezydentem, parytetowym Sejmem oraz Senatem, w którym komuniści gotowi byliby dopuścić istnienie opozycyjnej większości.

Wcześniejszą, nieudaną próbą było powołanie w grudniu 1986 Rady Konsultacyjnej przy Jaruzelskim, a rok później utworzenie urzędu Rzecznika Praw Obywatelskich. Dekadę wcześniej uznano by takie posunięcia za bezprzykładną liberalizację. Ale w drugiej połowie lat osiemdziesiątych już one nie wystarczały, zapewne także dlatego, że nie udało się czerwonym namówić do jednoznacznego poparcia Rady Kościoła ani pozyskać do niej nazwisk, które by rzeczywiście porwały społeczeństwo. Kościół odrzucił też propozycję tworzenia pod jego egidą „chrześcijańskich związków zawodowych".

Skoro te pomysły nie wypaliły, do generałów stopniowo docierało, że będą się musieli posunąć znacznie dalej, niż zamierzali. Sygnałem alarmowym, który musiał ich naprawdę przerazić, był odkryty dopiero niedawno szyfrogram z peerelowskiej ambasady w Moskwie, że „Radzieccy" (jak ich nazywano w partyjnym slangu) chcą zaprosić do Moskwy Adama Michnika, pod pretekstem festiwalu filmowego, jako osobę towarzyszącą Andrzejowi Wajdzie. Co dla ekipy Jaruzelskiego i Kiszczaka znaczyła możliwość negocjacji opozycji ponad ich głowami, bezpośrednio z Kremlem, nie trzeba się chyba rozwodzić.

Ale kiedy zaczął się proces, który spowodował, że pomysł prowadzenia rozmów z polską opozycją mógł komukolwiek w Moskwie przyjść do głowy? Jeśli szukamy przyczyn nie w peerelu, ale tam, skąd naprawdę peerelem rządzono, na Kremlu, to trzeba by zacząć całą historię od przemówienia ostatniego sowieckiego genseka na forum Zgromadzenia Ogólnego ONZ pod koniec 1988, kiedy to oficjalnie odwołał on „doktrynę Breżniewa" i zapewnił, że Moskwa nie będzie już nigdy więcej interweniować siłą, jeśli któryś z jej krajów satelickich zapragnie pójść swoją drogą. Co prawda, choć gensek przypadkiem powiedział prawdę, nikt w to nie uwierzył, czego dowodem odtajnione po latach, panikarskie telegramy wysyłane w następnym roku do centrali przez amerykańskiego ambasadora w Warszawie, informujące, że w otoczeniu Wałęsy dominuje radykalizm (!) grożący konfrontacją i sowiecką interwencją.

Ale jeśli za początek wychodzenia z komunizmu uznać zmianę w polityce Moskwy, to należy cofnąć się do kwietnia roku 1985, czyli do ogłoszenia przez nowego genseka KPZR, Michaiła Gorbaczowa, kolejnej „pieriestrojki", która okazała się nieodwracalną i tym samym ostatnią w dziejach ustroju. Bez wątpienia nowe porządki na Kremlu zorientowanym osobom z obozu władzy szybko uświadomiły, że zbliża się przesilenie i trzeba się do niego przyszykować.

Zresztą, ci najlepiej zorientowani mogli się spodziewać zmian jeszcze wcześniej. W początkach 1985 roku ówczesny minister spraw zagranicznych ZSSR, Andriej Gromyko, wygłosił w Wiedniu przemówienie w 40. rocznicę wycofania z Austrii wojsk sowieckich. Zawarł w nim zaskakującą tezę, iż proces „neutralizacji", analogiczny do Austrii, mógłby zostać rozciągnięty na kraje Europy Środkowej. Był to jednoznaczny sygnał, że Sowieci, wpuszczeni przez Reagana w przerastający ich możliwości kosmiczny wyścig zbrojeń, wyniszczeni chronicznym w ich ustroju kryzysem gospodarczym i uwikłani w niemożliwą do wygrania wojnę afgańską, zaczynają pękać. Jadwiga Staniszkis w swej książce przenosi granicę jeszcze wcześniej, twierdząc, że koncepcja zwinięcia „zewnętrznego imperium", w celu skupienia sił na ratowaniu samego Związku Sowieckiego, pojawiła się za rządów Andropowa, już na jesieni 1983.

Nie pisała o tym prasa i nie mówiono w szerszych gremiach. Nawet mieszkając w Ameryce i zawodowo zajmując się sowietologią, można było – przy pewnej dozie ideologicznego zaczadzenia – te sygnały prześlepić. Zbigniew Brzeziński (uhonorowany w 2005 tytułem Człowieka Roku „Gazety Wyborczej" – sam się dziwił, dlaczego akurat w tym roku) jeszcze w wydanej w 1987 roku książce „Plan gry" nauczał, jak powinny sobie Stany Zjednoczone układać stosunki ze Związkiem Sowieckim na najbliższych 25 lat. Stwierdzał, ni mniej, ni więcej, tylko że „kontekst geopolityczny w najbliższym czasie nie może zostać rozbity ani wyeliminowany" i wzywał w związku z tym do „szerokiego odprężenia i trwałego pojednania" z ZSSR, na bazie „daleko idącego kompromisu". Na szczęście dla świata i Polski, prezydentem USA nie był już w tym czasie Jimmy Carter, który być może właśnie słuchaniu rad późniejszego Człowieka Roku „Gazety Wyborczej" 2005 zawdzięcza to, że przeszedł do historii jako najbardziej nieudolny prezydent w dziejach swego kraju, tylko Ronald Reagan, który w dogmat o nienaruszalności geopolitycznego kontekstu nie wierzył, a może go w ogóle nie znał.

Albert Einstein, spytany kiedyś, jak się dokonuje wielkich odkryć, wyjaśnił: wszyscy wiedzą, że czegoś nie można zrobić, aż przyjdzie jakiś nieuk, który nie wie, i on to właśnie robi. Takim właśnie nieukiem, do dziś za swą rzekomą głupotę wykpiwanym przez amerykańskie elity intelektualne, wychowane w kulcie „nienaruszalności kontekstu geopolitycznego", był Reagan. Ale znowu brnę w dygresję. Chciałem tylko zaznaczyć, że choć można było te sygnały prześlepić, nawet będąc okrzyczanym uniwersyteckim znawcą tematyki międzynarodowej, to jednak były osoby, które na pewno je wychwyciły – analitycy wywiadów i departamentów polityki zagranicznej. Możemy być pewni, że wychwycono je w otoczeniu Reagana, skoro podjęto tam decyzję o znaczącym wsparciu praktycznie już zdławionej polskiej opozycji – formalnie nieistniejąca „Solidarność" została przyjęta do międzynarodowych organizacji, a do jej przetrzebionych podziemnych struktur zaczęły szeroką strugą napływać pieniądze i sprzęt drukarski, głównie za pośrednictwem amerykańskiej centrali związkowej AFL-CIO. A czy tutejsze wywiady i kontrwywiady, te cywilne i te wojskowe, mogły nie zauważać, co się dzieje? Pytam, oczywiście, retorycznie.

Można też uznać, że zasadniczą sprawą w transformacji ustrojowej nie było geopolityczne przesunięcie ze strefy sowieckiej do zachodniej, ale wewnętrzna przemiana gospodarcza – to, przyznam, punkt widzenia miły memu sercu. Jeśli przyjmie się taką optykę, to również przyznać trzeba, że pakiet ustaw, przyjętych przez kontraktowy Sejm i znany pod potoczną nazwą „planu Balcerowicza", nie był początkiem procesu transformacji, tylko jego logicznym uwieńczeniem.

A gdzie był początek? W lutym 1989 peerelowski Sejm przyjął ustawę „o niektórych warunkach konsolidacji gospodarki narodowej". Była ona podstawą prawną do masowego przejmowania przez tzw. spółki nomenklaturowe majątku przedsiębiorstw państwowych. Mniej więcej w tym samym czasie czerwoni rozwiązali wydział przestępstw gospodarczych Komendy Głównej Milicji Obywatelskiej. Sygnał był jasny: kradnijcie, towarzysze, ile wlezie, nic się nie opierdzielajcie, bo socjalizm i tak już zdycha.

Ale zasadnicza zmiana ustroju gospodarczego, w praktyce oznaczająca pożegnanie się z komunistycznymi pryncypiami ustrojowymi, przyszła wcześniej. Była nią ustawa „o wolności i równości gospodarczej" z grudnia 1988, potocznie zwana „ustawą Rakowskiego". Stanowiła ona, że każdy obywatel ma prawo prowadzić działalność gospodarczą z prawem do zatrudniania nieograniczonej liczby osób, a jedynym wymogiem formalnym jest wpisanie tej działalności do ewidencji (urząd, bodaj po raz pierwszy i ostatni w naszym kraju, sprowadzony został do roli służebnej: nie miał prawa takiego wpisu odmówić). Tak duża dawka wolności gospodarczej czyniła z nas na chwilę jeden z bardziej liberalnych krajów świata, co zresztą okazało się nie do przyjęcia dla socjałów ze wszystkich stron sceny politycznej – w następnym dziesięcioleciu krok po kroku narzucano kolejne ograniczenia, i dziś o takiej swobodzie działania, jak tuż przed Okrągłym Stołem, polski przedsiębiorca może tylko marzyć. Ustawa ta miała też pewien haczyk – wprowadzając nowe możliwości dla nowo zakładanych firm prywatnych, a nie ruszając starych rygorów dotyczących „jednostek gospodarki uspołecznionej" sprytnie upośledził Rakowski te drugie względem tych pierwszych. W ten sposób zmusił przedsiębiorstwa państwowe do korzystania z pośrednictwa spółek nomenklaturowych. A więc jego ustawa o wolności gospodarczej, wprowadzając tę wolność, przygotowywała grunt pod zmiany, do których prowadzić miała wspomniana już ustawa o konsolidacji gospodarki narodowej, którą przyjęto dwa miesiące później. Wiedząc o tym wszystkim, trudno poważać uporczywie głoszony przez michnikowszczyznę dogmat, jakoby komuniści nie postępowali według żadnego planu, a dopuszczenie myśli, że było inaczej, stanowi hołdowanie „spiskowej teorii dziejów".

Postępowali według planu. Choć ten plan nie zawsze im się udawało zrealizować. Ryszard Bugaj – którego doprawdy trudno uznać za prawicowego oszołoma – mówił mi, iż jako poseł RP miał okazję na własne oczy widzieć przygotowany przez rząd Rakowskiego, najprawdopodobniej gdzieś w początkach roku 1988, projekt ustawy prywatyzacyjnej. Był to projekt niemal bliźniaczo podobny do ustawy, którą nieco później przyjęto w Rosji, i która tam spowodowała całkowite i błyskawiczne przejęcie majątku państwowego przez aparat partii i KGB. Sztuczka prosta i z pozoru arcyliberalna: na mocy ustawy prywatyzowane państwowe przedsiębiorstwa może z licytacji kupić każdy, od ręki. Pod warunkiem, że ma pieniądze albo otrzymał na ten zakup kredyt z banku.

Kto w „realnym socjalizmie" mógł mieć wielkie pieniądze, to nawet nie warto pytać. A co do kredytów – państwowy, socjalistyczny bank, naprawdę nie przypominał banku amerykańskiego, gdzie rzeczywiście pieniądze uzyskać może każdy, kto przedstawi jakiś ciekawy biznesplan. Komu socjalistyczny, peerelowski bank, w roku, powiedzmy, 1988, dałby kredyt na kupienie tego czy innego dochodowego przedsiębiorstwa? Panu Kaziowi z ulicy Śliskiej czy towarzyszowi Mrugale, z którym prezes banku, towarzysz Szpalerski, przez wiele lat siedział biurko w biurko w komitecie?

Historia potoczyła się inaczej, sytuacja polityczna rozwinęła się niezgodnie z oczekiwaniami i wspomniany wyżej prywatyzacyjny projekt musiał Rakowski wyrzucić do kosza. A gdyby poszło nieco inaczej, i prywatyzacja Polski przebiegłaby podobnie jak za wschodnią granicą? Czy Michnik, przez całe życie człowiek lewicy, broniłby wtedy warstwy nowych towarzyszy-kapitalistów z równą pasją, z jaką bronił majątku ich partii? Czy użyłby argumentu, że nie wolno naruszać zasad wolnego rynku, że własność prywatna jest święta? Czy po odcedzeniu wszystkich retorycznych ozdobników wynikłoby z jego publicystyki, że naród, który wczoraj on sam wzywał do strajków, teraz ma się zamknąć i wziąć do posłusznej służby na folwarkach wczorajszych dyrektorów, a dzisiejszych właścicieli – bo to jest właśnie wolny rynek, a wolny rynek to dziejowa konieczność?

Założyłbym się, że tak, o wszystkie pieniądze – gdyby tylko istniał sposób rozstrzygnięcia takiego zakładu.

Nie znam żadnej historycznej pracy, która dokumentowałaby ruchy, jakie odbywały się w latach osiemdziesiątych w peerelowskiej bankowości. Ale nawet ze swej wyrywkowej i powierzchownej wiedzy dziennikarza wnosić mogę, że były to ruchy nader charakterystyczne. W kolejnych bankach regionalnych wymieniano zarządy, do których wprost z gmachów partyjnych i państwowych przenosili się komunistyczni wojewodowie, lokalni sekretarze, szefowie SB i MO. Zmiany nie ominęły oczywiście centrali – na przykład, żeby nawiązać do spraw opisanych w poprzednim rozdziale, dewizy z kont PZPR mogły zostać przerzucone w marcu 1990 na konto nowo powstałej SdRP, z naruszeniem obowiązujących wówczas przepisów, tylko dzięki życzliwości warszawskiego dyrektora oddziału PKO. Który nie mógł nie być życzliwy, skoro jeszcze niedługo wcześniej był szefem Wydziału Zagranicznego KC PZPR.

Ten masowy run towarzyszy i kadry oficerskiej do bankowości nie mógł być przecież dziełem przypadku. O ile wiem, nie znajduje też śladu w żadnej z zachowanych uchwał władz partyjnych. Ale miał miejsce niewątpliwie; nie jest to jedyny powód, by uważać, że w latach osiemdziesiątych oficjalne struktury PZPR mają już coraz mniej rzeczywistej władzy, że wymyka im się ona z rąk na rzecz jakichś gremiów nieformalnych, tworzonych głównie przez wojsko i służby specjalne. Myślę, że jakiś historyk dokona jeszcze żmudnej pracy prześledzenia nominacji w peerelowskiej bankowości w latach osiemdziesiątych, a przy okazji może i sprawdzenia, z której partyjnej koterii rekrutowali się nowi „bankowcy".

Początek tego procesu, kiedy już zostanie oznaczony, również będzie istotną kandydaturą do miana początku III RP.

Ale jest jeszcze jedna – czerwiec roku 1986, kiedy to PRL została członkiem Międzynarodowego Funduszu Walutowego, a zaraz potem Europejskiego Banku Odbudowy i Rozwoju. Podejmując tę decyzję, Jaruzelski już wtedy przesądził – choć niekoniecznie zdawał sobie z tego sprawę – że konieczne stanie się uporządkowanie finansów państwa, którym kierował, i urealnienie pieniądza. Nieuchronne stało się zerwanie z dziwacznym systemem przeliczników „cennych dewiz" i „rubli transferowych", z wziętymi z sufitu cenami surowców i energii, z całą tą fikcją, bez której księżycowa gospodarka peerelu istnieć nie mogła.

A to nieuchronne zerwanie musiało być operacją bolesną: nie dało się jej przeprowadzić bez wielkich podwyżek cen, drastycznego spadku płacy realnej i przepadku oszczędności. Numeru z wymianą pieniędzy, jaki w analogicznej sytuacji „nawisu inflacyjnego" wykonał w 1950 Bierut, kradnąc polskim rodzinom resztki ocalonego z wojennej pożogi dorobku, za Jaruzela powtórzyć się już nie dało – bo na drzewach, zamiast liści, rzeczywiście zawiśliby komuniści. Jedyną możliwością było przerzucenie odpowiedzialności za mający nieuchronnie nastąpić szok na kogoś innego – jakiś „pakt na rzecz reform" czy „wielka koalicja", dzięki której w oczach poddanych odpowiedzialność za ich poziom życia obciążyłaby nie tylko komunistów, ale także opozycję. Przypominam: kilka miesięcy potem miała miejsce pierwsza, nieudana próba takiej operacji, czyli utworzenie przy Jaruzelskim „Społecznej Rady Konsultacyjnej".

(Cholera, znowu ciśnie mi się pod pióro dygresja – do tej bierutowskiej wymiany pieniędzy. Historyczny miesięcznik popularnonaukowy „Mówią wieki", pisząc kiedyś o tej stalinowskiej grandzie, przypomniał poetycki pean na jej cześć, pióra Jana Brzechwy, który w obrzydliwy sposób wysławia grabieżców i kpi z kułaka i spekulanta, których w ten sposób dosięgła rewolucyjna sprawiedliwość: „...przyszły inne czasy / Miliony powędrują do państwowej kasy / Przybędą za to nowe bloki albo mosty / Z pożytkiem dla każdego. Stąd rachunek prosty / Robotnicy na zmianie pieniędzy nie stracą / Bo wzbogacając państwo sami się bogacą!". Piszę o tym, bo kiedy w roku 2000 w pewnej miejscowości w Polsce tamtejsza prawica miała czelność zaprotestować przeciwko projektowi nadania imienia Jana Brzechwy szkole, przypominając, że oprócz pięknych wierszy dla dzieci i przedwojennych peanów na cześć Piłsudskiego ma on także na sumieniu teksty haniebne, michnikowszczyzna wytoczyła przeciwko niej najgrubsze działa, na czele ze swym ulubionym oskarżeniem o antysemityzm.)

No więc, w którym miejscu wyznaczyć ten punkt początkowy procesu, który doprowadził do powstania państwa, zwanego oficjalnie III Rzeczpospolitą, a nieoficjalnie nazywanego czasem peerelem-bis?

Osobiście sądzę, że jej początki sięgają roku 1981 i stanu wojennego. Wynika ta cezura nie tyle z jakiegoś konkretnego wydarzenia, choć mówimy o okresie w ważkie wydarzenia historyczne obfitującym, co ze zmiany sytuacji psychologicznej. I wśród rządzonych, i wśród rządzących.

Zachowały się protokoły z posiedzeń władzy PZPR podczas sierpniowych strajków. Jest w nich zapis bardzo charakterystycznego starcia argumentów. Starzy partyjni kretyni gardłują: zbombardować stocznię, wprowadzić do akcji wojsko, stocznię potem odbudujemy, miasto, jeśli będzie trzeba je zburzyć, to też, ale kontrrewolucję trzeba zmiażdżyć! Jaruzelski odpowiada chłodno: zbombardować stocznię można, można puścić czołgi na ulice Trójmiasta i wystrzelać manifestantów, jak w 1970. Ale jeśli to zrobimy, stanie kolejnych sto, albo 500, albo 1000 zakładów, a do wszystkich nie wejdziemy. Nie ma tyle wojska.

To dlatego czerwony, w przeciwieństwie do Grudnia i Czerwca nie decyduje się strzelać – bynajmniej nie dlatego, żeby nagle go ruszyło sumienie, że to nieładnie, by „Polak do Polaków". Bunt roku 1980 jest za duży i zbyt dobrze zorganizowany, i starzy komuniści, którzy tego nie rozumieją, muszą ustąpić miejsca nowym, sprytniejszym.

Ustępstwa roku 1980 są czysto taktyczne, komuniści wiedzą przecież doskonale, że na dłuższą metę niezależna od nich silna organizacja społeczna istnieć po prostu nie może. Ale co zrobić, skoro do jej zdławienia nie wystarcza już brutalna siła? Ekipa, którą gromadzi wokół siebie Jaruzelski, znajduje rozwiązanie: jest nim wojna psychologiczna. Zanim ruszy się czołgi, trzeba społeczeństwo tak zmęczyć, urobić i zastraszyć, żeby w krytycznym momencie pozostało bierne i obojętne.

Właściwie już od pierwszych chwil po podpisaniu „porozumień społecznych" rozpoczyna się wojna nerwów. Komuna na każdym kroku stara się podgrzać atmosferę. Nie idzie na konfrontację, cofa się w ostatniej chwili, ale natychmiast znajduje nowy pretekst, by ani na moment napięcie nie spadało. Pierwszym przykładem jest kryzys wywołany odwlekaniem sądowej rejestracji „Solidarności", potem pojawiają się następne – jeśli akurat nie nadarza się żadna okazja, bezpieka posuwa się do bezczelnych prowokacji, jak pobicie działaczy „Solidarności" w Bydgoszczy. Kiedy ekipie Jaruzelskiego udaje się przekonać Sowietów, że tylko ona zagwarantuje im w Polsce spokój, generał, zastąpiwszy, niezdecydowanego Kanię, zaczyna swe sekretarzowanie od apelu o „dziewięćdziesiąt spokojnych dni" – a jednocześnie prowokacje ulegają nasileniu.

Stan wojenny nie był zwycięstwem czołgów. Był zwycięstwem telewizji. Telewizji, w której komuna dzień po dniu pokazywała obraz Polski budzący w przeciętnym obywatelu lęk: w kraju nie ma ani chwili spokoju, „Solidarność" ciągle jątrzy, przez te jej nieustanne strajki brakuje podstawowych produktów spożywczych i przemysłowych. Strajki równa się puste półki, wbija TVP w polskie głowy (telewizja to codzienne wbijanie miliona gwoździ w milion desek, mawiał szef radiokomitetu z czasów Gierka); „Solidarność" równa się chaos i anarchia. Tak jak przez cały peerel cenzura pilnie usuwała jakiekolwiek informacje o przestępczości, tak teraz dokładnie odwrotnie – wytyczne z najwyższego szczebla każą każdy napad, pobicie, gwałt skrupulatnie odnotować w wieczornym dzienniku, i pokazać go ze szczegółami, jak w Ameryce. Zakaz wspominania w mediach o jakichkolwiek trudnościach gospodarczych, obowiązujący od lat czterdziestych, nagle zostaje zastąpiony nakazem ich eksponowania i wyolbrzymiania.

„Solidarność" nie ma najmniejszej szansy się temu przeciwstawić. Wydawany w limitowanym nakładzie i cenzurowany „Tygodnik Solidarność" to elitarne, inteligenckie pismo, które zresztą, gdyby nie było okienkiem na wolność w szarym więziennym murze, byłoby śmiertelnie nudne. Drukowanie ulotek czy malowanie po murach „Telewizja kłamie" w najmniejszym stopniu nie może odwrócić efektu, oswoić wywoływanego przez propagandę lęku. Zresztą, co znaczy „kłamie"? Czy to nieprawda, że bandyta wczoraj w Zielonogórskiem zamordował i zgwałcił idącą ze stacji kolejowej dziewczynę? Czy to nieprawda, że w sklepach jest sam ocet, że fabryki nie wykonują planów, że codziennie wybucha w kraju ileś tam strajków?

Tu mamy do czynienia z zupełnie inną propagandą, niż dotąd się w peerelu robiło, nie polegającą na bezczelnym fałszowaniu faktów, tylko na umiejętnym oddziaływaniu nimi na emocje. Manipulatorzy nabierają wprawy w sztuce, która odda im potem wielkie usługi.

Sukces był większy, niż się komuna spodziewała. Widmo kilkuset strajkujących jednocześnie zakładów, tak jak straszyło Jaruzela w sierpniu 1980, tak nękało go wciąż, kiedy dopinał na ostatnie guziki przygotowania do bezprecedensowej operacji wojskowej przeciwko cywilnemu społeczeństwu. Dlatego do ostatniej chwili skamlał u Sowietów o obietnicę, że w razie czego wejdą i pomogą. Bezskutecznie – Sowieci przykazali mu, że ma się z Polakami rozprawić sam. Jaruzelski przez wiele lat zaprzeczał, jakoby prosił o „bratnią pomoc". Kłamał. Zachowały się dowody, protokoły z posiedzeń sowieckiego Biura Politycznego, opublikowane w „Moskiewskim procesie" przez Władimira Bukowskiego, oraz dziennik czynności dowódcy wojsk Układu Warszawskiego, Kulikowa, a w nim notatka adiutanta streszczająca przebieg wizyty złożonej Kulikowowi przez Jaruzelskiego w początkach grudnia 1981.

Warto wspomnieć, że choć dowody te znane są już od lat, Adam Michnik do dziś w różnych publicznych wystąpieniach wspiera kłamstwo Jaruzelskiego, jakoby jego akcja ocaliła Polskę przed interwencją sowiecką. Więc podkreślmy to z całą mocą: interwencja sowiecka groziła nie Polsce, tylko co najwyżej samemu Jaruzelowi. Kreml, uwikłany w Afganistanie, zmagający się bezskutecznie z coraz większymi trudnościami gospodarczymi w samym imperium, postawił sprawę jasno: to polscy komuniści muszą zapanować nad polskim społeczeństwem. Postawili na Jaruzelskiego. Gdyby uznali, że się on do tego zadania nie nadaje, albo gdyby, teoretyzując, Jaruzel próbował się stawiać, Kreml by „zainterweniował" – dałby polskim towarzyszom do zrozumienia, że wycofuje swe poparcie, i Jaruzel podzieliłby los Kani. W generalicji, w bezpiece i partii nie brakło zaprzedanych kreatur, które chętnie zamiast niego podjęłyby się wykonania zleconej przez Sowietów misji.

Ale nie było potrzeby ich wyszukiwać, bo to właśnie Jaruzelski się podjął. Po to właśnie Ruskie zrobili go pierwszym sekretarzem PZPR. Na litość boską, jakże by mógł nie skorzystać z okazji, by ukoronować swą karierę takim stanowiskiem? Czyż nie był do imentu komunistą, czyż nie współpracował jeszcze w latach czterdziestych z wojskową informacją, czyż nie piął się po szczeblach partyjnej kariery? Kto ciekaw, niech zobaczy, jakie przemówienia wygłaszał i co robił w 1956, 1968, 1970, 1976, jak dzielnie, kiedy należało, czyścił ludowe wojsko z „syjonistów" – co wyniosło go na stołek Ministra Obrony Narodowej, i jak głośno, gdy przyszły inne wytyczne, gromił „warchołów" z Radomia i Ursusa (uprzedzam tylko, że nie ma co szukać tej wiedzy w archiwum internetowym „Gazety Wyborczej").

Kreml kazał zniszczyć kontrrewolucję, jej przywódców aresztować, a tych pomniejszych, nieznanych na Zachodzie z nazwisk, po cichu mordować – Jaruzel ze swą ekipą rzucił się wolę Kremla wypełnić. Jakże by inaczej. A o obietnicę wsparcia prosił dlatego, że jednak miał obawy, czy to się uda. Bał się, że Polacy stawią heroiczny opór, jak w Powstaniu Warszawskim.

To była, swoją drogą, komedia omyłek. Opozycja gryzła się w język, ograniczała postulaty, próbowała powściągać patriotyczne emocje, bo miała przed oczami wizje sowieckiej potęgi z czasów Stalina – gdy tymczasem złowrogie mocarstwo okupacyjne solidnie już od tego czasu nadgniło, na Kremlu miejsce geniusza zła zajęła gromada zesklerozialych pierników, niewiele sprawniejszych od Breżniewa, który przez ostatnie lata swej władzy nie bardzo wiedział, jak się nazywa i gdzie w danej chwili jest (zachowało się o tym dziesiątki straszno-śmiesznych anegdot, ale ugryzę się w język, bo inaczej nigdy tego rozdziału, nie mówiąc już o całej książce, nie skończę), a prawdziwe mózgi, kierujące służbami specjalnymi, już były zajęte kombinowaniem, co robić w obliczu nieuchronnie nadchodzącej katastrofy.

Z kolei i Ruskie, i ekipa Jaruzela mieli wciąż przed oczami Polaków z Armii Krajowej, z Wolności i Niezawisłości i Narodowych Sił Zbrojnych, spodziewali się barykad i wieszania zdrajców – gdy tymczasem mieli do czynienia z toczonym peerelowską degeneracją polactwem, do tamtych Polaków z heroicznych czasów podobnych mniej więcej w tym samym stopniu, co dzisiejszy grecki handlarz starzyzną do Leonidasa. Polactwem, które zamiast czołgami, wystarczyło postraszyć zimnymi kaloryferami.

Różnica jest taka, że opozycja nie miała okazji zweryfikować swych błędnych wyobrażeń - a komuniści tak.

W odpowiedzi na ogłoszenie stanu wojennego nie zastrajkowało, jak obawiał się tego Jaruzel i jego sztab, tysiąc zakładów, ani pięćset, ani nawet sto (o barykadach w ogóle nie rozmawiajmy). Zastrajkowało ich - różne słyszałem obliczenia, jedni mówią dwadzieścia, inni czterdzieści, w każdym razie mniej niż pięćdziesiąt. W większości do zgaszenia strajku wystarczyło, żeby przyszedł prokurator albo komisarz wojskowy i postraszył dekretem o stanie wojennym - ani naród nie czuł w sobie jakiejś przemożnej chęci do walki, ani przywódcy go do tego specjalnie nie zachęcali, bojąc się, żeby nie wywołać kolejnego beznadziejnego powstania i masakry. Jest ciekawym pytaniem dla historyków - skoro wymiar sprawiedliwości wolnej Polski się od udzielenia na nie odpowiedzi w sposób żałosny uchylił - dlaczego właściwie doszło w tej sytuacji do masakry w kopalni „Wujek". Z punktu widzenia stanu wojennego nie była ona na nic potrzebna, w chwili rozpoczęcia szturmu na kopalnię było już oczywiste, że operacja powiodła się ponad wszelkie spodziewanie; można było zostawić „Wujka", otoczonego milicyjnym kordonem, w świętym spokoju i za kilka dni osamotniony protest wypaliłby się sam, jak to się stało w „Piaście" i „Ziemowicie". Dlaczego Kiszczak zezwolił na szturm i na użycie broni? Stracił głowę? Czy też z jakiegoś powodu generalicja potrzebowała małej demonstracji, że potrafi być wobec kontrrewolucji bezwzględna?

W każdym razie ruch, który jeszcze kilka tygodni wcześniej dumnie twierdził, że ma dziesięć milionów członków (słabo wierzę w tę liczbę; chyba to jeden jeszcze narodowy mit, czekający obrazoburcy, który będzie śmiał podnieść nań świętokradczą rękę i zweryfikować w dokumentach), w chwili próby okazał się ich mieć, ja wiem – może kilkuset, może kilka tysięcy.

Nie piszę tego po to, żeby czynić rodakom gorzkie wyrzuty albo się z nich naigrawać. Wymagamy od siebie, skoro napomknąłem już o naszych narodowych mitach, Bóg jeden wie czego. Nasze wyobrażenie o własnej historii przypomina pornosa. Wiecie Państwo, co mam na myśli – dobiera się wyjątkowo jurnego byczka, pakuje zastrzykami, filmuje go przez kilka dni, z kilku kamer i montuje wszystko tak, żeby widzowi wydawało się, że facet miał nieustającą erekcję przez godzinę i sześć wytrysków jeden po drugim. A potem ogląda to jakiś naiwny człowiek i wpada w kompleksy.

Nasze wyobrażenie o polskiej historii zmontowane jest z samych bohaterskich momentów; Kościuszko istnieje w nim tylko do Maciejowic, a Poniatowski dopiero od Raszyna. Wszystko to podretuszowane, podfałszowane, żeby stworzyć wrażenie, że od zarania dziejów każdy Polak był bohaterem, wiecznie szczytującym w heroizmie, i wszyscy nic, tylko z pogardą śmierci rzucali się na przeważające siły wroga albo wysadzali wraz z nim w powietrze (jak nieszczęsny Ordon, który się wcale nie wysadził). Trudno nam przyjąć do wiadomości, że przeciętny Polak jest – przeciętny właśnie.

Propaganda, jaką bombardowano Polaków od września 1980 do grudnia 1981 dała taki skutek, jaki dała, bo innego dać nie mogła, i mając absolutny monopol w środkach masowego przekazu („musowego przykazu", jak mawia Jan Pietrzak) można by mniej więcej tak samo urobić każde społeczeństwo. Mass media to potęga, przed którą obronić mogą tylko inne mass media. Gdyby jakiekolwiek społeczeństwo umiało się na wpływ medialnych przekazów uodpornić, na świecie nie wydawano by tylu miliardów na reklamę. Ekipa Jaruzela zdobyła w roku 1981 bezcenne doświadczenie – przekonała się, że jest w stanie posterować ludźmi tak, jak jej to wygodne, i że opozycja na co dzień nie ma wcale takiego poparcia, jak w chwilach zrywu, wolnościowego karnawału w typie Sierpnia, który może być intensywny, ale z natury rzeczy trwa krótko, a po nim następuje długa faza apatii, kiedy można z Polakami zrobić jeśli nie wszystko, to w każdym razie bardzo wiele.

To niejedyny powód, dla którego początek ustrojowej transformacji przesuwam aż do roku 1981. Przez cały ten rok trwał proces bardzo brzemienny w skutki – stopniowej zmiany warty w rządzącej partii.

W czasach gierkowskich prawie nie było już w partii przedstawicieli pierwszego pokolenia polskich komunistów, tych z KPP i komunistycznej partyzantki. Dominowali komuniści powojenni o bardzo w większości podobnych życiorysach – przeważnie wyszło toto z jakichś zapadłych wsi, z folwarcznych czworaków i bardzo biednych rodzin, a niekiedy wręcz z marginesu społecznego, i wszystko zawdzięczało Nowej Wierze. Partia dała im możliwość wyjścia na ludzi, a oni odwdzięczali się ślepą wiernością idei, która miała uszczęśliwić ludzkość. Niektórzy byli na tyle głupi, że ta wiara została im na zawsze, niektórzy poniewczasie coś zaczęli rozumieć, ale w pewnym wieku trudno o taką odwagę, żeby zerwać z całym swoim życiorysem.

Byli też, oczywiście, w PZPR aparatczycy obdarzeni nadprzeciętną inteligencją i zupełnie cyniczni, jak osławiony partyjny macher od kultury, Janusz Wilhelmi (pewnie wysoko by zaszedł, gdyby przypadkiem nie spadł samolot, którym leciał). Proszę nie sądzić, żebym przykładał nadmierną wagę do fizjonomiki, ale kto zada sobie trud, żeby przejrzeć gierkowskie gazety, a w nich galerie fotek nowych-starych członków politbiura, KC czy rządu, zamieszczane po każdej roszadzie, sam zobaczy, że przytłaczającą większość stanowią na nich gęby roztytych od nadmiaru dobrobytu wieśniaków - grube, mięsiste rysy, potrójny podbródek, małe oczka, kartoflowaty nos i rozwichrzona pożyczka *à la* Chruszczow. Zdjęcia tych samych gremiów z końca lat osiemdziesiątych wyglądają już zupełnie inaczej. Tam twarze wsiowych przygłupów, tu - regularnych gangsterów.

Jednym ze skutków wielkiej obawy co do szans stanu wojennego, jaką żywił Jaruzelski, był pomysł, żeby oprócz opozycjonistów, dla równowagi, „internować" - czyli aresztować bez sądu i wyroku na czas nieokreślony - także partyjniaków z ekipy Gierka z nim samym na czele. Byli to już wtedy ludzie kompletnie wyautowani, nawet człowiek tak bezczelny w swych łgarstwach jak Urban nie próbował nigdy twierdzić, że Babiuch z Jaroszewiczem mogli stworzyć jakąś niebezpieczną dla WRONy konspirację. Internowanie ich, podobnie jak odebranie emerytur, było wyłącznie zagraniem pod publiczkę, rzuceniem ich na pożarcie (ciekawe, że różna partyjna skleroza, która teraz wystawia Gierkowi pomniki, jakoś uporczywie o tej zasłudze Jaruzela nie chce pamiętać). Chodziło o zbudowanie propagandowej symetrii: gierkowscy partyjniacy, wskutek swych błędów i wypaczeń, zrujnowali państwo nie mniej niż „Solidarność", a teraz przychodzi wojsko, ludowe, żeby ocalić Naród. W planach było wytoczenie Gierkowi i jego pomagierom pokazowego procesu, na zlecenie Jaruzelskiego sporządzono nawet raport o ich rozmaitych nadużyciach – z dzisiejszej perspektywy rozczulająco wręcz śmiesznych, ale w ogólnej bidzie peerelu załatwienie sobie na lewo parudziesięciu metrów boazerii albo miedzianej blachy na dach stanowiło przekręt porównywalny z najgłośniejszymi prywatyzacjami III RP. Do procesu w końcu nie doszło, bo czerwony zorientował się, że, po pierwsze, społeczeństwo ma to gdzieś, a po drugie, wyciąganie afer towarzyszy, nic to, że z poprzedniej ekipy, ale jednak przecież towarzyszy, skompromitowałoby dodatkowo i tak już skompromitowaną PZPR.

Skompromitowaną – bo jednak w okresie karnawału „Solidarności" wykipiała wiedza o cwaniactwie i draństwie partyjnych kacyków, zdemaskowane zostały kłamstwa, zneglizowany moralny poziom ludzi plotących o społecznej sprawiedliwości. To, co wcześniej wiedzieli nieliczni sympatycy opozycji, dotarło do nawet najciężej myślącego robola.

Jaruzelski zapuszkował, pousuwał z partii albo posłał w odstawkę resztkę komunistów, którzy jeszcze wierzyli w komunizm – sam został bodaj ostatnim. Cezurą wydaje się rok 1985, kiedy to ze ścisłego kierownictwa wylecieli uznawany za lidera partyjnego betonu

Stefan Olszowski (jak przystało na ideowego marksistę, po latach odnalazł się na emigracji w USA) oraz stary ubek i komunistyczny zbrodniarz generał MSW Mirosław Milewski, który, wedle wszelkiego prawdopodobieństwa, karierę zaczynał w szeregach NKWD, rozstrzeliwując akowców i przypadkowych mieszkańców podbijanych przez krasną armię terenów.

Jednocześnie stan wojenny sprowokował do rzucenia legitymacji większość naiwnych, rozmaitych partyjnych „liberałów", których w maszynerię aparatu wkręciło złudzenie, że wchodząc w struktury i oddając rytualny pokłon bożkowi marksizmu-leninizmu będą w stanie „coś zrobić" dla ludzi, kraju, narodowej gospodarki, kultury *et cetera*. Czołgi na ulicach przekonały ich, że niczego się zrobić nie da, że system jest niereformowalny.

Jedyną liczącą się motywacją do zajmowania stanowisk „partyjno-państwowych", jak się to wtedy nazywało, pozostał oportunizm. Władza dla władzy, kariera dla kariery. Będąc w nomenklaturze, można sobie było postawić lepszy dom, kupić porządną gablotę, jeździć na Zachód oraz mieć kobiety noszące koronkową bieliznę i używające zagranicznych perfum. Z czasem doszedł do tego czynnik dodatkowy: można było założyć jakiś mniej lub bardziej lewy interes i zacząć robić prawdziwy szmal. Nie jakieś zabawne grosze, jakie udało się udowodnić Szczepańskiemu czy Tyrańskiemu, wyznaczonym do roli kozłów ofiarnych rozliczeń z Gierkiem i jego czasami, ale prawdziwy szmal. W dolarach.

Bliski współpracownik Kiszczaka, pułkownik Wojciech Garstka, w przypływie szczerości wyzna po latach, że dla partyjnych liderów jego epoki „legitymacja partyjna nie była wyborem światopoglądowym, ale sytuacyjnym".

Ale zaraz, po kolei. Wspomnieć trzeba, że, jak to często w historii bywa, triumf, jakim niewątpliwie był stan wojenny, okazał się zarazem początkiem końca. Owszem, udało się niesforne społeczeństwo wziąć pod but, spacyfikować i wybić z polskich głów marzenia o wolności. Ale co dalej?

Jeśli, jak wmawiała propaganda, trudności gospodarcze były skutkiem „anarchii", wywołanej strajkami „Solidarności", to po jej zdławieniu sytuacja powinna się szybko poprawić. Tylko że jakoś poprawić się nie chciała, i propagandowe zaklęcia o „wychodzeniu na prostą" nic nie pomagały. Nie pomagało pousadzanie w fabrykach komisarzy wojskowych, puszczanie w teren wojskowych grup operacyjnych i inspekcji robotniczo-chłopskich, które miały tropić nadużycia i marnotrawstwo. Oczywiście, tego rodzaju środki – jedyne, na jakie mogła się zdobyć trepowska mózgownica Jaruzela – nie mogły pomóc, bo problemem centralnie planowanej gospodarki nie była żadna tam spekulacja, zła organizacja pracy czy „gospodarczy woluntaryzm" (nie bardzo nawet już pamiętam, co ten bełkot miał znaczyć), tylko samo centralne planowanie. Pamiętajmy też, że w pierwszych latach swych rządów Gierek wypuścił z butelki dżinna, którego socjalizm nie był już w stanie z powrotem do niej zagnać – narozdawał tyle podwyżek płac, emerytur i świadczeń, że dochody społeczeństwa w krótkim czasie wzrosły prawie o połowę. Jak sam potem wyznawał Januszowi Rolickiemu w wywiadzie-rzece, oczekiwał, że w odpowiedzi wysoko rozwinięte społeczeństwo socjalistyczne odwdzięczy się proporcjonalnym wzrostem wydajności pracy. Ale wydajność wzrosnąć jakoś nie chciała (i nic dziwnego – gdyby Gierek miał blade pojęcie o ekonomii, wiedziałby, że wydajność pracy nie zależy od uczuciowego zaangażowania robotnika, tylko od organizacji i energo- oraz surowcochłonności stosowanych technologii). W związku z tym nie chciała też nijak wzrosnąć podaż towarów. Społeczeństwo, żeby za otrzymane pieniądze cokolwiek kupić, musiało więc stać w coraz dłuższych kolejkach, i w efekcie zamiast być wdzięczne za podwyżki płacy, robiło się coraz bardziej wkurzone, a kiedy z tego wkurzenia zaczynało się buntować, władza dla uspokojenia sytuacji dawała mu kolejne podwyżki. Po stanie wojennym tym bardziej starano się jak najwięcej rzucić na rynek do konsumpcji. Tylko nie było co, nie było jak. System trzeszczał coraz głośniej, „nawis inflacyjny" rósł niepowstrzymanie, sojusznicy nie ukrywali, że nie pomogą, bo mają własne problemy, i jeszcze na dodatek ten przeklęty Reagan cisnął sankcjami. Dla wtajemniczonych stawało się coraz bardziej oczywiste, że katastrofa jest nieuchronna.

Wiem, że to sprawy ogólnie wiadome, przepraszam, jeśli uznają Państwo, że rozwodzę się nad nimi niepotrzebnie. Chodzi mi o to, byście się spróbowali wczuć w takiego partyjnego aparatczyka lat osiemdziesiątych. Takiego typowego, nie jakiegoś emeryta od Moczara, plotącego o podnoszącym głowę wrogu klasowym i imperialistycznej agresji. On już dobrze wie, że cały ten socjalizm, sprawiedliwość społeczna i tak dalej to zwykła lipa – że jest tylko sowiecka armia za Bugiem, Odrą i pod Legnicą, czyli „kontekst geopolityczny", albo, jak to wtedy partyjniacy najchętniej ujmowali, „pewne zasadnicze uwarunkowania". Taki aparatczyk nie zna szczegółów, ale generalnie wie, w jakim kierunku idą sprawy. Wie, że jest, użyjmy tego śmiesznego, archaicznego słowa, sprzedawczykiem.

No to... No?

No to, u cholery, jak się już sprzedaje, to się chce sprzedawać ZA COŚ. Nie za parę metrów boazerii czy blachę na dach domku!

Znów możemy się odwołać do pułkownika Garstki, który motywacje swych ówczesnych towarzyszy podsumował krótko: aparat oczekiwał przede wszystkim „możliwości wygodnego urządzenia się".

I partia wiedziała, że musi aparatowi tę możliwość dać. Że jeśli spróbuje takich cyrków, na jakie pozwalać sobie mógł jeszcze Gomułka, zmuszający podwładnych do życia w ascezie, jeśli pozwoli, by partyjnym sekretarzom ktoś liczył i ograniczał lewizny, to wkrótce wszystkie kadry się rozlezą. Wiedziała, ale nie miała już nic do rozdawania. „Gospodarka niedoborów", która okazała się praktycznym skutkiem budowania sprawiedliwości społecznej, sięgnęła takiego dna, że nawet towarzysz Ciosek – jak gdzieś opowiadał – chcąc zmienić sobie w domu wannę, musiał pisać podanie o nadzwyczajny przydział tego rzadkiego luksusu do kolegi ministra.

„Przez cały Boży dzień towarzysze zajmowali się załatwianiem, poprzez różne dojścia i znajomości, dla siebie, rodziny i przyjaciół: mebli, lodówek, pralek, napraw samochodów, telefonów, telewizorów, lekarstw itp. Oprócz tematów dużych koledzy, jak zauważyłem, z upodobaniem zajmowali się sprawami bardzo drobnymi, na przykład okazyjnym zakupem koszuli, garnituru z przeceny, butów z importu, a nawet lepszej kiełbasy, chudszego boczku, cielęciny itp. Pokój, w którym pracowali, zamieniał się w swoisty bazar telefoniczny, ośrodek pośrednictwa w przeprowadzaniu transakcji handlowych" – opisuje „partię w nieustającym działaniu" cytowany już Wiśniewski.

W maju 1989 na posiedzeniu sekretariatu KC Jaruzelski grzmiał na towarzyszy, którzy pięć lat wcześniej założyli spółdzielnię mieszkaniową „Młoda Gwardia" i szybko przekształcili ją w niezwykle skuteczny sposób pomnażania pieniędzy – co nie było trudne, bo spółdzielni, której udziałowcami było 80 wysokich funkcjonariuszy partyjnych, głównie członków KC, nikt nie śmiał niczego odmówić. „Skandaliczne rzeczy... premie, nagrody, podwójna pensja prezesa, wysokie uposażenia... To krzycząca niesprawiedliwość, gangsterstwo pod naszym bokiem. Jakie mamy moralne prawo pouczać innych, jeśli u siebie krytykujemy taką zarazę!" – grzmiał towarzysz pierwszy sekretarz. A „zaraza", rozparta na sali, słuchała z pobłażliwym rozbawieniem. „Dominowało zawołanie *enrichissez-vous*, bogaćcie się", podsumował nastroje w partyjnej wierchuszce lat osiemdziesiątych towarzysz Baka, skądinąd wielce zasłużony w urzędowym torowaniu nomenklaturze drogi do bogactwa. Tyrady Jaruzelskiego były dowodem albo krańcowej obłudy, albo kompletnej utraty kontaktu z rzeczywistością. Raczej tego drugiego, bo w systemie komunistycznej władzy było to częste schorzenie gensekow, wiedzących tyle, ile im napisano w podetkniętym biuletynie specjalnym. Na szczęście dla „zarazy", moralne kompulsje towarzysza generała nie trwały długo i szybko ustąpiły miejsca którejś z innych jego pasji – walce o czystość i poprawność polszczyzny czy staraniom o właściwe prowadzenie się młodzieży i zwalczaniu zepsucia moralnego, czyli tępieniu zdjęć gołych bab w gazetach.

Wspomniana już Jadwiga Staniszkis pisze, iż partyjna wierchuszka, przyzwalając aparatowi na bogacenie się na własną rękę, nie zdawała sobie sprawy, iż rozpoczyna dekompozycję ustroju wywalczonego przez Budionnego i Dzierżyńskiego. Że był to właśnie pomysł na zachowanie aparatu w spójności, tylko okazał się mieć odwrotne skutki – tak, jak reformy Gorbaczowa.

Być może. Choć wydaje mi się równie prawdopodobne, że niektórzy wiedzieli od początku: socjalizm, w jego formie ortodoksyjnej, kończył się nieodwołalnie, a jeśli nie socjalizm, to co? Kapitalizm, oczywiście. A kapitalizm, jak to wbijano w głowy przez dziesięciolecia peerelu, to ustrój oparty na wyzysku człowieka przez człowieka, w którym jest warstwa uprzywilejowana i warstwa wykorzystywana. No to w której warstwie mają się znaleźć ludzie z partyjnej nomenklatury?

Możliwe, że prawda leży pośrodku, to znaczy, że proces przekształcania się komunistów w oligarchię pieniądza zaczął się spontanicznie, a dopiero z czasem gremia decyzyjne uświadomiły sobie, dokąd jadą, i zaczęły ten proces planować, porządkować, tak, aby przeprowadzić ustrojową transformację z maksymalną dla siebie korzyścią.

Przedstawiłem wcześniej – w kolejności odwrotnej od chronologicznej, bo tak mi wyszło – poszczególne etapy tego procesu. Można do nich jeszcze dodać ustawę z 1986, zezwalającą na ograniczone tworzenie spółek z udziałem kapitału zagranicznego, tak zwanych „polonijnych". Zasadą tych spółek było zmuszenie chcącego w Polsce zainwestować polonusa do wzięcia „partnera krajowego", a owych partnerów krajowych wyznaczały Wojewódzkie Urzędy Spraw Wewnętrznych. To już było zupełnie jawne wchodzenie bezpieki w biznes.

Ale przecież jeszcze wcześniej, tuż po odwołaniu stanu wojennego, zaroiło się w polskich sklepach od zachodnich towarów z prywatnego importu. Głównie szamponów. Kosztowały straszne pieniądze, ale innych nie było, więc się sprzedawały. Kto na tym prywatnym imporcie zarabiał? Na pewno nie tylko towarzysze z „telefonicznego bazaru" w KC. Nie dało się postawić takiej bariery, która by dopuściła do możliwości zarobku tylko ich; skoro okazało się, że można, to korzystali także ludzie przypadkowi, którzy akurat z jakiejś racji mieli paszporty i dobre pomysły, czym by tu obrócić, żeby mieć maksymalne przebicie.

W systemie totalnej reglamentacji i całkowitej wszechwładzy urzędników nie mogło jednak być mowy o równości podmiotów gospodarczych. Jeśli się chciało w owych czasach prowadzić działalność gospodarczą, taką drobną, ot, wziąć w ajencję... No tak, jak mogłem zapomnieć o tym – na początku lat osiemdziesiątych WRONa puściła się na taką śmiałą reformę, że pozwalała prowadzić różne drobne interesy jako ajencje, to znaczy, formalnie wciąż jeszcze, zgodnie z marksistowskim dogmatem, wszystko pozostawało państwowe, ale w ajencji, więc już jakby prawie prywatnie. No więc jeśli chciało się robić interesy, wziąć w ajencję sklepik albo knajpkę, to były dwie metody: albo się bezustannie użerać z kontrolami, kolędować po urzędach i prosić się o taki czy inny papier, albo, jak się zwięźle mówiło, „mieć swojego ubeka".

Czy mi się zdaje, czy ktoś z Państwa westchnął właśnie, że coś mu to przypomina, a ktoś inny, młodszy, mruknął – „to już wtedy"?

Tak, oczywiście, podobieństwo nie jest przypadkowe. W pewnym sensie wciąż mamy ten ustrój gospodarczy, który budowały kolejne decyzje komunistów w latach osiemdziesiątych, począwszy od wspomnianych ajencji i zalegalizowania „prywatnego importu", wcześniej uważanego za przemyt: niby-kapitalizm, w którym niektórzy mają z zasady uprzywilejowaną pozycję. Niektórzy nazywają to „kapitalizmem politycznym", inni „kapitalizmem kompradorskim". To nie są najlepsze nazwy. Bo jeśli w jakiejś gospodarce nie ma równości szans, to nie można jej nazwać wolnorynkową ani kapitalistyczną. Słowa „kapitalizm" czy „wolny rynek" są tu nie na miejscu.

* * *

Głupactwo cytowanych na początku tego rozdziału wypowiedzi o rzekomych praktycznych pożytkach z uwłaszczania nomenklatury polega na tym, że wygłaszano je w roku 1989. Siedem lat wcześniej te same opinie byłyby zupełnie słuszne. Zresztą, taki właśnie sens miał napisany jeszcze wcześniej „List do porucznika Borewicza" samego Mirosława Dzielskiego. Cholera wie, może właśnie ten tekst, dostarczony przez bezpiekę na partyjno-rządowe biurko wśród innych skonfiskowanych wydawnictw drugoobiegowych, dostarczył komuś natchnienia?

W odniesieniu do sytuacji początku lat osiemdziesiątych niczego temu rozumowaniu nie można było zarzucić: pozwólmy komunistom kraść i kombinować, a rozwali to partię i komunizm od środka, stworzy z części aparatu nową klasę (właściwie, jeśli pamiętać, że to właśnie aparat partyjny nazwał znany dysydent nową klasą, powinienem napisać: jeszcze nowszą klasę), która ze swej natury będzie zainteresowana demontażem komunizmu.

Ale w roku 1989 Polska miała już ten proces za sobą! On się już dokonał i już przyniósł wszystkie korzyści, jakich się po nim można było spodziewać. Bogacenie się aparatu już rozsadziło socjalizm od wewnątrz, odebrało aparatowi PZPR resztki wiary w ideologię i doprowadziło do upadku poprzedniego systemu – w Magdalence, przy Okrągłym Stole i w kontraktowych wyborach.

W dalszych zmianach nowa (jeszcze nowsza) klasa nie miała już żadnego interesu. Przeciwnie, osiągnęła wszystko, i teraz mogła tylko tracić swoje przywileje. Od tego momentu będzie ona dążyć do wyhamowania procesu zmian, a nawet jego cofnięcia. Do zatrzymania Polski w ustroju hybrydalnym, ułomnym – nie kombinujmy specjalnie z nazwą, po prostu w postkomunizmie.

Ostatnią rzeczą, jaką należało w tym momencie historycznym robić, było gwarantowanie nowszej klasie utrzymania przywilejów i opieranie się na niej. Przeciwnie. Dobro Polski wymagało właśnie tego, aby teraz nowszą klasę stanowczo pozbawić wpływu na bieg wydarzeń, żeby nie mogła hamować rozpoczętego procesu transformacji i przeszkadzać w doprowadzeniu go do finału: zastąpienia socjalizmu gospodarką wolnorynkową.

Ale Familia przyjęła strategię dokładnie odwrotną. Uznając postkomunistów za sojuszników i broniąc ich materialnego uprzywilejowania, sprawiła, że proces transformacji ustrojowej został w Polsce, zgodnie z interesem uwłaszczonej nomenklatury, zatrzymany na kilkanaście lat, a nawet cofnięty w stosunku do tego, na co pozwalała ustawa Rakowskiego z grudnia 1988. Nie podejrzewam Michnika ani innych przywódców Familii, żeby zdawali sobie sprawę, co *de facto* oznacza i jakie niesie skutki ich polityczna strategia. Po prostu o tym nie myśleli. Ich pojęcie o gospodarce i procesach w niej zachodzących było nad wyraz mgliste; żyli wśród kawiarnianych fantomów. Jeden błąd pociągał za sobą drugi. Błędne rozeznanie sytuacji poskutkowało upatrywaniem zagrożeń zupełnie nie tam, gdzie one były, i wyznaczeniem celów zupełnie nieadekwatnych do sytuacji.

Ale zanim o tym, jeszcze parę uściśleń terminologicznych i troszkę faktografii.

* * *

Powtarzam: stanowczo protestuję przeciwko nazywaniu panującego w Polsce ustroju gospodarczego kapitalizmem albo wolnym rynkiem.

Proszę, weźmy podstawowe dane – cytuję z opracowania Centrum imienia Adama Smitha, z roku 2005. Przez ręce administracji państwowej przechodzi, podlegając różnym formom redystrybucji, 55 proc. Produktu Krajowego Brutto. Stopa opodatkowania wynosi, zależnie od sposobu obliczenia, 35 proc. (brutto) albo 80 proc. (netto). Oprócz podatków istnieje 8 rodzajów przymusowych składek, ściąganych od pracowników i pracodawców. Państwo jest właścicielem ponad 50 proc. środków produkcji oraz 3 milionów hektarów ziemi uprawnej. Działalność gospodarcza reglamentowana jest przez 216 rodzajów koncesji i licencji (tak! – u zarania III RP koncesjonowanych było tylko 7 rodzajów działalności gospodarczej, takich jak handel bronią czy wydobycie bogactw mineralnych). W kilkunastu zawodach obowiązują kodeksy limitujące dostęp do nich. Ponad 40 instytucji kontrolnych może w każdej chwili wkroczyć do firmy, aby przeprowadzać nieograniczone w czasie kontrole. Państwo ustala minimalną płacę, maksymalne odsetki i minimalne ceny skupu w rolnictwie oraz chroni ustawowo liczne monopole i oligopole (na czele z kluczową dla rozwoju technologicznego telekomunikacją – dzięki czemu Polak jest w Europie na trzecim miejscu od końca pod względem dostępu do Internetu). Rejestracja firmy trwa średnio 60 dni, a średni czas dochodzenia sprawiedliwości w procesie sądowym – 1000 dni.

Wystarczy?

To nie jest żaden kapitalizm. Ale, prawda, że nie jest to też „realny socjalizm", ten budowany w peerelu. Nie ma Centralnej Komisji Planowania, ręcznego sterowania gospodarką i tak dalej. Więc co to jest?

Na początku lat dwudziestych wydawało się, że mimo wygranej przez bolszewików wojny domowej ich władztwo zaraz się rozleci. Rosja nigdy nie miała sprawnej gospodarki, ale wzniecona przez bolszewików zawierucha doprowadziła ją do kompletnej ruiny, a sposoby reanimacji podsuwane przez marksizm, zamiast poskutkować, okazały się potęgować problemy. Wtedy towarzysz Lenin rzucił hasło: Nowa Polityka Ekonomiczna. W skrócie (według rosyjskiej składni) NEP.

Nazwa, jak zawsze w komunizmie, była dokładnie odwrotna od prawdy: „nowa" polityka oznaczała powrót do tego, co stare – dopuszczenia prywatnej własności i konkurencji. Ale w takim tylko zakresie, żeby nie zagroziło to władzy bolszewików. Pod kontrolą. Dokładnie według zasady, którą sformułowano za rządów Mazowieckiego: tylko tyle kapitalizmu, ile konieczne, za to tyle socjalizmu, ile tylko możliwe.

Wolny rynek to wieczna niepewność. Pucybut może zostać milionerem, ale i milioner może zbankrutować i pójść na dziady. W socjalizmie tego problemu nie było, dawał pewność, że kto jest w nomenklaturze, będzie mu się żyło dobrze, a kto jest zwykłym robolem albo inteligencikiem, niech będzie szczęśliwy, jeśli ciężką pracą dorobi się małego fiata i M-3. I niech będzie pewny, że nie wyskoczy wyżej, choćby go Pan obdarzył wszelkimi możliwymi talentami i choćby się usrał z wysiłku.

Ale socjalizm bankrutował. Utrzymać się go nie dało. Powstał problem, jak przeskoczyć do kapitalizmu, a nie stracić uprzywilejowanej pozycji.

Odpowiedź była prosta: wziąć z kapitalizmu tylko to, co konieczne. Konieczna była reforma finansów –

zresztą, jak wspomniałem, w momencie przystąpienia peerelu do Międzynarodowego Funduszu Walutowego stało się to oczywiste. Konieczne było urealnienie pieniądza, wprowadzenie jego wymienialności, opanowanie inflacji, która w ostatnich latach peerelu osiągnęła szalone tempo. Oraz wprowadzenie wolnego rynku w handlu, usługach, w drobnej wytwórczości, żeby ludność mogła się jakoś zaopatrzyć w to, co niezbędne do życia, i żeby rolka szarego, wstrętnie szorstkiego papieru toaletowego przestała być luksusem, a brak sznurka do snopowiązałek nierozwiązywalnym problemem każdych żniw.

Ale nie chodziło o to, żeby tu zapanował prawdziwy kapitalizm, tylko o to, żeby ci, którzy byli warstwą wyższą jako mandaryni reżimu, pozostali warstwą wyższą jako kapitaliści. Dlatego – z punktu widzenia interesów nowszej klasy – musiały szybko wrócić ograniczenia, wszelkiego rodzaju koncesje i zezwolenia, dlatego pozostać musiała i rozrosnąć się jeszcze bardziej biurokracja, dlatego ogromna część dochodu narodowego musiała pozostać w dyspozycji państwa.

Ścieżka przemiany korzystnej dla nomenklatury wyglądała następująco: najpierw, po okresie wstępnych przygotowań nagła, całkowita liberalizacja, podczas której my, wykorzystując przewagi, jakie daje nam udział we władzy, bogacimy się pierwsi. Oczywiście, nie da się uniknąć, że przy tej okazji wzbogacą się także jacyś ludzie zupełnie przypadkowi, po prostu pojawią się normalni, uczciwi biznesmeni. Ale kiedy już „pierwotna akumulacja" się dokona, kiedy nomenklatura już się uwłaszczy – wtedy w jej interesie będzie odwrót od liberalizacji i powrót do ścisłej kontroli państwa nad gospodarką. To pozwoli zamknąć klub bogaczy, a tych, którzy się do niego wślizgnęli, oswoić i zmusić do wejścia w układ albo z tego klubu usunąć. Oczywiście pod hasłem odchodzenia od „dzikiego kapitalizmu" na rzecz państwa „opiekuńczego".

Dokładnie tak potoczyła się transformacja gospodarcza w III RP.

Weźmy sobie, tak jako typowe przykłady, dwóch biznesmenów, o których z różnych przyczyn było ostatnio bardzo głośno. Pierwszy nazywa się Roman Kluska. Zbudował swą firmę uczciwie, od zera, rozpoczynając w Polsce produkcję komputerów. Aż pewnego dnia Urząd Skarbowy wyliczył mu, zupełnie bezpodstawnie, absurdalnie wysoki, rujnujący podatek. Jednocześnie z wezwaniem do jego zapłaty pojawili się u Kluski „życzliwi" z propozycją: daj łapówę, wejdź w układ, będziesz miał spokój i będziesz mógł zarabiać dalej. Kluska się nie ugiął. Został aresztowany, przeszedł długą, znaną z mediów gehennę, jego firmę doprowadzono do upadku. Po latach sąd którejś tam instancji przyznał, że oskarżenia, na podstawie których go uwięziono, były wyssane z palca, podobnie jak roszczenia Urzędu Skarbowego. Uznał też, że Klusce nie należy się odszkodowanie, i że urzędników, którzy go zgnoili, nie ma podstawy prawnej ukarać, a tych, którzy jako pośrednicy przyszli po łapówkę, nie ma jak złapać.

Drugi to Jan Kulczyk. Przyjaciel Aleksandra Kwaśniewskiego i innych komunistycznych prominentów, pierwszy milion dostał od ojca, który za peerelu robił legalnie interesy w Niemczech, a takich interesów nie dało się wtedy robić bez błogosławieństwa władzy, czyli, konkretnie, komunistycznego wywiadu. Kulczyk szybko stał się najbogatszym człowiekiem w Polsce, jako właściciel całego mnóstwa firm, które wszystkie robiły kokosowe interesy z państwem, reprezentowanym przez ludzi prywatnie będących jego przyjaciółmi. Jeden z bardzo wielu przykładów – prywatyzacja Telekomunikacji Polskiej SA. Pomińmy już dyskusję nad tym, czy była ona potrzebna, i krzyczący z ekonomicznego punktu widzenia nonsens, że sprzedano nie tyle firmę, co monopol na świadczenie w Polsce usług telekomunikacyjnych, na dodatek, co czyni kpiną stosowanie w tym konkretnym wypadku określenia „prywatyzacja", firmie państwowej; tyle że francuskiej. Pomińmy to. Ale jaki miała sens polityczna decyzja, że jednocześnie ze sprzedażą mniejszościowego pakietu udziałów Francuzom, co najmniej 15 proc. musi objąć na warunkach preferencyjnych „partner krajowy"? Taki, że owym partnerem krajowym, decyzją stosownych władz, stał się właśnie Kulczyk. Objął udziały po cenie znacznie niższej niż France Telekom. A skądinąd wiadomo, że nie wyłożył na ten zakup ani grosza, bo wziął kredyt. Ponieważ ustawa mówiła, że musi być partner krajowy, ale nic nie wspominała, że ten partner krajowy nie może swych udziałów sprzedać, więc niedługo potem Kulczyk swe 15 procent odsprzedał tym, którzy mieli je kupić od razu. Tyle, że różnica między preferencyjnym kursem, po jakim dostał akcje on, a ceną, jaką mieli zapłacić Francuzi, poszła do jego kieszeni, zamiast do skarbu państwa. A, nawiasem mówiąc – kredyt Kulczyka też spłacili Francuzi. Nie musiał więc wykładać na całą operację ani grosza, wyjąwszy oczywiście ewentualne koszta pozyskiwania życzliwości decydentów.

Czysty zysk, bez kiwnięcia palcem – tylko dzięki decyzjom ministrów i ich podwładnych. Takim biznesmenem mógłbym być i ja, i każdy z Państwa, gdyby akurat na nas, a nie na Kulczyka, spłynęła łaska rządzących.

W III RP były dziesiątki takich, których spotkał los Kluski, a może setki, jeśli policzyć tych, którzy postawieni na jego miejscu uznali, że „na układy nie ma rady" i zapłacili haracz. Takich Kulczyków też były dziesiątki. Nadal są.

I to niby jest, kurwa, wolny rynek?! Kapitalizm?!

Nie. To jest właśnie NEP.

W roku 1989, jak wspomniałem, zlikwidowano wydział przestępstw gospodarczych MO. Państwo przez długi czas nie miało żadnej wyspecjalizowanej służby, która by mogła łapać wielkich i mniejszych aferzystów – na wszelki wypadek, bo zawsze mógłby się znaleźć wśród gliniarzy jakiś uczciwy idiota, nierozumiejący dziejowych konieczności. Jednocześnie, jak też wspomniałem, prawo umożliwiło powstawanie „spółek nomenklaturowych". Na czym to polegało? Bardzo prosto: dyrektor firmy zawiązywał spółkę ze swym zastępcą i, powiedzmy, sekretarzem POP, po czym, jako dyrektor, ze sobą, jako prezesem spółki, podpisywał umowę na sprzedaż, po państwowej cenie, całej produkcji firmy. Od tej chwili towar leżący w fabrycznych składach był już własnością spółki, i to na jej konto szły pieniądze ze sprzedaży go na rynku, ale już po cenie rynkowej, a więc kilkakrotnie wyższej. I już spółka miała za co, w następnym ruchu, wykupić prywatyzowaną firmę; zwłaszcza że kierownictwo tej ostatniej, jako udziałowcy spółki, nie było zainteresowane w wycenie firmy zgodnie z jej rzeczywistą wartością.

Zresztą, w razie potrzeby – od czego kredyty? Przecież w bankach siedzieli towarzysze, i rozdawali innym towarzyszom pieniądze bez najmniejszego problemu. I bez żadnego zabezpieczenia. Spółka trzech towarzyszy, którzy zrzucali się po pięć tysięcy złotych (ówczesne ustawowe minimum) występowała o dziesięć milionów kredytu – i prezes dawał. Nie spłacała go, ale wkrótce występowała do tego samego banku po dwadzieścia milionów – i też je dostawała. Bank przez to upadł? Kto by się tym przejmował, państwo brało zobowiązania na siebie. Rządzący kręcili głowami, ubolewając, że w ferworze transformacji udzielono tylu „złych kredytów", ale żeby ratować zagrożone banki, spłacali kredyty zamiast tych, co je wzięli, z funduszy publicznych. Co się mieli szczypać, spłacali przecież nie ze swoich pieniędzy, tylko z naszych. Ratowanie samego tylko Banku Gospodarki Żywnościowej pochłonęło w 1993 roku ówczesnych 16 bilionów złotych.

Jeszcze fajniejszym przykładem było coś, co nazywało się „Gecobank". Obracał on głównie pieniędzmi Fundacji na rzecz Nauki Polskiej. Fundację tę powołano, aby wspierała badania naukowe, i w tym celu przejęła ona 100 mln dolarów po zlikwidowanym peerelowskim Centralnym Funduszu Rozwoju Nauki i Techniki. Jednak zarząd fundacji (spróbujmy zgadnąć, z jakich środowisk politycznych się ów zarząd wywodził; dodam dla ułatwienia, że nie opozycyjnych) za priorytet uznał działalność bankową, która polegała na rozdawaniu „kredytów". Były to takie kredyty, że w roku 1992 wszystkie one (wszystkie – sto procent!) zostały uznane przez kontrolę NBP za „kredyty nieprawidłowe". Z owych kredytów udało się potem odzyskać 3 procent. To i tak nieźle, bo w roku następnym na wieczne nieoddanie rozdane zostało 99,7 procenta udzielonych przez Gecobank „kredytów". I jeżeli ktoś sądzi, że otrzymali te prezenty ludzie zajmujący się badaniami naukowymi, to się grubo myli.

Co by zrobiono w cywilizowanym kraju z człowiekiem, który tak zarządzał bankiem? I który, będąc jego prezesem, jednocześnie zasiadał w radzie wspomnianej fundacji, która powierzone jej pieniądze Skarbu Państwa utopiła w prywatnym banku, który z kolei po prostu je rozdał?

Co by z nim zrobiono w cywilizowanym kraju, to wszyscy wiedzą. Ale może nie wszyscy wiedzą, jaki los spotkał go w III Rzeczpospolitej, państwie, z którego, zdaniem michnikowszczyzny, powinniśmy być bardzo dumni i bronić go przed nawiedzonymi dekomunizatorami. Otóż w chwili, gdy piszę te słowa, były prezes Gecobanku jest prezesem PKO BP i uchodzi za znakomitego bankowca oraz menedżera.

Nawet nie chce mi się unieśmiertelniać jego nazwiska, bo raz, że nikomu nic nie powie, a dwa, że takich misiów było i jest zatrzęsienie.

Stary komunista Brecht twierdził, że okradzenie banku jest niczym wobec założenia banku. W odniesieniu do zwalczanego przez Brechta piórem kapitalizmu to oczywista bzdura. Ale w odniesieniu do polskiego NEP-u – jak najbardziej prawda.

Komuniści pozwolili zakładać banki prywatne ustawą ze stycznia 1989. Oczywiście trzeba na to było mieć zgodę, której byle komu nie dawano. Z myślą o tych towarzyszach, którym się nie chciało, utworzono jednocześnie z majątku Narodowego Banku Polskiego dziewięć regionalnych banków depozytowo-kredytowych, co bardzo ułatwiło pompowanie państwowych pieniędzy do prywatnych kieszeni.

Niektórym towarzyszom się chciało. Trzy dni po kontraktowych wyborach założony zostaje Bank Inicjatyw Gospodarczych. Wśród udziałowców – Aleksander Kwaśniewski, Leszek Miller, Jerzy Szmajdziński. Także towarzysze mniej znani, ale akurat piastujący szefostwa państwowych kolosów – Państwowego Zakładu Ubezpieczeń i Poczty Polskiej; także kilku mniejszych państwowych firm. Fundusz założycielski banku jest śmiechu warty, ale zaraz po powstaniu samo tylko PZU (w tym samym roku wykaże ono bilion złotych strat) lokuje w BIG-u na dzień dobry 65 miliardów złotych, na dziesięć lat, na warunkach arcyniekorzystnych, bo nie dość, że odsetki są niskie, to o spłatę lokaty PZU zobowiązuje się nie występować przed jej upływem. Transza po transzy, kierownictwo PZU, zanim wreszcie zostanie przez niemrawą nową władzę zmienione, zdąży wpompować w BIG łącznie pół biliona. Fundusz Obsługi Zadłużenia Zagranicznego – muszą przecież Państwo znać ten skrót, FOZZ – dokłada do tego swoją lokatę, 160 miliardów. Ile wpłaciła Polska Poczta Telegraf i Telefon? Nie wiemy. Ile było takich BIG-ów, też do końca nie wiemy. To wszystko, co dziś znamy dzięki wścibstwu niezależnych dziennikarzy, to drobne ułamki tego, co było. Wiemy, bo tego się nie dało ukryć, że po pewnym czasie BIG przejął, za zgodą ówczesnych władz, państwowy Bank Gdański, skądinąd znacznie od niego większy, i ponoć, jak twierdzono podczas prac sejmowej komisji ds. prywatyzacji PZU, za pieniądze pożyczone od tegoż Banku Gdańskiego.

Za rządów Akcji Wyborczej Solidarność jej macherzy od finansów, usiłujący zbudować analogiczne do czerwonych finansowe zaplecze dla swej partii, Wieczerzak i Jamroży, znowu posługując się pieniędzmi Polaków ubezpieczonych (w znacznej części przymusowo) w PZU, do spółki ze sprowadzonym w tym celu do Polski holenderskim konsorcjum finansowym oraz bankiem niemieckim, będą próbowali przejąć nad BIG-iem kontrolę i odwołać jego nomenklaturowego prezesa Bogusława Kotta. Przebywający w tym czasie w Davos prezydent Kwaśniewski natychmiast pośle do Polski z interwencją swego ekonomicznego doradcę, późniejszego premiera, Marka Belkę.

Żeby było śmiesznie, obaj – Kwaśniewski i Belka – poza tą sytuacją deklarujący niezmierne przywiązanie do zasad wolnorynkowych i wyśmiewający oszołomów mówiących coś o interesie narodowym w gospodarce, na okoliczność walki o BIG chórem zaczną deklamować, że nie wolno pozwolić, by „polski" bank przejęty został przez Niemców.

Dziesięć procent udziałów w BIG ma spółka Transakcja. To również ciekawa firma, założona jeszcze w roku 1988. Wśród pierwszych udziałowców są Akademia Nauk Społecznych przy KC PZPR i partyjny koncern prasowy RSW Prasa – Książka – Ruch, w radzie nadzorczej skarbnik PZPR Wiesław Huszcza, Marek Siwiec i Jerzy Szmajdziński. W początkach 1989 RSW na jasno sformułowane polecenie KC PZPR przeleje do Transakcji 2,7 miliarda złotych.

Ponieważ przynależność Transakcji do PZPR jest trudna do ukrycia, w krótkiej chwili niepewności, czy aby Sejm nie przyjmie ustawy o nacjonalizacji majątku Kompartii, na wszelki wypadek swoje udziały w BIG-u przekazuje Transakcja za drobną część ich wartości firmie Universal, wówczas już sprywatyzowanej na rzecz jej nomenklaturowego kierownictwa, mniej więcej sposobem opisanym powyżej. Inne aktywa Transakcji rozprowadzone zostają pomiędzy jej spółki-córki. Zupełnie niepotrzebnie – Adam Michnik czuwa, żeby „nienawiść" przypadkiem nie zatriumfowała.

Przewertujmy pierwsze strony bardzo ciekawego dla ludzi zainteresowanych historią najnowszą kalendarium „III Rzeczpospolita w odcinkach" Teresy Bochwic. 29 sierpnia 1989: pełnomocnik ds. gospodarczych KC PZPR Mieczysław Wilczek przelewa należące do PZPR 22 miliony franków szwajcarskich na konto Union Bank of Switzerland w Zurychu. 31 grudnia: Leszek Miller i Mieczysław Wilczek zakładają Agencję Gospodarczą PZPR, która przejmuje dwa budynki w Warszawie, pięćdziesiąt samochodów i 5 milionów dolarów – co szybko zostanie rozdzielone pomiędzy 80 (!) powołanych przez Agencję spółek-córek. Troszkę z innej beczki, ale skoro jesteśmy przy grudniu 1989:

za 6,5 miliona złotych, co stanowi równowartość czterech średnich pensji, Ireneusz Sekuła kupuje wtedy od skarbu państwa 130-metrowe mieszkanie przy Alei Róż w Warszawie; trzy lata później sprzeda je za 1 mld 600 mln złotych, co stanowić będzie równowartość 600 średnich pensji.

Takie to „niewątpliwe zdolności" do interesów tkwiły w nomenklaturze!

Nawiasem, Sekuła sprzeda to mieszkanie Bogusławowi Bagsikowi, od którego z kolei wynajmie je adwokat Mirosław Brycha.

10 stycznia 1990: Mieczysław Rakowski podpisuje udzielenie Agencji Gospodarczej PZPR pożyczki 9,3 mld złotych. 12 stycznia tenże sam Rakowski odbiera w warszawskim mieszkaniu Władimira Ałganowa (zapewne pamiętają Państwo to nazwisko) pół miliona dolarów pożyczki od bratniej KPZR. Jednocześnie decyzją KC PZPR dostaje od niej „na potrzeby związane z likwidacją partii" 1,2 miliona dolarów i 500 milionów złotych. Co robi z taką kupą gotówki, na razie ustalić się nie udało. 15 lutego: w ostatniej chwili przed powołaniem Komisji Likwidacyjnej RSW przekazuje Transakcji 3,9 mld złotych, a następnie jeszcze 1,1 mld. 30 marca – skarbnik SdRP Huszcza oraz liderzy tej partii składają 7,5 miliona dolarów w depozyt adwokacki w kancelarii Mirosława Brychy (niepotrzebnie: Adam Michnik czuwa... a, już to pisałem). Brycha potem przekaże te pieniądze do kilku kolejnych spółek. W jednej z nich będzie się ich pomnażaniem zajmował człowiek zdemaskowany po latach jako „księgowy" mafii pruszkowskiej...

Są to strzępy wiedzy o tym, co się wówczas działo. Mniej więcej w tym samym czasie Prokuratura Generalna, wskutek płynących z politycznego zaplecza rządu nacisków, sporządza raport o spółkach nomenklaturowych. Prokuratura stwierdza istnienie 1593 takich spółek - w istocie było dużo więcej, bo prokuratura nie uwzględniała wypadków, gdy towarzysz prezes i towarzysz dyrektor zamiast siebie samych, wpisywali jako udziałowców spółek członków najbliższej rodziny. A przecież trudno wierzyć, żeby towarzysz Kwaśniewski i towarzysz Oleksy, którzy do objęcia udziałów w grynderskiej „Polisie" wydelegowali małżonki, byli jedynymi takimi spryciarzami w partii.

W równoległej kontroli Najwyższa Izba Kontroli stwierdza, że co najmniej 60 proc. z wyżej wymienionych spółek nie zajmowało się w ogóle niczym, poza przymusowym pośrednictwem w sprzedaży produktów państwowych zakładów.

Oczywiście na stwierdzeniu faktów się kończy. Nie ma mowy o żadnym śledztwie, przygotowaniu jakiegoś aktu oskarżenia. Przecież to było całkowicie legalne.

Podobnie, jak legalne było otwarcie przez Aleksandra Gawronika koncesjonowanej sieci kantorów wymiany walut wzdłuż całej zachodniej granicy - 20 marca 1989, w minutę (!) po wejściu w życie prawa legalizującego obrót walutami.

Podobnie, jak sprowadzenie przez innego czerwonego biznesmena sprzętu elektronicznego za wiele milionów złotych w tym akurat dniu, kiedy nie był on clony, bo wskutek przedziwnej pomyłki urzędników stosownego ministerstwa przestały obowiązywać poprzednie stawki ceł, a nowe miały zacząć obowiązywać dopiero od dnia następnego.

Podobnie, jak najzupełniej legalne było założenie lokaty złotowej w banku. Kto wiedział, że za chwilę, wskutek operacji kursowej stabilizującej polską walutę, całkowicie zmieni się peerelowska zasada, że złotówki stale tracą na wartości, a dolary zyskują, i zamieniwszy tysiąc baksów na złotówki ulokował je, powiedzmy, na rok, odebrał po tym roku równowartość kilkunastu tysięcy dolarów.

Podobnych, legalnych – w świetle ówczesnego prawa – biznesów zebrałoby się pewnie na całą książkę. To, co wiemy, to tylko strzępki. A krociowe interesy nawet w świetle tego prawa nielegalne – afery rublowa, papierosowa, spirytusowa, afera FOZZ? Te znamy. A co się wtedy działo z handlem surowcami energetycznymi, przy którym wszystko inne to groszowe interesy dla cieniasów?

Aparat partyjny, przypomnijmy słowa pułkownika MSW Garstki, który do partii wstąpił z powodów sytuacyjnych, a nie światopoglądowych, szukał możliwości wygodnego urządzenia się. I ją znalazł. Używam w tej książce określenia „czerwona mafia", i Państwo myślą pewnie, że to jeden z licznych przejawów mojego stylistycznego rozbuchania. W tym konkretnym przypadku akurat nie. PZPR, im dalej w lata osiemdziesiąte, tym trudniej nazywać partią – komunistyczną czy jakąkolwiek inną. To właśnie w coraz większym stopniu mafia. Mafia, jak to zwykle wielkie mafie, utworzona ze splotu mafii drobniejszych – wszechobecnych personalnych sitw, które jednak mają świadomość wspólnego interesu i w chwili zagrożenia zewnętrznego występują wspólnie. Mafia, której jedyną racją istnienia jest wzajemne się popieranie, bogacenie się, władza i związane z nią przywileje.

* * *

Czy o tym bezczelnym rozkradaniu Polski nie wiedziano? Ależ owszem. Niektórzy z „solidarnościowych" ministrów, nowo mianowanych urzędników, dostrzegłszy, jak karuzela lewych spółek wysysa z państwa miliardy złotych, alarmowali swych zwierzchników. Robili to parlamentarzyści, kontrolerzy NIK. Jeden z nich, Michał Falzmann, przypłacił to śmiercią, podobnie jak jego przełożony, prezes Walerian Pańko.

Te ostrzeżenia szły w próżnię. W „Gazecie Wyborczej" z tamtego okresu (a później tym bardziej) nie znajdziecie Państwo żadnego z podanych powyżej faktów. Nie przejawiała ona wtedy ani cienia tej niezwykłej czujności w patrzeniu władzy na ręce, jaką wykazuje dziś, kiedy do władzy doszły siły polityczne najgłębiej jej niemiłe. Czy jej dziennikarze nie potrafili dotrzeć do informacji? Nie żartujmy sobie. Stanisław Remuszko, któremu w początkach „Wyborczej" pozwolono nieopatrznie pracować w „grupie etosowej" (jak określił redakcję jeden z jej szefów) wydał o tych początkach książkę. Pomieścił w niej między innymi teksty, które wówczas mu w „Wyborczej" odrzucono. Choćby na podstawie lektury tych tekstów – tylko jednego, jedynego autora – można stwierdzić, że taka była po prostu redakcyjna polityka. Nie atakować komunistów, nie nastawiać do nich negatywnie; wręcz przeciwnie.

Bogacą się? Doskonale...

* * *

Przy Okrągłym Stole, a jakże, rozmawiano także o reformie gospodarczej. W swoim „Polactwie" wyraziłem się o ustaleniach tych rozmów lekceważąco i potem jeden z ich „solidarnościowych" uczestników miał mi za złe, że nie poprzedziłem tej opinii rzetelnym zapoznaniem się z dokumentami.

Na swoje usprawiedliwienie mam jedno: nie zapoznałem się, bo, abstrahując, było tam coś mądrego czy nie – na pewno nie było tam niczego, co by wywarło wpływ na rzeczywistość III RP. Wszystkie ekonomiczne ustalenia Okrągłego Stołu zostały z miejsca odłożone *ad acta* i nikt ich ani przez chwilę nie próbował wcielać w życie.

To jeden z najdziwniejszych na oko aspektów ustrojowego przełomu. Komitet Obywatelski przy Lechu Wałęsie siadał do negocjacji z postulatami socjalnymi, i wstawał od nich z obietnicą tychże postulatów spełnienia. A potem nagle nastąpiła „terapia szokowa" Balcerowicza. Ową terapię przeprowadził rząd kierowany przez Tadeusza Mazowieckiego, tego samego, który polemizował z artykułem Michnika „Wasz prezydent – nasz premier" używając argumentu, iż „Solidarność" nie jest gotowa brać odpowiedzialności za kraj, ponieważ nie ma programu gospodarczego, który dawałby szansę wyjścia z głębokiego kryzysu.

Można zrozumieć, dlaczego wkrótce po napisaniu tej polemiki Mazowiecki zmienił zdanie. Nie dlatego, żeby nagle odkrył, że w jego obozie istnieje gotowy plan reform – raczej dlatego, że dał się przekonać, iż na jego przygotowywanie po prostu nie ma już czasu. Kraj się sypie i reformę trzeba zacząć od zaraz. I może ją zacząć tylko rząd „niekomunistyczny". Według ludzi, którzy formowaniu tego rządu towarzyszyli, skompletowanie gabinetu było proste – poza jednym stanowiskiem. Nikt nie chciał być ministrem finansów. Doradzać, proszę bardzo, ale do brania się za bary z katastrofą finansową, do jakiej doprowadzili komuniści, z kilkusetprocentową inflacją, chętnych nie było. Szukano dość rozpaczliwie jakiegoś pomysłu, a jeszcze bardziej rozpaczliwie desperata gotowego go zrealizować. Jak zabawna anegdota brzmi fakt, że Jeffrey Sachs, później okrzyczany przez narodowo-katolicką prawicę wrogiem Polski i agentem imperializmu, trafił na posiedzenie OKP dzięki zaproszeniu nie żadnych liberałów, tylko właśnie posłów z frakcji, jak by to się w języku obecnej propagandy politycznej nazywało, „prospołecznej" – którzy liczyli, że propozycje amerykańskiego profesora stanowić będą alternatywę dla „dzikiego kapitalizmu".

Oczywiście, nie ma sytuacji, w której nie byłoby alternatywy. Polska transformacja mogła w szczegółach wyglądać różnie. Ale cokolwiek chciałoby się zrobić, trzeba było zacząć od jednego: żeby gospodarka mogła funkcjonować, musiał istnieć prawdziwy pieniądz. Żeby zaistniał prawdziwy pieniądz, trzeba było zdławić inflację. Żeby zdławić inflację, trzeba było ściągnąć z rynku fikcyjne pieniądze. Trzeba było zlikwidować fikcję, w której żyło kilka pokoleń. Fikcją były wkłady na książeczkach oszczędnościowych, fikcją były banknoty pochowane w bieliźniarkach. Fikcją były też, w pewnym sensie, oszczędności przechowywane w dolarach. Bo wysoki i nigdy niespadający kurs dolara, do którego przyzwyczaił Polaków peerel też był przecież cząstką komunistycznej nienormalności.

A powrót do normalności musiał oznaczać, że miliony Polaków nagle zauważą, iż oszczędności ich całego życia praktycznie przestały istnieć. Książeczki PKO, książeczki mieszkaniowe, na które ojcowie rodzin latami wpłacali znaczącą część swojej pensji, ciułane na czarną godzinę dolary, kupowane po horrendalnym kursie na czarnym rynku i chowane w bieliźniarkach lub biblioteczkach – wszystko to już po kilku tygodniach od rozpoczęcia reformy okazało się żałośnie mało warte.

Leszek Balcerowicz, który tej operacji dokonał, do dziś pozostaje w oczach wielkiej części Polaków tym, który ich okradł. Tym, przez którego poupadały zakłady pracy, zapewniające im wcześniej socjalne bezpieczeństwo, przedszkole i wczasy, tym, z winy którego, mówiąc najogólniej, życie zaczęło być trudne. Ugruntowują ich w tym przekonaniu głosy rozmaitych obrońców ludu, niestety nie tylko spośród polityków, którzy zachowują się tak, jakby peerel był krajem dostatnim i mającym świetlane perspektywy, zniszczonym nie wiedzieć czemu, jakimś złowrogim kaprysem Balcerowicza.

Oczywiście, owi „obrońcy ludu" nie chcą – albo nie potrafią – przyjąć do wiadomości oczywistego faktu, że Polaków nie okradła „Solidarność", tylko komuniści.

Że wszystko, co nastąpiło po roku 1989, było tylko gwałtownym ujawnieniem skutków wieloletnich działań Jaruzelskiego, Gierka, a nawet jeszcze Gomułki, działań, których efekty przez wiele lat maskowano, trwoniąc na zachowanie pozorów biliony pożyczone na Zachodzie i potrącane co miesiąc milionom Polaków z wynagrodzeń na poczet obiecywanych emerytur.

Cokolwiek mówić o Michniku, poparł on przecież reformy Balcerowicza bardzo zdecydowanie i rozpiął nad nimi parasol ochronny. Więc przynajmniej za to powinien być w tej książce pochwalony – powie może ten i ów spośród Państwa. Za to, że potrafił zmienić zdanie, zerwać z całą intelektualną tradycją swojej formacji, która – jak wspominał sam Adam Michnik – „budowała swą antytotalitarną tożsamość na wizji państwa, w którym robotnicy przejmują fabryki i władają nimi poprzez demokratycznie wybrane rady robotnicze (...) Był to swego rodzaju projekt trzeciej drogi – przeciw komunistycznej dyktaturze, ale też przeciw kapitalistycznej gospodarce rynkowej, ufundowanej na wyzysku".

Jeszcze tuż przed powstaniem rządu Mazowieckiego, we wrześniu 1989, mówi Michnik w wywiadzie dla sowieckiej „Prawdy": „niekiedy słyszy się opinie, że powinien to być [nowy ustrój Polski – RAZ] system kapitalistyczny. Dla mnie jest to absurdalne. Obecnie w niektórych kołach w Polsce powstał kult słowa »prywatyzacja«. Co to znaczy? Co prywatyzować? Koleje, samoloty? Przecież to bajki, absurd!". Niedługo później jednak zmieni zdanie, i to do tego stopnia, że po paru latach w obronie systemu kapitalistycznego i prywatyzacji stoczy polemikę ze swym mistrzem, Jackiem

Kuroniem, tłumacząc mu, iż „idea władzy rad robotniczych i centralnego planowania to fałszywe odpowiedzi" i chcąc reformować kraj, trzeba się było takich złudzeń wyrzec.

Nie tylko Michnik – cała formacja lewicowo-liberalnej, inteligenckiej opozycji, zmieniła zdanie z dnia na dzień. Fakt, że kwestie gospodarcze nigdy nie były dla niej ważne. Na łamach podziemnych pism nie dyskutowano takich problemów, prawie się nad nimi nie zastanawiano – potoczny w tych środowiskach pogląd miał raczej charakter pewnego sentymentu do haseł „społecznej sprawiedliwości" i nie był ugruntowany, co pozwoliło łatwo go odrzucić. Z punktu widzenia analizy makroekonomicznej to odrzucenie było na pewno dla Polski dobre – dziś nie ma co do tego wątpliwości, dowodem porównanie Polski z Bułgarią i Rumunią, które „szokowej" reformy zaniechały, oraz Czechami i Węgrami, które ją rozmyły. Nie zmienia to faktu że ten makroekonomiczny program zmian został przeforsowany wolą polityczną bynajmniej nie strony opozycyjnej, ale właśnie od dawna szykujących się do takiej operacji komunistów.

Poparcie dla Balcerowicza ze strony michnikowszczyzny miało charakter typowo neoficki, a więc niezrozumienie sprawy łączyło się w nim z zajadłością. Po prostu, jakby kto przełożył wajchę – do wczoraj samorządy robotnicze i prawa pracownicze, a od dziś wolny rynek, który nagle stał się dziejową koniecznością tak samo, jak pół wieku wcześniej był nią socjalizm. W ferworze politycznej walki to, co jeszcze tak niedawno było „bajkami, absurdem", stało się częścią nowej, europejskiej i modernizacyjnej świadomości, przeciwstawianej „zaściankowi" i umysłowej ciasnocie politycznych przeciwników z „wojny na górze", a potem walki o dekomunizację. Takie powiązanie michnikowszczyzny z Balcerowiczem jej ówcześni wrogowie przyjęli zresztą z radością – z ich punktu widzenia, Balcerowicz nadawał się na wroga lepiej niż ktokolwiek inny. Michnik irytował tylko prawicowo-niepodległościową elitę, prostemu wyborcy jego prawdziwe czy domniemane winy były raczej obojętne. Natomiast dotkniętymi skutkami reformy gospodarczej czuły się miliony.

Wałęsa, jak wiadomo, gdy tylko zdobył prezydenturę, wyślizgał swych dotychczasowych centroprawicowych stronników i stopniowo zaczął ich wypychać poza scenę polityczną. W tym momencie zwrócenie przez przeciwników „układu Okrągłego Stołu" głównego ataku personalnie właśnie przeciwko Balcerowiczowi stało się dla nich już nie tylko wygodne, ale wręcz konieczne – chcąc przetrwać, musieli centroprawicowcy znaleźć coś, co porwie „masy", których zainteresowanie walką z komunizmem było dokładnie takie, jak to pokazały KPN-owskie demonstracje czy okupacje partyjnych gmachów w roku 1989. Tym czymś mógł być tylko ekonomiczny populizm. Ponieważ jednocześnie centroprawica była rozdrobniona i na śmierć pokłócona, natychmiast zaczęła się w tym populizmie licytować – kto przywali ostrzej i kto więcej obieca. A o medialnym wizerunku centroprawicy decydowała w znacznym stopniu michnikowszczyzna, która dla propagandowej skuteczności nie nagłaśniała płynących stamtąd opinii wyważonych, tylko właśnie skrajne, im bardziej prymitywne i kompromitujące, tym lepiej. Krytykowanie wolnego rynku, prywatyzacji i wszystkich reform w czambuł, odwoływanie się do prymitywnych, peerelowskich wyobrażeń o prawach „klasy robotniczej" stało się więc dla centroprawicowych przywódców najpewniejszym sposobem na zaistnienie w mediach.

W ten sposób, pośrednio, Michnik przyczynił się do faktu, że ekonomista honorowany na świecie jako symbol polskiego sukcesu gospodarczego w kraju stał się w ostatnim piętnastoleciu ulubionym celem do plucia. Neofickie poparcie, jakiego mu michnikowszczyzna udzieliła, i pryncypialny sposób, w jaki odniosła się do wszelkich jego krytyk, na jednym poziomie ustawiając te, które płynęły od szanowanych profesorów ekonomii, z tymi, które wygłaszali ludzie pokroju Zygmunta Wrzodaka, niezmiernie upodobniło w tej kwestii michnikowszczyznę do gierkowskiej „propagandy sukcesu". „Gazeta Wyborcza" (a za nią inne media) najpierw gołosłownie zapewniała, że reforma będzie bezbolesna, potem, że wszelkie bóle potrwają krótko i niedługo wszyscy odczujemy jej błogosławione skutki, a potem już tylko uparcie wmawiała ludziom, że już jest im lepiej, i namolnie dowodziła tego makroekonomicznymi wskaźnikami. Przede wszystkim zaś każdego, kto śmiałby wątpić, zakrzykiwała, że jest głupcem, troglodytą i zwolennikiem drukowania pieniędzy bez pokrycia. Ludzi, którzy potracili oszczędności i z trudem mogli sobie znaleźć jakiś dochód, można było w ten sposób tylko doprowadzić do wściekłości.

Reforma Balcerowicza wcale nie potrzebowała taniej propagandy. Potrzebowała objaśnienia. Ale jeśli się przyjęło nadrzędne, polityczne założenie, że komunistów trzeba wybielać, nie wolno im wypominać żadnych świństw, nie wolno osłabiać ich politycznej pozycji – uczciwie jej objaśnić nie było można. Bo przede wszystkim trzeba by Polakom powiedzieć, w jakim naprawdę stanie jest Polska gospodarka, trzeba by im uświadomić, że zostali okradzeni, że dorobek ich życia przepadł, poszedł na zbrojenia Układu Warszawskiego, na „czy się stoi, czy się leży", na chore eksperymenty gospodarcze – i teraz można tylko zacisnąć zęby i ratować się przed totalnym, ostatecznym upadkiem.

A skoro komuniści stali się nagle cennymi sojusznikami przeciwko zagrożeniu nacjonalistyczną dyktaturą, to nie było można mówić, że są grabieżcami i sprawcami społecznych nieszczęść. Tę prawdę trzeba było przed Polakami ukryć. W imię wyższych racji. Więc zamiast objaśniać, wygodniej było wrzeszczeć na tych, którzy się takich objaśnień domagali, i pogrozić, że kto ma wątpliwości, ten nie jest godny uczestniczyć w debacie z poważnymi ludźmi. Czyniąc z Balcerowicza jednego z bożków w stawianym przez michnikowszczyznę panteonie, uczyniono go także kozłem ofiarnym obwinianym o skutki półwiecza komunistycznych porządków.

W ten sposób michnikowszczyzna, wbrew wszystkim deklaracjom, doskonale przyczyniła się do rozkwitu populizmów.

Odpowiedzialność centroprawicy jest zresztą w tej sprawie nie mniejsza. Ona również, acz z innych względów, nie krytykowała za polską biedę komunistów, ale na wszelkie sposoby przypisywała ją reformom. „Balcerowicz zniszczył Polskę" stało się zawołaniem w tych kręgach ulubionym - w ten sposób antykomunizm doprowadził wielu swych wyznawców do cichej apoteozy peerelu i do wybielania PZPR w oczach prostego Polaka w stopniu nie mniejszym, niż czynił to swoimi bruderszaftami Michnik.

Cała ta sytuacja była spełnieniem marzeń komunistów - o niczym lepszym nie mogli oni śnić. Bolesne reformy, które bali się rozpoczynać, przeprowadzone zostały pod szyldem „Solidarności", i to na „Solidarność" w ogóle, a na Balcerowicza w szczególności, spadło całe wynikłe z tego odium. Ta część ustrojowej operacji - wyjęcie kasztanów z ognia cudzymi rękami - udała się w stu dziesięciu procentach. Teraz pozostawało już tylko liczyć zagarniętą kasę, czekać na wybory i rychłe przejęcie władzy.

Reforma Balcerowicza była reformą minimum. Przeprowadzono generalną, podstawową zmianę, niezbędną, żeby kraj się nie zawalił. Ale nie poszły za nią demonopolizacja i prywatyzacja, nie poszło za nią powszechne uwłaszczenie ani wyrównanie szans w gospodarczej grze. Nie zbudowano prawdziwego wolnego rynku, który dałby Polakom poczucie, że kapitalizm to nie przywileje dla bogaczy, ale coś korzystnego dla wszystkich. Przeciwnie - wkrótce po uzdrowieniu finansów państwa reformy zostały wyhamowane, a potem wręcz odwrócone. Nowej władzy na nich nie zależało. Nie znała się, nie rozumiała, nie widziała potrzeby. A stara ekipa, jak to się już tu wyjaśniało, wręcz była zainteresowana, aby zmiany jak najszybciej zatrzymać, zanim pójdą za daleko.

Z dzisiejszej perspektywy widać wyraźnie, że w kluczowym momencie dokonały się tylko takie zmiany, jakie były w tym momencie na rękę „reformatorskiemu skrzydłu" wycofującego się reżimu. Bo też tylko komuniści wiedzieli wtedy, czego chcą. Nowa ekipa miotała się między ględzeniem o sprawiedliwości społecznej a wzdychaniem nad losem nieuniknionych ofiar koniecznych reform, nie bardzo zresztą rozumiejąc, na czym właściwie te reformy polegają. Do niczego więcej, niż „przyklepanie" postpeerelowskiego NEP-u, nie była zdolna.

* * *

Proszę zwrócić uwagę na cytowany już fragment wywiadu Michnika dla serbskiego tygodnika NIN: „system akcyjny zniszczy porządek stalinowski". Adam Michnik tego czasu gryzie się w język, by nigdzie, ani razu, nie krytykować komunizmu. Jeśli pojawia się w jego publicystyce jakaś krytyka obalonego reżimu, jest to zawsze krytyka stalinizmu.

„W jaki sposób ruch demokratyczny może zwyciężyć stalinowską nomenklaturę bez rewolucji i przemocy? Tylko poprzez sojusz demokratycznej opozycji z reformatorskim skrzydłem władzy" – pyta i odpowiada sobie sam w przywoływanym już artykule „Wasz prezydent – nasz premier". (W kontekście omawianych tu spraw warto, przy okazji, zwrócić uwagę, że, wbrew stereotypowi, pomysł, na którym artykuł ów został oparty, nie był autorstwa Michnika. Sojusz „reformatorskich" skrzydeł opozycji i PZPR wymyślił jeden z partyjnych strategów, profesor Reykowski, i wedle relacji świadków natchnął Michnika tą ideą podczas rozmowy kilka dni wcześniej.)

„Tak widzę zadanie wszystkich zwolenników ewolucyjnego przechodzenia od systemu stalinowskiego komunizmu do parlamentarnej demokracji" – konkluduje Michnik w innym, o miesiąc wcześniejszym programowym wystąpieniu.

Państwo oczywiście wiedzą, ale przypomnę, że Stalin umarł w marcu 1953, a głośny referat Chruszczowa, częściowo demaskujący jego zbrodnie, wygłoszony został trzy lata później. Za koniec stalinizmu w Polsce uważa się zwykle październik 1956 i następującą po nim „pieriedyszkę". Po zwolnieniu z więzienia Gomułki i objęciu przez niego władzy nad PZPR komunizm przeszedł znaczące przeobrażenia. Nie przestał być ustrojem bandyckim, totalitarnym, ale nie był to już ustrój ten sam. Polska Gomułki, w której niedomęczonych akowców wypuszcza się z więzień i nawet pozwala w trybie indywidualnym dochodzić sądowych rehabilitacji, to nieco inny kraj niż Polska Bieruta. Polska Gierka, gdzie władze czują się już zmuszone ograniczyć prześladowania opozycji z uwagi na umowy międzynarodowe (które podpisały, by Zachód dał im kredyty), gdzie działacze opozycji publicznie podają w ulotkach swoje nazwiska i numery telefonów, i choć nękani aresztowaniami i grzywnami, napadani i bici, nadal żyją, ba, nawet nadal im te telefony działają – to kraj jeszcze inny. Rządy totalnie bezideowej mafii z lat osiemdziesiątych to też inna jakość. A Adam Michnik w roku 1989 konsekwentnie powtarza, że wrogiem jest „stalinizm"?

Co chce przez to powiedzieć? Jedyna logiczna odpowiedź: że wrogiem demokracji nie jest komunizm, tylko jego wypaczenia.

I to wcale nie wrogiem głównym.

„Idea demokratyczna zderzać się teraz będzie z tęsknotą za autokracją – pisał Michnik w październiku 1989 – idea europejska z nacjonalistycznym zaściankiem, społeczeństwo otwarte ze społeczeństwem zamkniętym". Któż reprezentuje tęsknotę za autokracją, zaścianek i społeczeństwo zamknięte? Przymiotnik „nacjonalistyczny" wskazuje jednoznacznie, że nie komuniści. Jeszcze bardziej wskazuje na to rzucony w dalszym ciągu tego samego tekstu postulat stworzenia – jako lekarstwa na całe zło – „specyficznej polskiej syntezy orientacji dawniej konkurencyjnych".

Miesiąc później formułuje to Michnik bardziej dobitnie: „Dotychczas nadrzędny polski konflikt polegał na walce przeciwników systemu totalitarnego z jego obrońcami. Teraz totalitarny ład jest destruowany – spór będzie toczyć się o to, jakiego systemu pragniemy. Jakiej Polski pragniemy? (...) Demokratycznej, pluralistycznej i europejskiej? Czy też zaściankowej i wiecznie prowincjonalnej, ciasnej i kultywującej własne kompleksy? Myślę, że ten właśnie podział jest dziś najbardziej istotny... Tędy przebiega linia demarkacyjna, we wszystkich politycznych obozach ideowych, także w obozach obecnie rządzącej koalicji: w „Solidarności", w PZPR, ZSL i SD".

W tym, w wielu wcześniejszych i późniejszych tekstach, a przede wszystkim w redakcyjnej praktyce gazety, wówczas jeszcze ukazującej się ze znaczkiem „Solidarności", wyznacza Michnik zupełnie nowy podział. Poprzedni, na komunistów i antykomunistów, w jego przekonaniu już nie odpowiada potrzebom chwili. Po stronie idei demokratycznej i europejskiej jest „sojusz demokratycznej opozycji z reformatorskim skrzydłem władzy"; a tak się składa, że „skrzydło reformatorskie" PZPR to jak raz akurat cała jej wierchuszka, plus szefostwo służb specjalnych. Po drugiej – pozostała, „niedemokratyczna" część opozycji oraz pozostała część dotychczasowej władzy.

Innymi słowy: dla Michnika i jego środowiska – od dawna podkreślającego, że są „demokratyczną" opozycją, w przeciwieństwie do opozycji niepodległościowej – komuniści stali się teraz sojusznikami w walce ze stalinistami oraz antykomunistami. Ale ponieważ stalinistów od dawna już nigdzie, poza publicystyką Michnika, nie ma, a antykomuniści rzeczywiście istnieją, jest oczywiste, przeciwko komu wspólny front musi się skierować przede wszystkim.

* * *

Postawę Michnika w początkach NEP-u można rozumieć różnie. Można przyjąć najprostszą i narzucającą się hipotezę, że pozostał wierny swej młodzieńczej żarliwości komunisty, który – wzorem Kuronia i Modzelewskiego, autorów sławnego, ukaranego uwięzieniem obydwu, listu do partii – dokonał odkrycia, że partia z nazwy komunistyczna odeszła od ideałów Marksa i Lenina, i postanowił rzucić jej wyzwanie nie z pozycji wroga komunizmu, ale właśnie ortodoksa. Ten trop bardzo chętnie podejmują najbardziej nieprzejednani wrogowie naczelnego „Gazety Wyborczej", ku żywiołowemu poparciu zdecydowanych zwolenników tego, co w Polsce nazywa się prawicą. Syn komunisty i komunistki, brat stalinowskiego zbrodniarza, sam przyznający się do pochodzenia z „żydokomuny" – nie trzeba więcej dowodów, że to po prostu taki sam komuch, jak Jaruzelski czy Urban. A jego opozycyjną działalność i kolejne odsiadki można wytłumaczyć silną zawsze u komunistów, jak zresztą i u każdej innej sekty, pasją do tropienia i tępienia ze szczególną zajadłością wewnętrznych herezji. Albo nawet uznać za zwykły propagandowy pic, który miał skołować Polaków, uwiarygodnić Michnika, i umożliwić mu odegranie wyznaczonej dla niego roli opozycjonisty.

Inni wysuwają na plan pierwszy kwestie towarzyskie: lokator Alei Przyjaciół (nomen omen), ekskluzywnego warszawskiego zakątka, zarezerwowanego dla wysokich rangą członków aparatu i bezpieki, buntował się, ale i dla niego, i dla tych, którzy pozostali wierni aktualnej linii partii, był to spór w rodzinie. Gdy ten spór wygasł, okazało się, że mimo wszystkich dzielących ich zaszłości, Michnik bardziej poczuwa się do duchowej wspólnoty z sąsiadami i przyjaciółmi domu, ludźmi wywodzącymi się z tej samej formacji społecznej i towarzyskiej, pokroju Kwaśniewskiego czy Urbana niż z „Polakiem-katolikiem".

„Wróciło jabłko do jabłoni", podsumował działalność Michnika po Okrągłym Stole jeden z wybitnych polskich dziennikarzy. Nie piszę, który, bo sam autor tych słów później się z nich wycofał, twierdząc, że były wypowiedziane pod wpływem emocji chwili i niesprawiedliwe; myślę, że się wycofał właśnie z uwagi na ludzi, których poglądy nakreśliłem powyżej, nie chcąc być z nimi utożsamiany.

Z postkomunistami łączy Michnika nie tylko młodość, zauważą inni, ale także wspólny lęk przed „polskim ciemnogrodem", przed polskim nacjonalizmem czy ksenofobią, którym tyle miejsca poświęca w swojej publicystyce. To na pewno ważny trop do zrozumienia Michnika i michnikowszczyzny; na tyle ważny, że trzeba się nim będzie zająć osobno.

Sami Państwo będziecie musieli sobie odpowiedzieć, co takiego się stało, że człowiek postrzegany jako bodaj największy i najbardziej ideowy przeciwnik komunizmu, stał się w wolnej Polsce czołowym sojusznikiem czerwonej mafii, ochronił ją przed rozliczeniami i otworzył drogę powrotu do władzy. Mam, oczywiście, nadzieję, że moja książka Państwu w tym pomoże. Ale nie mam zwyczaju wymagać od czytelników, by się ze mną w całej rozciągłości zgadzali. W zupełności mi wystarcza, jeśli to, co piszę, skłoni ich, by się nad jakąś sprawą zastanowić.

Na razie chciałbym Państwa uwagę zwrócić na problem, którego – mam takie wrażenie – nie zauważył dotąd, w każdym razie nie sformułował w ten sposób, nikt.

Świadomość, że demokracji w Polsce nie da się zbudować bez jakiegoś udziału ludzi dawnego reżimu, że „Solidarność" z dnia na dzień, ani nawet z roku na rok, nie obsadzi aparatu przymusu i sprawiedliwości, resortów gospodarczych, służb specjalnych „swoimi" ludźmi, bo po prostu tych „swoich" nie ma, i wiele czasu minie, zanim ich do tego zadania przygotuje - nie była wcale wyłączną własnością Michnika i jego salonu. To tylko propagandowy stereotyp, ukuty przez michnikowszczyznę. My jesteśmy realistami, bo wiemy, że wolna Polska jest skazana jeszcze przez długi czas na komunistyczne kadry, i trzeba działać tak, aby te kadry były wobec niej lojalne. A tamci chcieliby dekomunizować do gołej ziemi, prześladować wszystkich, którzy byli w PZPR, usuwać ze stanowisk fachowców, tylko dlatego, że byli na tych stanowiskach za peerelu, i zastępować ich ludźmi bez kompetencji; no jakież to by miało tragiczne następstwa dla kraju, przecież to obłęd!

No, prawda - gdyby ktoś tak rzeczywiście zamierzał, to byłby obłęd.

Ale wbrew temu stereotypowi, przeciwna strona „wojny na górze" wcale nie widziała spraw inaczej. Ani Wałęsa, ani Kaczyński. Ten pierwszy zresztą jako prezydent szybko udowodnił swoimi personalnymi decyzjami, że w najmniejszym stopniu nie brzydził się najgorszą nawet czerwoną kanalią, jeśli tylko sądził, że ta kanalia będzie mu służyć równie wiernie, jak wiernie służyła Jaruzelskiemu, Kiszczakowi i innym.

Wałęsa jako prezydent chętnie opierał się na ludziach starego reżimu. Nie przeszkadzało mu, że Jerzy Milewski był wieloletnim agentem bezpieki, nie przeszkadzała mu szemrana przeszłość Wachowskiego i jego powiązania. Ludzie, na których stawiał w walce o kontrolę nad resortami siłowymi, Wilecki, Czempiński, Jasik czy Fąfara, nie wywodzili się bynajmniej z Armii Krajowej. A w telewizji... Może warto przypomnieć, jako dość charakterystyczny przykład, wszechwładnego szefa telewizyjnej „jedynki" z czasów Kwiatkowskiego, Sławomira Zielińskiego. Komisarz polityczny Kwaśniewskiego, tylko jego opiece zawdzięczający wyciszenie skandali obyczajowych, z którymi się nawet specjalnie nie krył, w roku 1989 szef kampanii wyborczej Urbana – a zarazem człowiek, za sprawą którego za rządów SLD Papież dosłownie nie schodził z małego ekranu. Nominację na szefa pionu informacyjnego TVP zawdzięczał właśnie Wałęsie, kiedy ten obraził się, że poprzedni szef nie przysłał mu kamer tam, gdzie prezydent akurat chciał je w danej chwili mieć. Wałek wyczuwał bezbłędnie ten typ ludzi i stokroć bardziej wolał ich od opozycjonistów, bo ci drudzy z reguły mieli charaktery.

Oczywiście, postkomuniści, na których Wałęsa się oparł, szybko się na niego wypięli. Ale to dlatego, że Wałęsa okazał się za cienki. Został prezydentem za późno, gdy czerwona mafia przy życzliwości michnikowszczyzny złapała już grunt. Gdyby historia potoczyła się inaczej, na takich Zielińskich, pobożniejszych od samego Ojca Dyrektora i deklamujących patriotyczne czytanki, zajechałby Wałęsa o wiele dalej niż na Kaczyńskich czy Macierewiczach, których zresztą odrzucił w pierwszej chwili, kiedy tylko mógł, z pogardliwym mianem „popaprańców".

Powiecie Państwo, że Wałęsa to przypadek szczególny. Dla niego wojna z Familią w 1990 miała charakter czysto personalny, a zwolenników „przyśpieszenia", owych „frustratów bez kwalifikacji", jak ich nazwał Michnik, wykorzystał instrumentalnie, wystrychnął na dudka i wydudkał na strychu. To oczywiście prawda.

Weźmy więc Kaczyńskiego, który, w przeciwieństwie do Wałka, dowiódł późniejszą działalnością, że w to, co wtedy mówił, naprawdę wierzył. Nie znam ani jednego jego wystąpienia, w którym przejawiałby chęć do dekomunizowania sołtysów, do rugowania z życia publicznego nie to już, żeby wszystkich członków PZPR, ale nawet jej średniego aparatu. To były zwykłe insynuacje, które pozostały nam w pamięci wyłącznie wskutek tej asymetrii, iż michnikowszczyzna miała na swe usługi wszystkie media, a jej przeciwnicy zostali na długi czas pozbawieni głosu. Kaczyński mówił wtedy o konieczności rozbicia solidarności między komunistami, wytworzonych w peerelu powiązań – o sprawieniu, żeby umoczeni w nieczyste interesy donosili na siebie nawzajem, żeby się, po prostu, bali i próbowali ratować – każdy na własną rękę, pogrążając pozostałych (proszę zerknąć choćby do jego wywiadu w „My" Torańskiej). W jego wypowiedzi rysowało się coś na kształt denazyfikacji w zachodnich Niemczech w latach czterdziestych, ograniczonej do grupy nazistów najbardziej winnych i najbardziej prominentnych. Można to nazwać ścięciem głowy; bez niej pozostałości nazistowskiego aparatu nie były już dla odbudowywanej demokracji groźne – choć oczywiście do rzeczywistego oczyszczenia wiele brakowało i te braki miały zostać nadrobione dopiero dwadzieścia lat później.

Istotą sporu o „przyśpieszenie" nie był dylemat, czy kadry pozostałe po peerelu wykluczyć ze społeczeństwa, czy włączać do budowania wolnej Polski – tylko jak je w ten proces włączyć. Przypomnijmy sobie, o czym mówiliśmy na początku tego rozdziału. Partia i bezpieka trzeszczały, kadry niższego szczebla wyglądały tylko sygnału, by rzucać swych dotychczasowych szefów, i przechodzić do obozu zwycięzcy. Gdyby nowa władza odsunęła od władzy generałów – „generałów", napiszmy, idzie mi tu o przenośnię – musiałaby, oczywiście, mianować nowych spośród pułkowników albo i majorów, którzy te stopnie też zdobyli w poprzednim ustroju. Ale lojalność tych nowych generałów wobec wolnej Polski byłaby bez porównania większa, a bez porównania mniejsza byłaby groźba przeniesienia przez nich z peerelu czy wytworzenia mafijnych powiązań, które z tak fatalnym skutkiem odbiły się na piętnastoleciu III RP.

To ważne: spór o stosunek nowej władzy do komunistów nie był sporem etycznym, moralnym – wybaczać czy nie wybaczać. Był sporem politycznym – którym wybaczać, a z których zrobić kozłów ofiarnych.

Zaraz, zaraz – widzę, jak się obruszyli niektórzy z Państwa. – A gdzie tu moralność? Gdzie etyka? Czyż taki Zieliński sprawujący rządy w TVP jako lizus Wałęsy i odstawiający Polaka-katolika byłby mniej ohydny, niż ten sam Zieliński podlizujący się Kwaśniewskiemu i udający socjaldemokratę?

Sam fakt, że zadajecie mi Państwo takie pytanie, jest dowodem, jak silny wpływ na Wasze myślenie wywarła michnikowszczyzna. Powtórzmy to, jeśli trzeba, wykrzyczmy: problem wyjścia z totalitaryzmu nie był problemem etycznym, tylko praktycznym. Jak wyzwolić się ze struktur reżimu i zastąpić je strukturami wolnego państwa. Wzorzec denazyfikacji Niemiec Zachodnich w drugiej połowie lat czterdziestych nie był wzorcem złym – skazano większość winnych najcięższych zbrodni, reszcie się upiekło, bo demokratyczne państwo było za słabe, aby rozliczyć wszystkie winy, ale zdecydowanie uniemożliwiono wszelkie próby powrotu hitlerowców do władzy oraz tworzenia przez nich partii czy organizacji, które by realizowały ich grupowe interesy i w imię tych interesów próbowały wpływać na życie publiczne.

Michnik, niwecząc to rozwiązanie, wskazywał wzory Hiszpanii czy Chile i ich łagodne wyjście z dyktatur Franco i Pinocheta. Był to wzorzec nieprzystający do polskich realiów. Dyktatury obu generałów łączył z komunizmem tylko brak demokracji. Franco i Pinochet nie byli, jak Jaruzelski, narzędziami w rękach obcych okupantów, a ich władza nie miała ambicji całkowitego i trwałego przebudowania struktury społecznej. Ludzie, na których się opierali, byli oczywiście połączeni wspólnotą interesów, ale ponieważ Hiszpania i Chile były cały czas krajami wolnorynkowymi, nie wytworzyli niczego na kształt komunistycznej czerwonej mafii, która zawłaszczyła całe państwo wraz z gospodarką i starała się utrzymać stan posiadania po transformacji. Można też dodać, że żadne z tych państw nie leży w miejscu, gdzie geopolityka jest tak istotna, jak w środku Europy.

Oczywiście, który z wzorców – denazyfikacji, czy pożegnania z Franco i Pinochetem – był dla Polski roku 1989 lepszy, można by dyskutować. „Zasługą" michnikowszczyzny jest właśnie to, że tej dyskusji nie było. Że zastąpiono ją moralizowaniem, kawiarnianymi kazaniami o sprawiedliwości jako takiej, zupełnie oderwanymi od tego, co się rzeczywiście w tym przełomowym momencie działo.

Ale zamierzam być okrutny. Skoro Michnik gładko przemknął się nad rzeczywistością, nad potrzebami odzyskiwanej niepodległości, stwierdzając, że go to nie dotyczy, bo on reprezentuje tu nie przyziemną politykę, ale moralność i etykę – to wypadnie go właśnie o moralność i etykę zapytać. Za chwilę.

W sporze, jak postępować z ludźmi obalonego reżimu, Michnik i jego akolici uznali, że należy stawiać na to kierownictwo partii i służb, z którym się pertraktowało. Głównym sensem ich działań było udzielenie „generałom" pomocy w utrzymaniu kontroli nad ich własnym obozem, nad owymi chwiejącymi się w wierności pułkownikami i majorami. Argument, jakim szermowali, miał charakter etyczny właśnie: trzeba dotrzymywać słowa. Nie rozstrzeliwuje się ludzi, z którymi się usiadło do rozmów, wyjaśniał Kuroń (jakby ktoś mówił o rozstrzeliwaniu). A Mazowiecki, pytany przez Giedroycia (według relacji tego ostatniego), czy rzeczywiście podpisał komunistom gwarancje bezkarności i zachowania wpływów, odpowiedział mu: nie trzeba podpisu, żeby dotrzymywać słowa.

Miałbym się za frajera, gdybym uwierzył, że naprawdę o to chodziło. Ludzie Wałęsy zasiadali do Okrągłego Stołu jak do rozmów o kapitulacji; nie musieli zaciągać wobec przywódców czerwonej mafii żadnych zobowiązań. A jeśli je, wbrew rozsądkowi, zaciągnęli, to były one niczym wobec zobowiązań, jakie mieli wobec tysięcy działaczy podziemia, drukarzy, kolporterów, wobec ludzi, którzy ryzykowali na manifestacjach i strajkach.

Zwłaszcza wobec tych, którzy za to zapłacili represjami, pobiciem, aresztowaniem, nierzadko śmiercią. Ryzykowali i płacili za swych przywódców, ale nie za to, żeby przy pierwszej okazji pousadzali oni dupy na wysokich stołkach i pobratali się z oprawcami – tylko za to, żeby mogli zbudować wolną, lepszą Polskę!

Zobowiązania przywódców opozycji wobec komunistów, z którymi „usiadła do stołu", nie były i nie mogły być ważniejsze od jej zobowiązań wobec narodu, który im zaufał. Choć wiedział o nich niewiele, tyle, ile mógł się dowiedzieć w państwie totalitarnym – że są przeciwnikami reżimu. To narodowi wystarczyło, by przypisał im wtedy cele, które się wydawały oczywiste, i wszystkie możliwe cnoty.

Te zobowiązania jakoś Familii nie leżały na sercu. Poczuwała się tylko do obowiązków wobec Jaruzelskiego, Kiszczaka, Millera i Kwaśniewskiego.

Wróćmy więc do pytania: co powodowało Michnikiem, gdy dokonywał swej niewiarygodnej wolty, gdy ustawiał się w jednym szeregu z przywódcami czerwonej mafii przeciwko swym wczorajszym towarzyszom z podziemia, i uznawał antykomunizm za zło?

Myślę, że zadecydowało o tym dwóch panów, których nazwiska przypadkiem brzmiały bardzo podobnie: Moczar i Mecziar. Można jeszcze do ich dodać trzeciego, też na „m": Miloszevicia.

Moczara Michnik zapamiętał z roku 1968. Jeden z zaprzedanych komunistów, stary PPR-owiec i sowiecki agent, był tym, który w politycznej walce z konkurencyjną frakcją w Kompartii sięgnął po retorykę narodową i antysemityzm.

Jednocześnie dorabiał sobie legendę partyzancką i lansował się na polskiego patriotę, w czym nie było krzty prawdy – jego prawdziwy stosunek do polskości oddają słowa, które wypowiedział w latach pięćdziesiątych „dla nas, partyjniaków, jedyną ojczyzną jest Związek Radziecki" (zresztą swojsko brzmiące Moczar było nazwiskiem przybranym, w istocie, o czym oczywiście nie wiedziano, nazywał się Diomko albo Demko i miał w żyłach więcej krwi ukraińskiej niż polskiej). Ale dla wielu ludzi znękanych komunistyczną nagonką na przedwojenną Polskę, na Armię Krajową, Powstanie Warszawskie i patriotyzm, parę tanich gestów Moczara wystarczyło, by uwierzyli, że jest on mniejszą świnią niż pozostali towarzysze.

A broń antysemityzmu okazała się w partyjnych porachunkach skuteczna, Moczar niechybnie zostałby gensekiem, gdyby nie przystopowali go towarzysze z Kremla, którym odwoływanie się do polskich tradycji patriotycznych nie przypadło do smaku. Partyjne szeregi były na hasło „bij Żyda" bardzo podatne, z przyziemnych powodów. „Komuniści, pozbawieni zaplecza w polskim społeczeństwie, powszechnie traktowani jako bolszewicka agentura, szeroko otworzyli się na środowiska nizin społecznych, które były przesiąknięte prymitywnym antysemityzmem – pisał historyk IPN Maciej Korkuć. – I napuszczali je na Żydów, których przyjmowano na kierownicze stanowiska, bo poziomem wykształcenia przewyższali prymitywnych nowych funkcjonariuszy systemu..." I dalej: „Już w pierwszych miesiącach nowej władzy mówiono [na posiedzeniach kierownictwa PPR] o tym, że w partii jest ferment przeciwko Żydom".

Publicysta Witold Jedlicki, w którym niektórzy widzą wręcz sprytnie podesłanego Giedroyciowi przez Moczara agenta wpływu, przedstawił walkę o władzę w PZPR jako starcie „chamów" i „Żydów" - choć w rzeczywistości odsetek komunistów pochodzenia wiejskiego i żydowskiego był w obu frakcjach, „Puławach" i „Natolinie", mniej więcej podobny. Wśród wychowanych na „Kulturze" ludzi „opozycji demokratycznej" dodatkowo ugruntował w ten sposób stereotyp „polskiego nacjonalizmu", jakoby genetycznie, nierozerwalnie związanego z antysemityzmem i nieuchronnie prowadzącego do pogromów.

Nad tym, że syn komunistycznego działacza Ozjasza Szechtera naznaczony jest traumą swego pochodzenia, że słysząc „niech żyje Polska" słyszy od razu „Polska dla Polaków", a obrońcy polskości zlewają się w jego oczach z ludźmi, każącymi jemu i jemu podobnym „wypierdalać do Izraela", specjalnie się rozwodzić nie trzeba - ta trauma aż bije z kart jego publicystyki. I nie jest on w swoim środowisku osobliwością, niemal każdy z potomków „żydokomuny", spośród których rekrutowało się wielu działaczy antykomunistycznej opozycji, nieraz słyszał w swym życiu, niestety nie tylko od ubeków, że jest żydkiem, parchem i szkoda, że Hitler nie zrobił z nim porządku tak jak z innymi.

Parafrazując sławne słowa Gomułki o dogmatyzmie i rewizjonizmie - dla Michnika komunizm to grypa, a nacjonalizm to dżuma.

Moczar (nie on jeden) pokazał, że partia komunistyczna potrafi bez żenady przeskakiwać od internacjonalizmu do szowinizmu. To było dawno. Ale równolegle miał Michnik przed oczami zupełnie świeże przykłady z sąsiedniej Słowacji i z nieodległej Serbii. Przykłady, że partia komunistyczna w stanie agonii może kierować się ku frazeologii nacjonalistycznej i pod hasłami nacjonalistycznymi utrzymywać się przy władzy.

Michnik, wskazuje na to wiele dowodów, uznał, że taki scenariusz zagraża Polsce. Uznał też, że zapobieżenie wariantowi słowackiemu czy serbskiemu jest najważniejsze. Nie wolno dopuścić, pod żadnym pozorem, aby tracący uprzywilejowaną pozycję komuniści zaczęli się ratować sojuszem z „endeckim ciemnogrodem" i sięganiem po jego ideologię.

„Proces demokratycznych przemian opiera się na kompromisie – konkluduje Michnik w cytowanym już tekście »Jakiej Polski pragniemy« z listopada 1989. – Wszelako ten kompromis jest kruchy... Dlatego potrzeba nam będzie wiele tolerancji, uporu... Dla niepodległości, która stanowi wartość najwyższą".

A teraz bardzo charakterystyczny cytat z artykułu „Antykomunizm z ludzką twarzą". Uwaga – skaczemy w przyszłość, artykuł ten pochodzi bowiem z listopada roku 1993, i jest reakcją Michnika na wybory parlamentarne wygrane przez SLD.

„Zmieni się przedmiot publicznej debaty. To już nie Geremek będzie oskarżany o »zbrodnię Magdalenki« przez wyznawców jaskiniowego antykomunizmu, lecz o »zdradę socjalizmu i PZPR« w Magdalence oskarży

»różowego« Kwaśniewskiego sfrustrowany »czerwony« aparatczyk z terenu. I to już nie mnie będą opluwać za dialog z gen. Jaruzelskim młodociani, głupawi olszewicy, lecz Jaruzelskiego postawią pod pręgierzem za kontakty z Michnikiem pryncypialni towarzysze z frontu ideologicznego PZPR".

Chwała Michnikowi przynajmniej za to, że te nonsensy pozostawił po latach w archiwum internetowym „Gazety Wyborczej" (wielu charakterystycznych tekstów nie można tam dziś znaleźć) i nie wstydził się ich włączyć do zbioru książkowego. Choć, obserwując go od pewnego czasu, podejrzewam, że nie wynikło to z gotowości przyznania się do zupełnie błędnych diagnoz, tylko z uporczywego w nich trwania.

Cóż, było to dość konkretne proroctwo. Można je zweryfikować. Uwaga, uwaga – czy ktokolwiek słyszał o podobnych, zapowiadanych przez Adama Michnika w roku 1993, wypadkach? Czy ktokolwiek słyszał, by jacyś komunistyczni aparatczycy zarzucali Kwaśniewskiemu zdradę PZPR w Magdalence? Czy słyszeliście, żeby jacyś pryncypialni towarzysze stawiali Jaruzelskiego pod pręgierzem za kontakty z Michnikiem? Słyszał ktoś – proszę? Dziewczynko? Chłopczyku? Słyszeliście?!

Bo ja nie słyszałem! Ni cholery, ani razu, ani słowa nie słyszałem – a przecież siedzę w dziennikarstwie od lat kilkunastu i śledzę, co się w polityce dzieje. Przeciwnie, widziałem i słyszałem, że Kwaśniewski, dopóki wygrywał, miał wśród postkomuny, zarówno tej starej, jak i młodej, absolutny posłuch. Że na każdym zjeździe SLD Jaruzelski witany był i przez starych, pryncypialnych towarzyszy, i przez młody narybek, frenetyczną owacją na stojąco, graniczącym z histerią uwielbieniem.

Więc mamy oto kolejny charakterystyczny cytat z Adama Michnika, który zasługuje na miano kompletnej bredni.

Ale co z tej bredni wynika? Że w roku 1993 Michnik głęboko (i w całkowitej sprzeczności z faktami) wierzył, iż zaplecze postkomunistów podzielone jest w sposób symetryczny do podziału, który – w znacznym stopniu za jego sprawą – ujawnił się na przełomie lat 1989/1990 w OKP.

Jeśli wierzył w to jeszcze w roku 1993, to bez wątpienia tak właśnie widział sytuację wtedy, gdy decydowała się przyszłość Polski i polskiej sceny politycznej na najbliższe piętnaście lat. Z jednej strony opozycja podzielona na zaściankową, endecką, skłonną do wszystkiego co najgorsze, i na demokratyczną, oddaną idei demokratycznej i europejskiej. Z drugiej obóz władzy, w której jest „skrzydło reformatorskie", a więc Jaruzelski, Kiszczak, Kwaśniewski czy Urban, którzy, póki mają środki, by trzymać straż nad aparatem PZPR-u i służb, gwarantują, że nie pójdą one w niewłaściwym kierunku – i beton. Beton, który według wersji oficjalnej, skłonny jest wezwać w sukurs Sowietów i rozpętać krwawą wojnę domową w obronie pryncypiów marksizmu-leninizmu... Czy już cytowałem wywiad Bronisława Geremka dla „Le Figaro" z lipca 1990: „Wybór Jaruzelskiego na prezydenta zapobiegł wojnie domowej"? No to cytuję. Zabawne, prawda?

Ale tak naprawdę, jak sądzę, tym, czego się ze strony owego betonu Familia obawiała, nie było jego wystąpienie w obronie leninowskiej ortodoksji, ale przypomnienie nauki towarzysza Moczara i, wzorem Słowacji czy Serbii, sprzężenie sił z „endeckim ciemnogrodem", i wspólne wtrącenie Polski w ciemności rozjaśniane tylko płomieniami stosów i podpalanych w czasie pogromów żydowskich domów.

W polityce, pisał Talleyrand, błąd jest gorszy od zbrodni. A taka analiza sytuacji w przełomowym roku 1989 była właśnie błędem. Strasznym błędem, dowodzącym, że Michnik i inni przywódcy Familii nie mieli bladego pojęcia o rzeczywistości, o nastrojach społecznych i sytuacji w aparacie upadającego reżimu, że żyli w świecie urojeń, kawiarnianych fantomów.

Komuniści mieli wszystko, poza ratowaniem własnych fortun, głęboko w tyle. Starania Macieja Giertycha, który po to poszedł do Rady Konsultacyjnej przy Jaruzelskim, by mniej więcej taki sojusz, jakiego obawiał się Michnik, czerwonym proponować, nie przyniosły żadnego, absolutnie żadnego rezultatu – i nie mogły, bo nacjonalizm, postendecja, jakkolwiek to zwać, nie stanowił w schyłkowym peerelu żadnej godnej uwagi siły. W Słowacji, Serbii czy w krajach posowieckich komuniści mogli się przemalowywać na nacjonalistów, bo ani nie byli tam aż tak skompromitowani i znienawidzeni przez własne narody, jak w Polsce, ani nie mieli przeciwko sobie żadnej politycznej konkurencji; antykomunistyczna opozycja w ich krajach nie istniała. W Polsce wszystko było inaczej. Także dlatego, że polskie społeczeństwo pogrążone było w głębokim zwisie i hasła patriotyczno-narodowe nikogo nie były w stanie wyciągnąć na ulicę. W najmniejszym stopniu nie zagrażał Polsce moczaryzm/mecziaryzm. Zagrażał jej postkomunizm.

Sojusz z czerwoną mafią przeciwko „jaskiniowym antykomunistom" otwierał postkomunizmowi szerokie perspektywy.

Jak wspomniałem na wstępie, proponując ten sojusz, Michnik przekonany był, że będzie w nim odgrywał rolę decydującą.

Bardzo się mylił.

Ludzie honoru

Zasadę „grubej kreski", rozumianą jako narzucenie urzędowej amnezji o wszystkich zbrodniach popełnionych przed rokiem 1989, przypisuje się Tadeuszowi Mazowieckiemu. Nie do końca tak jest. Prawda, że to właśnie w jego sejmowym *exposé* znalazły się słowa „przeszłość odkreślamy grubą linią", ale w kontekście samego *exposé* oznaczały one raczej wyznaczenie symbolicznej granicy pomiędzy Polską starą a nową. Złowrogiego sensu nabrały te słowa dopiero później. Nie bez winy Mazowieckiego, którego bierność i nieudolność dały komunistom taką swobodę w budowaniu swych wpływów, na jaką nie liczyli w najśmielszych snach. Niekiedy owa nieudolność przejawiała się w sposób tak groteskowy, iż dziś trudno w to uwierzyć.

Oto na przykład Krzysztof Kozłowski – redaktor „Tygodnika Powszechnego", którego po namowach ze strony Kiszczaka, i wskutek nacisków własnego zaplecza politycznego, Mazowiecki mianował w końcu wiceministrem spraw wewnętrznych, choć (czy raczej właśnie dlatego) była to bodaj ostatnia osoba, która miałaby do takiej roli kwalifikacje i predyspozycje osobowościowe. Jako wiceminister, a potem minister, Kozłowski nie orientował się w sprawach resortu w najmniejszym stopniu i zapisał się w jego dziejach tylko dwiema decyzjami: wpuszczeniem do archiwów MSW tzw. komisji Michnika (o czym za chwilę) i dokonaniem pierwszej w III RP „dzikiej lustracji", czyli dostarczeniem michnikowszczyźnie „kwitów" na niejakiego Stana Tymińskiego ubiegającego się o prezydenturę; owe kwity, mające świadczyć o powiązaniach Tymińskiego bodajże z wywiadem libijskim, okazały się zresztą równie marnej jakości, co ich dostarczyciel.

Ówże Krzysztof Kozłowski już w kilkanaście lat po opisywanych tu wydarzeniach zaproszony został wraz z ówczesnym publicystą „Rzeczpospolitej", Maciejem Rybińskim, na spotkanie z bawiącymi w Polsce politykami ukraińskimi, którzy chcieli zapoznać się z polskimi doświadczeniami w dziedzinie lustracji. Oddaję głos Rybińskiemu: „Pan Minister na pytanie, dlaczego w 1990 rząd nie zdecydował się na opcję zerową, likwidację wszystkich służb komunistycznych i ujawnienie ich agentury, odpowiedział dosłownie i najpoważniej na świecie: to byli ludzie dobrze wyszkoleni, zorganizowani i uzbrojeni, i istniały obawy, że stawią zbrojny opór".

Narzuca się pytanie – czy Mazowiecki nie orientował się w poziomie umysłowym i przymiotach charakteru człowieka, którego mianował na tak kluczowe stanowisko, czy też sam podzielał jego obawy, a może nawet był ich źródłem?

Mazowiecki wielokrotnie potem protestował przeciwko przypisywaniu mu odpowiedzialności za ogólną amnezję i bezkarność; powiedzmy więc wyraźnie, że choć nie był bez winy, to rzeczywiście, niewypowiedziana zasada, że nikt nie będzie karany za przestępstwa, jakich dopuścił się, służąc komunistycznemu reżimowi, nazwana potem zasadą „grubej kreski", nie była jego dziełem. Gdyby nawet była, nie miał dość politycznej siły, aby podporządkować jej dalszy bieg spraw, ani dość wpływu na społeczeństwo, aby ją obronić w publicznym dyskursie.

Miał na to dość siły i wpływu Adam Michnik. I to on, w sposób zupełnie otwarty, wyznaczył nowy podział sceny politycznej, opisany w poprzednim rozdziale, oraz wyciągnął z niego logiczne konsekwencje.

Logiczną konsekwencją stwierdzenia, że polskiej demokracji zagrażają „jaskiniowi antykomuniści", a warunkiem nadrzędnym jej uratowania jest utrzymanie kompromisu z „reformatorskim skrzydłem PZPR", była ochrona postkomunistów przed jakimkolwiek uszczupleniem ich wpływów. Popchnęło to Michnika nie tylko do rozłożenia propagandowego parasola ochronnego nad dokonywaną przez nich wielką grabieżą majątku narodowego. Popchnęło go to także do spychania w niepamięć prawdy o zbrodniach komunistów. Nie o zbrodniach stalinowskich, oczywiście, których sprawcy nie liczyli się już od dawna – ale o tych najświeższych, popełnianych w latach osiemdziesiątych.

Była to, i jest nadal, największa hańba rządów „posolidarnościowych" w III RP.

Adam Michnik nie jest jedynym za tę hańbę odpowiedzialnym. Ale pozostając przez całe minione piętnastolecie wierny raz przyjętej zasadzie, iż komuniści są dla Polski mniejszym zagrożeniem niż antykomuniści, zrobił bardzo wiele - zrobił wszystko, co mógł - aby zbrodnie te zostały wyparte ze zbiorowej pamięci, z potocznej świadomości, a ludzie odpowiedzialni za nie pozostali bezkarni i zachowywali swoje wpływy oraz stanowiska. Ukoronowaniem jego wieloletnich starań o wybielenie zbrodniarzy było publiczne mianowanie szefa zbrodniczej komunistycznej bezpieki, Czesława Kiszczaka, „człowiekiem honoru", po którym to zdarzeniu nawet część dotychczasowych zwolenników Michnika zaczęła przyznawać - fakt, że przeważnie półgębkiem i w sytuacjach prywatnych - że w wybielaniu komunistów „Adam" posuwa się za daleko i że pasja, z jaką to czyni, nosi znamiona obłędu.

Michnik nie może się w tej kwestii zasłaniać niewiedzą, bo zupełnym przypadkiem zbrodnie, które miały miejsce w Polsce rządzonej przez Jaruzelskiego i Kiszczaka zostały bardzo szybko, jeszcze w Sejmie kontraktowym, stwierdzone i opisane w sposób niebudzący wątpliwości.

Dokonała tego tzw. komisja Rokity.

* * *

W swoich rachubach, że ludzie Wałęsy nie zdołają w wyborach zdobyć ani całego Senatu, ani wszystkich z możliwych do zdobycia 35 procent mandatów w Sejmie, komuniści liczyli głównie na wieś i małe miasteczka. Przeforsowali odpowiedni do tego podział okręgów wyborczych do Senatu, dający najludniejszym aglomeracjom taką samą reprezentację, jak zapadłej prowincji. Zakładali, że w przeciwieństwie do dużych miast, opozycja nie ma tam popularnych, znanych przeciętnemu wyborcy działaczy, więc albo w ogóle nie zdoła zarejestrować swoich list, albo jej kandydaci, jako „spadochroniarze", przegrają z wystawianymi do konkurencji o mandaty „bezpartyjnych" gwiazdami peerelowskiej telewizji.

Te rachuby zawiodły – znakomity z punktu widzenia politycznego marketingu pomysł, żeby wszyscy kandydaci Komitetu Obywatelskiego przy Lechu Wałęsie mieli taki sam plakat wyborczy, z Wałęsą i znaczkiem „Solidarności", zniwelował przewagę telewizyjnej popularności, na którą liczył Urban i jego przełożeni. A kandydatów w okręgach położonych daleko od Gdańska, Warszawy i Krakowa dostarczyła „Solidarność Wiejska" i inne opozycyjne ruchy działające wśród rolników.

W ten sposób jednak, obok w miarę jednolitego bloku zgranych opozycjonistów, nazwanego niegdyś przez Michnika „lewicą laicką" (w roku 1990 będzie się już bardzo za używanie tego określenia oburzał), trafili do kontraktowego Sejmu ludzie, z którymi Michnik, Geremek ani Kuroń nie mieli nigdy czasu i okazji porozmawiać, żeby albo pozyskać ich dla swoich politycznych wizji i przekonać, jakie konieczności narzuca „specyficzna polska synteza orientacji dawniej konkurencyjnych" – albo uznawszy za elementy nieodpowiedzialne, zepchnąć na boczny tor. Właśnie jeden z takich posłów, mało komu z prezydium OKP znanych, siedzących w tylnych ławach, Tadeusz Kowalczyk, zgłosił nieoczekiwanie wniosek o powołanie sejmowej komisji do zbadania działalności MSW.

Wszyscy, którzy interesowali się w latach osiemdziesiątych walką antykomunistycznego podziemia, wiedzieli o licznych wypadkach tajemniczych zgonów wśród działaczy opozycji i związanych z nią księży. Wiedziano, oczywiście, o ofiarach tłumienia manifestacji, o zmarłych wskutek brutalnych przesłuchań, i o ofiarach napadów „nieznanych sprawców". Los ofiar był częstym tematem pytań zadawanych przez zagranicznych dziennikarzy na cotygodniowych, transmitowanych w telewizji konferencjach prasowych Jerzego Urbana, i ulubionym tematem kłamstw tego ostatniego. Kiedy na przykład „nieznani sprawcy" skatowali księdza Isakowicza-Zalewskiego, między innymi przypalając go ogniem, Urban oznajmił, że ksiądz sam po pijaku przewrócił się na świecznik. Inne sprawy zbywał podobnymi opowiastkami – upił się i wpadł do wody, wypadł z okna, popełnił samobójstwo. Na dowód pokazywał oficjalne ustalenia prokuratur.

Bo komuniści, jakże inaczej, prowadzili w takich wypadkach śledztwa, które zawsze wykazywały bądź przypadkowe, losowe przyczyny zgonu, bądź całkowitą niewinność organów. Niekiedy kończyło się wytoczeniem procesów świadkom, których zeznania wskazywały na winę milicji lub SB, albo i samym poszkodowanym. Jak choćby Zbigniewowi Simoniukowi z Białegostoku, który, dwukrotnie porywany i torturowany przez funkcjonariuszy, dwukrotnie miał czelność o tym ze szczegółami opowiedzieć. Pozwany o „bezpodstawne oskarżenia" wobec organów nie doczekał ostatecznie rozprawy – został wsadzony przez milicję siłą do „psychuszki", i znaleziono go powieszonego. Oczywiście prokuratura po wnikliwym śledztwie stwierdziła samobójstwo.

Simoniuk był tylko jednym z 93 nazwisk na liście ofiar, przedstawionej przez Kowalczyka – liście zaczerpniętej z publikacji podziemnych. Później, w toku prac komisji, ta lista nazwisk wydłuży się do 102. Dziś w prowadzonym przez IPN śledztwie przeciwko esbeckim „szwadronom śmierci" pojawiają się już 122 przypadki niewyjaśnionych zgonów.

Kowalczyk zgłosił swój wniosek w momencie, gdy na sali znajdowało się tylko 298 posłów. Nikt nie spodziewał się ważnego głosowania politycznego, minęły zaledwie dwa tygodnie od wyboru Jaruzelskiego na prezydenta RP – głosami Komitetu Obywatelskiego, bo kilku posłów PZPR, ZSL i SD okazało się mieć więcej przyzwoitości od liderów antykomunistycznej opozycji, i wyłamało się z dyscypliny klubowej! – i kierunek dalszych działań kontraktowego Sejmu wydawał się określony. W krótkiej dyskusji, jaka się potem wywiązała, wystąpił gorąco przeciwko wnioskowi zastępca Kiszczaka Zbigniew Pudysz, oznajmiając, że wszystkie sprawy zostały już wyjaśnione i nie ma potrzeby do nich wracać. Z poparciem dla niego wszedł na mównicę inny prominentny ubek, szef SB w Kielcach i zarazem poseł PZPR Jerzy Karpacz – wart wspomnienia z uwagi na stwierdzenie „wypowiedź obywatela Kowalczyka koliduje z elementarnymi zasadami kultury politycznej". Mało kto przypuszczał wtedy, że choć o ubeku Karpaczu wszyscy dość szybko zapomną, to jego logika, zgodnie z którą postawienie mordercom zarzutu morderstwa łamie zasady politycznej kultury, pozostanie na długo żywa.

W ogólnym zamieszaniu wniosek został przegłosowany i większością zaledwie stu siedemdziesięciu czterech głosów przeciwko dziewięćdziesięciu jeden – przyjęty. Ponieważ inicjator powołania komisji nie czuł się kompetentny, by stanąć na jej czele, i nie przejawiał takich ambicji, przewodniczącym został młody prawnik z Krakowa, Jan Rokita.

Jarosław Kaczyński mówi w książce „Odwrotna strona medalu", wydanej w roku 1991: „W prezydium OKP zapanowało publicznie głoszone przekonanie, że powoływanie takiej komisji jest bezsensowne. Sam Rokita używał określenia »nieszczęsna komisja« (...) W chwilę po utworzeniu komisji spotkałem w Sejmie Michnika i Lityńskiego, rozmawiających na ten temat. Powiedziałem im, iż się cieszę, że mam pewien własny udział w jej powołaniu. Natychmiast stwierdzili, że ta komisja to bzdura. Jest to drobiazg, niewart właściwie wspomnienia, ale niesłychanie charakterystyczny dla ludzi z tego środowiska – cokolwiek wyjdzie spoza niego, jest głupie, bezsensowne i nie do przyjęcia".

Kaczyński myli się tu, i to dwukrotnie. Po pierwsze – sprawa nie jest drobiazgiem. To, jak wolna Polska, która w kilka miesięcy po powołaniu „komisji Rokity" przezwała się Rzeczpospolitą Polską, III Rzeczpospolitą, i w miejsce komunistycznej kuricy przywróciła jako godło narodowe orła w koronie, potraktowała ofiary esbeckich morderstw, jest sprawą dla oceny tego państwa fundamentalną. Jest czymś więcej nawet niż niezmywalną hańbą – jest zbrodnią. Bo zacieranie, tuszowanie i ukrywanie prawdy o zbrodni jest równoznaczne ze współudziałem w niej.

Poza tym, nie sądzę, by opisana reakcja kierownictwa OKP wynikała z apriorycznej niechęci wspomnianego środowiska do wszystkiego, co nie z niego wyszło – nawet, jeśli taka niechęć, o którą nie tylko jeden Kaczyński często je oskarża, była faktem. Chyba lepiej uchwycił przyczynę Rokita, pisząc po ponad piętnastu latach (gdy były szef Urzędu Rady Ministrów w rządzie Hanny Suchockiej znajdował się na fali popularności, jaką przyniosła mu działalność w komisji do sprawy Rywina, i starał się prezentować jako zdecydowany wróg postkomunizmu): „Pamiętam doskonale zaskoczenie kierownictwa OKP wynikami głosowania. Był to czas, w którym PZPR zaczęła faktycznie tracić formalnie zagwarantowaną przy Okrągłym Stole większość w Izbie (...) W tym właśnie momencie chybotliwej większości uchwalony został wniosek, który w swojej treści zrywał dość istotnie z logiką Okrągłego Stołu. Postanawiał bowiem o rozpoczęciu procesu rozliczania sprawców stanu wojennego, przynajmniej za dokonane wówczas zbrodnie zabójstwa. Polityczny sens tego głosowania brzmiał w pewnym sensie jak przygrywka do rewolucji. W 14 dni po kapitulanckiej elekcji Jaruzelskiego unaoczniał, że w Sejmie może zaistnieć większość, która po części z ideowych, a po części zapewne z koniunkturalnych motywów jest gotowa nie tylko niezwłocznie odsunąć PZPR od władzy, ale także – zgodnie z naturalnymi prawami rewolucji – pociągnąć do odpowiedzialności ludzi *ancien régime'u*, przynajmniej za najcięższe zbrodnie".

Ja też myślę, że o to właśnie chodziło. Można sobie wyobrazić, jakie ostrzegawcze alarmy rozdzwoniły się w mózgu Adama Michnika. Wróg podnosi głowę, i to sprytnie podnosi; bo niby to przypadek, niby to wniosek jakiegoś nieliczącego się posła – prostaczka ze wsi, który po prostu prostolinijnie ujął się, jakoby, za ofiarami. Ale przecież na pewno stoją za nim ci, którzy chcą podpalić Polskę!

Dlaczego pozwalam sobie na takie „insynuacje"? Bo przeczytałem publicystykę Michnika z tamtego okresu wielokrotnie, w tę i we w tę, i potrafię zrekonstruować jego ówczesny sposób myślenia może nawet lepiej, niż on sam go pamięta.

„Dążenie do sprawiedliwości często przekształcało się w odwet na krzywdzicielach (...). Spadały głowy monarchów – Stuartów, Bourbonów, Romanowów. A potem upadały głowy tych, którzy byli przeciw egzekucji monarchów. A potem tych, którzy byli przeciw egzekucji obrońców monarchów. I tak bez końca. Istnieje jakaś okrutna logika rewolucji. Pożera ona swych oprawców, a potem swoje dzieci. Nikt tego najpierw nie chce, najpierw wszyscy chcą wolności i zgody, a potem odwetu nikt już nie jest w stanie kontrolować.

Akt sprawiedliwości przekształcony w akt odwetu staje się fragmentem gry politycznej i walki o władzę. Powstają nowe niesprawiedliwości i nowe krzywdy. Zagrożona zostaje wolność, zagrożone zostaje prawo. Ludzie przestają czuć się bezpiecznie, wkrada się strach. Walka o demokrację kończy się wojną wszystkich ze wszystkimi. Pojawia się widmo chaosu, a wraz z nim widmo nowej dyktatury.

Tak stało się w Iranie, tak zaczyna stawać się w Gruzji, tak może być wszędzie".

Zachęcam, żeby przeczytali Państwo ten fragment jeszcze raz, i jeszcze raz. Czyż słowa okrzyczanego autorytetu moralnego i wybitnego intelektualisty nie są zwykłym, histerycznym bełkotem i skrajną demagogią? Przecież jeśli potraktować powyższe słowa poważnie i ze świadomością historycznego kontekstu, w jakim zostały opublikowane, wynika z nich, że ukaranie jakiejkolwiek zbrodni musi doprowadzić do jeszcze gorszej zbrodni. Najpierw wszyscy chcą tylko ukarać złodzieja i zabrać mu to, co ukradł, a potem sami zaczynają kraść. Istnieje jakaś okrutna, deterministyczna logika, która sprawia, że tak po prostu musi być. Bo akt sprawiedliwości nieuchronnie przekształca się w akt zemsty. Nie sposób pojąć, jak mogły w dziejach zaistnieć społeczeństwa, które ukarały niejednego zbrodniarza i jakoś nie skończyło się to dla nich popadnięciem w zbrodnie gorsze od tych, za które go ukarały!

Zacytowany fragment nie pochodzi z eseju poświęconego ogólnym rozważaniom na abstrakcyjne tematy, tylko z artykułu opublikowanego w dziesiątą rocznicę wprowadzenia przez Jaruzelskiego stanu wojennego. Powyższe zdania mają wieść czytelnika do pointy, którą jest apel o uchwalenie ustawy abolicyjnej, która raz na zawsze uwolni od odpowiedzialności karnej nie sprecyzowanych konkretnie „architektów stanu wojennego". Któż do tej grupy należy, jeden Michnik raczy wiedzieć. Kiszczak, Jaruzelski, Urban – to na pewno. Ale czy na przykład szefowie wojewódzcy wojska, bezpieki i milicji, przygotowujący według ogólnych wytycznych szczegółowe plany działań i listy osób przeznaczonych do represjonowania, byli architektami, czy tylko wykonawcami? A szefowie departamentów i sekcji MSW? Bo przecież tam właśnie szukać trzeba bezpośrednio odpowiedzialnych za popełnione zbrodnie. Zresztą o tych zbrodniach, o strukturze, stworzonej do ich popełniania, nie mogli nie wiedzieć ich najwyżsi szefowie. Nawet, jeśli nie udało się znaleźć pisemnych rozkazów z ich podpisami.

Michnik oczywiście nie byłby sobą, gdyby prowadząc do takich wniosków nie zaczął od zastrzeżenia: „Chcę być dobrze rozumiany, tam gdzie wina jest niewątpliwa, tam zasadna jest rozmowa o karze. Dla przestępcy nie może być bezkarności, choć może być wielkoduszność. Nie widzę możliwości, by kwestionować odpowiedzialność ludzi winnych morderstw. Bowiem żadne prawo, także prawo stanu wojennego, nie zezwalało na zabijanie ludzi, na porywanie ich i dręczenie czy torturowanie".

Ja też „chcę być dobrze zrozumiany". I staram się jak mogę, żeby dobrze zrozumieć Michnika. W cytowanym fragmencie nie widzi on możliwości, by kwestionować odpowiedzialność ludzi winnych morderstw, ale przecież na tym samym oddechu wzywa, by ich nie szukać. By zapomnieć, po prostu, o pomordowanych, w imię wielkoduszności, przebaczenia, no i przede wszystkim – aby nie rozpętać spirali rewolucyjnej przemocy. Karać można tylko wtedy, jeśli wina jest niewątpliwa, stwierdza Michnik. To oczywista prawda. Ale żeby wina stała się niewątpliwa, trzeba przeprowadzić śledztwo. A Michnik wzywa, aby „jednym aktem prawnym" wszystkie śledztwa przerwać i na przyszłość zakazać; wtedy nikt nie będzie mógł przesądzić o niewątpliwej winie.

Oto typowa dla michnikowszczyzny pokrętność w całej swojej krasie.

„Lękam się procesu politycznego, w którym zwycięzcy sądzić będą pokonanych" – stawia Michnik kropkę nad „i".

Czy potrafią sobie Państwo wyobrazić jakiś inny sposób, żeby zbrodniarzom totalitarnego reżimu można było wytoczyć proces, niż najpierw ten reżim pokonać?

Ja nie.

Tekst, który cytuję, opublikowany został 13 grudnia 1991, ponad rok po powołaniu komisji; niemniej cytowane powyżej fragmenty uzasadniają czytanie go jako swego rodzaju polemiki z ową „przygrywką do rewolucji".

Michnik widział ówczesną sytuację tak: ci, którzy chcą Polskę podpalić, a co najmniej uczynić ją „zaściankową, ciasną i kultywującą własne kompleksy", znaleźli oto bardzo skuteczną broń – rozliczanie popełnionych zbrodni. Były członek KOR nie potrzebował raportów żadnych komisji, żeby wiedzieć, że te zbrodnie były, i jakie były. Ale nie myślał ani o ich ofiarach, ani o sprawiedliwości – myślał o politycznych konstrukcjach, doskonalszych od demokracji w typie zachodnim, które wkrótce wzniesie wraz ze swymi przyjaciółmi. Ofiary stanu wojennego mogły w tym wiekopomnym dziele bardzo nabruździć. Bo żądaniu ukarania zbrodniarzy trudno się przeciwstawić, nikt przecież nie opowie się wprost za bezkarnością dla zbrodni, sam Michnik nie odważa się na to, woli po swojemu ściemniać, zasiewać wątpliwości, i prowadzić opłotkami do wniosku, że choć oczywiście tak, to jednak lepiej nie. Hasło „ukarać zbrodniarzy" sprawiło, że w kontraktowym Sejmie, w którym większość miała mieć PZPR, ta większość zaczęła się kruszyć. Partyjne doły, wbrew Kiszczakowi czy Pudyszowi, przeszły na stronę tych, którzy sięgnęli po hasło sprawiedliwości i po broń rozliczeń. Michnik już wiedział, jak się to musi skończyć: „reformatorskie skrzydło władzy" straci wpływ na aparat, a ten przejdzie pod komendę jakiegoś polskiego Mecziara czy Miloszevicia.

Więc jest tylko jedna możliwość: o zbrodniach stanu wojennego trzeba zapomnieć. Pomordowanych, leżących w grobach, trzeba zamordować jeszcze raz – bronią niepamięci. W imię wyższych racji i historycznej konieczności.

Dysponując najpotężniejszym i najbardziej opiniotwórczym medium III RP, Michnik nigdy nie wykorzystał go, aby przekazać swym czytelnikom wiedzę o zbrodniach stanu wojennego. O powstaniu komisji Rokity „Gazeta Wyborcza" poinformowała dwuzdaniową notką. O zakończeniu jej prac – może trzyzdaniową. Poza tym jedyną wzmianką na temat komisji, jaką można znaleźć w internetowym archiwum, jest niniejszy *passus* politycznej sylwetki Rokity, kreślonej w czasach, kiedy „Wyborcza" uważała tego polityka za swego:

„Pomysłem Rokity na dekomunizację jest »awans pokoleniowy ludzi, którzy nie zetknęli się w swoim dorosłym życiu z komunizmem«. W lustrację nigdy nie wierzył. Wiedział jako szef nadzwyczajnej komisji do zbadania działalności MSW, że akta były niszczone i preparowane".

Sprawdźcie sami. Jedyne, co wedle gazety Michnika zdołała odkryć komisja, jest to, że archiwa MSW były niszczone i preparowane. Choć, jako żywo, w wielostronicowym raporcie komisji nie ma na ten temat ani słowa.

„Gazeta Wyborcza" pisała o ofiarach wszelkiego rodzaju reżimów afrykańskich, południowoamerykańskich, azjatyckich. Relacjonowała zbrodnie na Bałkanach i sekundowała procesom, mającym je wyjaśnić. Ofiarom Jaruzelskiego i Kiszczaka nie poświęciła przez cały czas swego istnienia ani jednego artykułu.

Zadajmy sobie trud zajrzenia do „Wyborczej" z kolejnych rocznic 13 grudnia.

W roku 1989 – wywiad z generałem Jaruzelskim.

W numerze świątecznym z 1990 roku Adam Michnik zamieszcza tekst „Pożegnanie generała", będący wielką pochwałą jego prezydentury.

W 1991 – cytowany już sążnisty apel o ustawową abolicję dla „architektów stanu wojennego".

W 1992 wyważony, niewiele mówiący tekst rocznicowy.

W 1993 głównym „newsem" jest antykomunistyczna manifestacja, zorganizowana pod willą Wojciecha

Jaruzelskiego. W komentarzu podpisanym A.M. czytamy: „Dlaczego młodzi ludzie z NZS* nie wiedzą, że naśladują najbardziej brutalne metody z epoki chińskiej rewolucji kulturalnej, kiedy pełno było palenia kukieł i »spontanicznych« demonstracji przed prywatnymi mieszkaniami?". Kilka dni później w obronę Jaruzelskiego włącza się Jacek Kuroń: „Problem polega na tym, że demonstranci... już osądzili i wybrali karę – pręgierz, tzn. publiczne upokorzenie. Młodzi polscy inteligenci nie szanują godności osoby ludzkiej i lekceważą prawo".

A następnego dnia zamieszcza „Wyborcza" reportaż o zawodowych wojskowych. Bohaterowie reportażu skarżą się, że w dyskusjach o stanie wojennym „mówi się tylko ofiarach jednej strony". A przecież oni marzli, a niekiedy nawet ginęli – na dowód opis katastrofy helikoptera, który w grudniu 1981 podczas wypatrywania z powietrza kontrrewolucji doznał awarii i spadł z całą załogą do jeziora.

W 1994 roku o rocznicy przypomina tylko krótkie streszczenie badań opinii publicznej, z którego wynika, że Polacy oceniają stan wojenny oraz Jaruzelskiego dobrze.

1995 – o stan wojenny Jarosław Kurski pyta Andrzeja Werblana, byłego członka Biura Politycznego KC PZPR.

1996 – przedruk telewizyjnego wystąpienia premiera Włodzimierza Cimoszewicza oraz wypowiedź Jaruzelskiego.

---

* Niezależne Zrzeszenie Studentów

1997 – „Zadzwonił do mnie Breżniew", ze Stanisławem Kanią rozmawiają Adam Michnik i Wojciech Maziarski.

1998 – list Wojciecha Jaruzelskiego pt. „Nie wszystko jest czarne, nie wszystko jest białe". Doprawdy, nazbyt defetystyczny tytuł; towarzysz generał mógł śmiało stwierdzić, że już nic nie jest ani czarne, ani białe. Wszystko różowe.

1999 – w ogóle nic, jedynie wzmianka w rozmowie z Barbarą Labudą, która wyjaśnia, dlaczego przyjęła nominację do kancelarii prezydenta Kwaśniewskiego. Barbara Labuda informuje, że ma do stanu wojennego stosunek bardzo osobisty, gdyż były to dla niej czasy wzniosłości i rozpaczy – ale z satysfakcją odnotowuje, że „nigdy nie sądziła, iż tak szybko upora się z tą nienawiścią".

2000 – Michał Sadykiewicz, były pułkownik Ludowego Wojska Polskiego, od roku 1971 na Zachodzie, twierdzi, że Sowieci byli gotowi interweniować w Polsce. „Mogli wejść" – przedruk za numerem 126 „Zeszytów Historycznych". Żadnych polemik, choć teza sprzeczna jest z ustaleniami prawie wszystkich zajmujących się sprawą historyków.

2001 – kolejny apel Michnika o abolicję, plus rocznicowe wystąpienie Aleksandra Kwaśniewskiego.

2002 – w dodatku „Duży Format" wywiad Teresy Torańskiej z Jerzym Urbanem.

2003 – w tym samym dodatku wywiad Teresy Torańskiej z Michałem Jagiełłą, w roku 1981 członkiem Biura Politycznego KC PZPR

2004 – w „Dużym Formacie" Teresa Torańska rozmawia z generałem Jaruzelskim, a Jacek Hugo-Bader z Andrzejem Molakiem, w stanie wojennym porucznikiem SB, który w 1990 nie przeszedł weryfikacji i musiał opuścić resort. Tytuł wywiadu: „Pretorianin Jaruzelskiego".

2005 – tekst rocznicowego wykładu wygłoszonego przez Adama Michnika w Audytorium Maksimum Uniwersytetu Warszawskiego. Pointą wystąpienia jest ponowienie apelu o formalną, ustawową abolicję dla „architektów stanu wojennego". Trwająca od lat szesnastu abolicja faktyczna to dla Michnika wciąż za mało.

„13 grudnia zaczęła się – zimna na szczęście a nie gorąca – wojna domowa. Trwała siedem lat. Przyniosła więzienie, podziemie, emigrację, cierpienie", roztkliwia się Michnik w przywoływanym tekście z 1991 roku, tuż obok gołosłownych zapewnień, że dla przestępcy nie może być bezkarności (ale może być wielkoduszność). Pomińmy, że oprócz emigracji i więzienia ta wojna niosła także śmierć, i to nie tylko wojskowym, którym zdarzyło się mieć awarię helikoptera, albo poślizgnąć i spaść z wieży wartowniczej. O cierpieniach, którym w roku 1991 Michnik tyleż wielkodusznie, co ogólnikowo, nie zaprzeczył, jego wierni czytelnicy nie mieli się już nigdy później szansy dowiedzieć. Nigdy nie ukazał się w gazecie Michnika wywiad z kimś, kto padł ofiarą stanu wojennego, komu odbito nery, zabito ojca, komu złamano karierę zakazem pracy albo kogo zrujnowano konfiskatami, w stosowaniu których za posiadanie bodaj jednej ulotki specjalizowali się wtedy niektórzy do dziś orzekający sędziowie. Nikogo spośród wygnanych z kraju, nikogo, kto ryzykował, ukrywając działaczy podziemia, użyczał lokalu na konspiracyjne drukarnie, kto kolportował nielegalne wydawnictwa. 13 grudnia to w „Gazecie Wyborczej" tylko coroczne święto generała Jaruzelskiego i jego podwładnych oraz okazja do oficjałki postkomunistów.

* * *

Uchwała Sejmu z 2 sierpnia 1989 mówiła o powołaniu Komisji Śledczej. Czytelnik dzisiejszy, słysząc te słowa, ma przed oczami komisję rywinowską czy do spraw Orlenu – publiczne przesłuchania świadków, konfrontowanie ich ze sobą, uprzedzanie, że zeznania składane są pod przysięgą, i niekiedy kierowanie wniosków do prokuratury, gdy udawało się udowodnić, że złożone zeznania mijały się z prawdą.

W tym wypadku nic podobnego nie miało miejsca. Komisja wprawdzie powstała – wypadek przy pracy, tak wyszło, wniosek padł z zaskoczenia i głupio jakoś było go nie poprzeć – ale otoczona przez prominentów OKP atmosferą niechęci, żadnych konkretnych uprawnień śledczych nie otrzymała. Nie wolno jej było wzywać świadków ani przesłuchiwać ich pod rygorami sądowymi. Nikt jej nie musiał, jeśli nie miał akurat ochoty, udostępniać żadnych szczególnych papierów z archiwów, poza tymi, które, na mocy obowiązującego prawa, były dla posłów ogólnie dostępne. Kiedy komisja zapragnęła przepytać któregoś z funkcjonariuszy resortu na okoliczność badanych spraw, ten mógł odpowiedzieć „pocałujcie mnie w de" albo pleść dowolne banialuki.

W związku z tym prawie połowa z posłów wybranych do komisji nigdy się nie pojawiła na jej posiedzeniach i nie podjęła żadnych prac związanych z jej zadaniami. Aktywność części spośród pozostałych była nieduża. Część po pewnym czasie złożyła zbiorową rezygnację, charakterystyczne, nie na ręce przewodniczącego komisji, tylko marszałka Sejmu.

Wbrew intencjom, jakie tej rezygnacji przyświecały, okazało się to dla komisji błogosławieństwem. Nie narażona na obstrukcję takich orłów, jak Włodzimierz Cimoszewicz i jego partyjni towarzysze, grupka dosłownie kilku zapaleńców przez następne dwa lata mozolnie wgryzała się w jedyny materiał, do jakiego dano jej dostęp – w raporty z prokuratorskich śledztw, i, w nielicznych wypadkach, kiedy sprawa trafiła do sądu, akta procesowe. Być może Rokita faktycznie, jak twierdzi Kaczyński, używał określenia „nieszczęsna komisja", ale do postawionego mu przez Sejm zadania podszedł bardzo solidnie. On i kilku innych odwiedzili rejonowe prokuratury, zbadali dokumenty – i, koniec końców, niemal dwa lata po powołaniu komisji, przedstawili Sejmowi raport końcowy.

Sejm odrzucił propozycję, aby konkluzje raportu zostały uznane za propozycje całej Izby i uchwalił, na wniosek Unii Demokratycznej, nic nieznaczące oświadczenie, że oddaje hołd ofiarom bezprawia, raport przyjmuje do wiadomości, i uważa, iż sprawa powinna być dalej badana.

Po czym z ulgą raport odesłano do archiwum, gdzie przez następnych 14 lat pokrywał się kurzem jako „druk sejmowy 1104 z dnia 26 września 1991 roku" – pierwszy i najtrudniej dostępny prohibit III RP. W tajemniczy sposób obłożony został klauzulą tajności, nie wiadomo do dziś, przez kogo właściwie – w każdym razie powołując się na tę klauzulę nie udostępniano raportu nawet historykom. Dopiero w roku 2005, odpowiadając na pismo byłego przewodniczącego komisji, ówczesny szef MSW Ryszard Kalisz poinformował, że wedle jego wiedzy dokument przestał być tajny w marcu 2002.

Dziś raport jest już wreszcie powszechnie dostępny – został wydany w 2005 roku przez „Arcana" ze wstępem Rokity i historycznym komentarzem Antoniego Dudka. Każdy może przeczytać.

Nie jest to lektura łatwa. Po pierwsze – mamy do czynienia z dokumentem, który nie zaczyna spraw *ab ovo*, nie relacjonuje, co się kiedy zdarzyło, ale wyłącznie podsumowuje kwerendę w prokuratorskich papierach. Lwią część raportu zajmuje ocena dokumentów wytworzonych w ramach komunistycznego „śledztwa" dotyczącego przebiegu pacyfikacji kopalni „Wujek". Część pozostałą – relacja o tym, jak „badano" inne przypadki tajemniczych zgonów.

Po drugie – to jest lektura, która, mimo wszystko, mimo trudnej do przebrnięcia formy prawniczego sprawozdania, stawia włosy na głowie.

Zawsze mi się przypomina w takich chwilach surowo zakazana przez sowiecką cenzurę baśń Jewgienija Szwarca o miasteczku od stuleci rządzonym przez trzygłowego smoka – miasteczku, do którego przybywa pewnego dnia, aby je wyzwolić, rycerz Lancelot. Nikt go tam nie wzywał ani nie chce, przyzwyczajeni do odwiecznego strachu mieszkańcy manifestują przeciwko jego obecności w mieście z tą samą potulnością, z jaką Polacy w 1976 roku manifestowali przeciwko warchołom z Radomia i Ursusa, a w chwili, gdy piszę te słowa, wynędzniali Kubańczycy, spędzeni na place Hawany, demonstrują swe uwielbienie dla zdychającego Fidela i niezłomną wolę trwania w socjalizmie. Ale Lancelot, bez względu na to wszystko, musi stanąć do walki ze smokiem, bo, jak tłumaczy, nieopatrznie zajrzał kiedyś do Wielkiej Księgi. A kto zajrzy do Wielkiej Księgi, w której dzień po dniu w magiczny sposób zapisują się wszystkie ludzkie krzywdy, ten już nigdy nie może zaznać spokoju.

Sprawozdanie Sejmowej Komisji Nadzwyczajnej do Zbadania Działalności MSW jest taką Wielką Księgą – przynajmniej dla kogoś, kto nie uległ amnezji, i pamięta, że zło komunizmu nie polegało tylko na usunięciu z partii jednego czy drugiego literata, który skasowawszy, co było do skasowania za peany na cześć Stalina, zapragnął na starość pochodzić w glorii opozycjonisty i trochę pokłapał gębą do mikrofonu zachodniemu korespondentowi. I że opozycję tworzyli nie tylko ludzie, którym w więzieniu pozwalano pisać książki, a potem wypuszczano ich na Zachód, żeby pobrylowali na tamtejszych salonach jako żywy dowód dla zblazowanych w kapitalistycznym dobrobycie lewicowych intelektualistów, że oprócz skostniałej partyjnej biurokracji jest też w krajach obozu sowieckiego zdrowy nurt lewicy rewolucyjnej, wciąż bliskiej klasie robotniczej i szczytnym ideałom marksizmu-leninizmu-trockizmu.

Opozycję tworzyli też tacy ludzie, których na zachodnich salonach nie znano i o których nikt się nie upominał.

Jak Jan Samsonowicz z Gdańska, którego znaleziono powieszonego na płocie Stoczni Gdańskiej. Wcześniej zdążył pożegnać się z synem i powiedzieć mu, że szykuje się wraz z przyjaciółmi z podziemia do dużej akcji, a żonę uprzedził, by nigdy nie wierzyła, jeśli będą mówić, że zginął w nieszczęśliwym wypadku albo popełnił samobójstwo.

Jak ludzie, którzy zakatowani zostali na śmierć przez milicjantów i ubeków. Ryszard Ślusarski z Legnicy, Stanisław Kot z Rzeszowa, Tadeusz Wądołowski, który zmarł na komisariacie kolejowym MO w Gdyni, i któremu w akcie zgonu wpisano „śmierć z przyczyn chorobowych", nie wspominając ani słowa o widocznych na ciele obrażeniach. Jak Bronisław Grzywna, w wypadku którego prokuratura przyznała nawet, że zmarł wskutek pobicia, ale śledztwo umorzyła. Jak Wacław Kulimowski, który przed zgonem sam zdążył opowiedzieć, co robiono z nim na komendzie. Jak Kazimierz Łazarski z Oleśnicy, Grzegorz Luks z Goleniowa i inni.

Czytamy, poznając jeden po drugim przypadki z perspektywy oficjalnych sprawozdań, zwykle preparowanych tak nieudolnie, że gdyby nie powaga sprawy, chciałoby się parsknąć śmiechem. Józef Kucia – zatrzymany przez milicję, znaleziony został martwy w lesie. Śledztwo ograniczyło się do wyperswadowania świadkowi, który widział, jak wciągano go do radiowozu, że nic nie widział.

Czytamy o ludziach, których po zatrzymaniu esbecy odwozili nie do aresztów, ale do izb wytrzeźwień – by Urban mógł w razie czego lekceważąco stwierdzić, że zmarły nie był żadnym tam opozycjonistą, tylko zwykłym pijakiem. Jak Krzysztof Skrzypczak z Poznania, który, według oficjalnych ustaleń komunistycznej prokuratury, będąc pijany do nieprzytomności i skrępowany skórzanymi pasami, zdołał wstać z łóżka i się powiesić.

„Powiesił się" też Jarosław Romanowski w areszcie w Suwałkach - po tym „samobójstwie" na ścianach celi pozostały ślady krwi, a na ciele wisielca obrażenia, których w chwili aresztowania bez wątpienia nie miał. Nie przeszkodziło to odnośnym władzom stwierdzić ponad wszelką wątpliwość samobójstwa. Podobnie, jak w wypadku powieszonego w areszcie w Miechowie Jana Krawca, a w Śremie Mariana Klupczyńskiego.

W przeglądanych przez komisję Rokity aktach roi się od samobójców. Niezwykłych samobójców - ni z tego, ni z owego, decydują się na ten krok, na przykład, ludzie powszechnie znani ze swej religijności. A zdecydowawszy się, zabijają się w sposób rzadko spotykany. Jak na przykład Janusz Sierocki - który, jak ustaliła peerelowska prokuratura, wyskoczył z okna. Śledczych bynajmniej nie zdziwiło, że według świadków tego „skoku" Sierocki leciał tyłem. Jadwiga Kryńska - wielokrotnie zatrzymywana za działalność opozycyjną, też w końcu „wyskoczyła z okna". 20 minut przed tym skokiem był u niej lekarz i nie stwierdził żadnych objawów samobójczych. Marek Pawlak, na popełnienie „samobójstwa" przez skok z okna swego mieszkania wybrał akurat moment, kiedy mieszkanie to przeszukiwała MO.

Są też w raporcie ofiary niezwykłych wypadków. Marcin Antonowicz - „wypadł" z milicyjnego stara. Krzysztof Struski „wypadł" z radiowozu. Stanisław Bulko „wyskoczył" z milicyjnego radiowozu wprost pod koła samochodu nadjeżdżającego z przeciwka. Wedle sekcji zwłok, odrzuconej przez prokuratora jako błędnie przeprowadzona, w chwili, gdy wyskakiwał, już był martwy.

Topielcy – Emil Barchański. Nie miał jeszcze nawet osiemnastu lat, gdy został aresztowany w konspiracyjnej drukarni. Na procesie, ku wielkiemu niezadowoleniu prokuratury i sądu, odwołał zeznania złożone w śledztwie i zeznał, że zostały one wymuszone torturami. Opisał szczegółowo, w jaki sposób był torturowany. Zwolniony do czasu rozprawy odwoławczej, wkrótce został wyłowiony martwy z Wisły. Oczywiście – samobójstwo. Śledczy nie uznali za stosowne ustalać, kim był człowiek, w towarzystwie którego widzieli go tuż przed śmiercią świadkowie. Cóż niby dziwnego – popełnianie samobójstwa z asystą było w stanie wojennym obyczajem częstym wśród działaczy podziemia, szczególnie tych, którzy nie zaliczali się do opozycyjnej „arystokracji", których losu nie śledzili korespondenci zachodnich mediów, a już zwłaszcza, jeśli mieli pecha należeć do nurtu odrzucającego porozumienie z komunistami.

Ludzie zamordowani tylko po to, by rzucić postrach na ich najbliższych. Jak Grzegorz Przemyk, jak 82-letnia matka adwokata Krzysztofa Piesiewicza, jak tłumaczka Małgorzata Grabińska, przypadkowa ofiara, którą zbrodniarze pomylili z inną Małgorzatą Grabińską, mieszkającą opodal synową opozycyjnego adwokata.

Sfingowane wypadki drogowe – jak śmierć księdza Stanisława Kowalczyka. Albo zupełnie już nieskrywane, jawnie dokonane morderstwa, które miały rzucić postrach na chwilowo pozostających przy życiu kolegów z podziemia. Piotr Bartoszcze, niezależny działacz rolniczy, zatłuczony przez „nieznanych sprawców" koło własnego domu. Krzysztof Jasiński, zakatowany na śmierć, znaleziony martwy na bocznicy kolejowej. Ksiądz Antoni Kij, ksiądz Stanisław Palimąka...

Ostatnie miesiące peerelu: 21 stycznia 1989 – zamordowany zostaje ks. Stefan Niedzielak, kapelan rodzin katyńskich. Wcześniej odbiera liczne pogróżki i „ostrzeżenia"; w dniu śmierci mówi rano do jednego z przyjaciół, że prawdopodobnie komuniści wkrótce go zabiją. Prokuratura uznaje, że ksiądz niefortunnie spadł z krzesła, i jeszcze parę miesięcy wcześniej udałoby jej się na tym sprawę zamknąć. Jednak atmosfera początku roku 1989 jest już inna, śledczy zmuszeni są do zamówienia ekspertyzy biegłego, który stwierdza, iż księdzu ktoś gołymi rękami skręcił kark – w taki sposób mógł zabić tylko zawodowy morderca, nauczony tej sztuki w specsłużbach. Kilka dni później, 30 stycznia, zamordowany zostaje w swoim domu w Dojlidach pod Białymstokiem ks. Stanisław Suchowolec. 11 lipca 1989 (! – jeszcze w ponad miesiąc po kontraktowych wyborach) w Krynicy Morskiej nieznani sprawcy mordują księdza Sylwestra Zycha.

Nawet nie mając praktycznie żadnych możliwości działania, poza stwierdzeniem, jakimi matactwami, oszustwami i udowadnianiem prawem i lewem z góry założonej tezy były oficjalne „śledztwa", odkrywa komisja Rokity istnienie w Departamencie IV SB, zajmującym się zwalczaniem Kościoła, struktury określanej kryptonimem „D". Jest to zakonspirowana komórka przeznaczona do zadań w świetle peerelowskiego prawa nielegalnych – napadów, podpaleń, pobić i morderstw.

W kilkanaście lat potem IPN udowodni, że niejawne „sekcje D" istniały nie tylko w tym, ale we wszystkich wydziałach SB. Zadaje to kłam twierdzeniom komunistycznych generałów i ich rzecznika, jakoby ewentualne zbrodnie, jeśli rzeczywiście naprawdę się tu czy tam zdarzyły, były skutkiem samowoli. Czy nawet wręcz – w wersji wymyślonej po zamordowaniu księdza Popiełuszki – jakoby były dziełem spisku zorganizowanego w służbach przez „beton" i wymierzonego właśnie w Jaruzelskiego i Kiszczaka, a w domyśle inspirowanego przez Sowietów i mającego doprowadzić do destabilizacji oraz interwencji.

Morderstwa ludzi niewygodnych dla komunistów nie były przecież w peerelu niczym nowym; w stanie wojennym tyle tylko, że zdarzały się częściej. W styczniu 1980 Tadeusz Szczepański, działacz gdańskich Wolnych Związków Zawodowych, zaginął, i dopiero po kilku miesiącach Wisła wyrzuciła jego zmasakrowane zwłoki; miały połamane palce i pozrywane paznokcie, co słabo pasowało do oficjalnych ustaleń śledztwa, jakoby Szczepański, wracając nocą z imprezy, został obrabowany, pobity i wrzucony do rzeki przez zwykłych bandytów. Gdy ostatnio historyk IPN odnalazł dokumenty świadczące o sterowaniu tym „śledztwem" przez SB, Wałęsa publicznie uronił łezkę, że bezpieka usiłowała Szczepańskiego zmusić do donoszenia na niego, Wałęsę i „przyłożyli mu za mocno". Taktownie, nikt nie zasugerował Wałęsie, że skoro Szczepański zginął, bo nie chciał kapować na przyszłego przewodniczącego

„Solidarności", to przynajmniej wobec niego – skoro już nie wobec innych pomordowanych za „Solidarność" – powinien były prezydent czuć się do czegokolwiek zobowiązany. Jako prezydent Wałęsa bardzo interesował się zawartością archiwów gdańskiej MSW, i ponoć to właśnie chęć ułatwienia sobie dostępu do nich była przyczyną usunięcia „zdrajcy" Hodysza – ale jego zainteresowanie dotyczyło tylko akt TW „Bolek", a nie morderców Szczepańskiego.

A wcześniej – pisarz Jerzy Zawieyski, leżąc w szpitalu całkowicie sparaliżowany po wylewie, miał wedle oficjalnej wersji wstać, przejść kawał korytarza, wspiąć się na parapet trudny do sforsowania nawet dla człowieka zdrowego, pokonać wysoką balustradę, i wyskoczyć. Nie umarł własną śmiercią Jan Gerhard, który zbyt wiele wiedział o śmierci komunistycznej ikony, generała Świerczewskiego. Zamordowany został studencki działacz Stanisław Pyjas, zamordowano też w szybkim czasie świadka, który mógł w ewentualnym śledztwie podważyć prokuratorskie ustalenia co do przebiegu ostatnich godzin jego życia. Skatowany przez „nieznanych sprawców" zmarł od obrażeń ks. Roman Kotlarz, który naraził się komunistom, błogosławiąc i udzielając absolucji uczestnikom robotniczych protestów w Radomiu w 1976.

W 1969 roku „spadł z dachu", akurat w czasie procesu Janusza Szpotańskiego, w którym występował jako jeden z ważnych świadków, aktor Adam Pawlikowski. Tak samo, jak usiłowano „wpłynąć" na mecenasów Piesiewicza i Grabińskiego, „wpłynięto" w latach pięćdziesiątych – poprzez śmiertelny „wypadek" córki – na poetę Broniewskiego, który, rozzuchwalony pozycją barda rewolucji, w pijanym widzie zaczął sobie pozwalać na podskakiwanie „drogim towarzyszom / drogi koniecznej acz jakże niespójnej".

Morderstwa były dla peerelowskiej bezpieki rutyną. Ich liczba nieco zmalała w okresie gierkowskiego złagodzenia kursu, wymuszonego staraniem się o zagraniczne pożyczki – charakterystyczne, że pierwszą większą amnestię dla więźniów politycznych urządzono w peerelu na okoliczność wizyty w Warszawie kanclerza RFN Willy'ego Brandta, zwalniając cichcem uczestników radomskich rozruchów i pomagających im korowców. Później Jaruzelski znowu zdjął swoim psom kaganiec. Zaczęli ginąć znani z antykomunizmu księża i działacze podziemia – wypadki, które znamy, to wciąż zapewne wierzchołek góry lodowej. W archiwach IPN znalazły się papiery świadczące, że przygotowywano się w MSW do zamordowania Wałęsy. Tylko przypadkiem nie powiodła się próba otrucia silną dawką leku Anny Walentynowicz. Nawiasem mówiąc, rozpatrywano także – wcześniej, w połowie lat siedemdziesiątych – projekt zlikwidowania w drodze „nieszczęśliwego wypadku", podczas pobytu na Zachodzie, Adama Michnika.

Mordowano i potem – Michała Falzmanna, Waleriana Pańkę, świadków jego śmierci i inne osoby badające aferę FOZZ bądź związane z dokonywanymi przez Fundusz operacjami finansowymi, szefa policji Marka Papałę, badającego interesy mafii paliwowej Marka Karpa. Poseł Gruszka, przewodniczący godzącej w interesy tejże samej mafii komisji sejmowej, wypił filiżankę kawy i padł rażony wylewem krwi do mózgu.

Nie trzeba być specjalistą od toksykologii, by wiedzieć, iż w powszechnym użyciu w medycynie jest substancja, bezwonna i pozbawiona smaku, która podana doustnie powoduje gwałtowny wzrost ciśnienia krwi, na tyle silny, że jeśli rzecz nie dotyczy człowieka idealnie zdrowego, niemal w każdym przypadku kończy się to albo wylewem, albo zawałem. Nikt oczywiście nie zbadał resztek wypitej przez Gruszkę kawy, czy aby nie pochodziła ona z tej samej paczki, z której zaparzono napitek Falzmannowi. Sam Gruszka dotąd nie odzyskał mowy. Może to jego szczęście – kiedy wspomniany już Zawieyski zaczął ją po wylewie odzyskiwać, to najbliższej nocy wyskoczył z okna.

Ale peerel mordował także i komunistów, którzy – możemy się tylko domyślać – za dużo wiedzieli o sprawach czerwonej mafii. Tak jak w okresie „Solidarności" gwałtowną śmiercią samobójczą zeszło z tego świata dwóch gierkowskich ministrów, tak już za czasów III RP pożegnali się gwałtownie z tym światem gierkowski premier Piotr Jaroszewicz czy generał Jerzy Fonkowicz, niegdyś wysoki oficer stalinowskiej Informacji Wojskowej.

Najprawdopodobniej wciąż robili to ci sami specjaliści. Ale, można powiedzieć, już w innych strukturach i na inne zlecenia.

Wróćmy do zbrodni stanu wojennego. Nazwisk zbrodniarzy komisja, z przyczyn oczywistych, ustalić nie mogła. Mogła w wielu wypadkach z dużym prawdopodobieństwem ustalić nazwiska podejrzanych funkcjonariuszy, a z całkowitą pewnością – nazwiska prokuratorów i śledczych odpowiedzialnych za celowe kierowanie śledztwa na mylne tory, niszczenie bądź fałszowanie dowodów i inne czyny, będące nawet w świetle prawa peerelowskiego przestępstwami.

Po niejasnym sejmowym „przyjęciu do wiadomości", wnioski sformułowane wobec tych osób przez komisję zostały, mocą biurokratycznego rozpędu, skierowane do stosownych urzędów. A w stosownych urzędach zajęli się ich realizacją bliscy przyjaciele lub podwładni nadal tych samych, wciąż sprawujących swe urzędy, prokuratorów, sędziów, ubeków i milicjantów. Może nawet oni sami, osobiście. Stopniowo, po cichutku, wszystkie sprawy zostały poumarzane. Nikt nie został w żaden sposób pociągnięty do odpowiedzialności.

W wywiadzie, który gazeta Michnika, jakby dla szczególnej kpiny, opublikowała w jedną z rocznic stanu wojennego, Urban ironizuje: „Ja bez przerwy, wręcz seryjnie, miałem do czynienia z jakimiś księżmi. Albo zaginął i nie można go było odnaleźć, albo się upił i zmarł. A opozycja i Wolna Europa od razu kwalifikowały to jako morderstwa popełnione przez SB i maszynka szła w ruch (...) Ja wiedziałem, że jak ktoś z opozycji, nie wiem, popełni samobójstwo, umrze na tak serca, utopi się, spali, to od razu – bez zastanawiania się, czy to przypadkiem nie był nieszczęśliwy wypadek, bo przecież w statystycznej masie się zdarzają, opozycja podniesie krzyk, że to SB, zbrodnicza władza. Bez czekania, co wykaże śledztwo".

„Bo śledztw nie było", usiłuje oponować przeprowadzająca wywiad Teresa Torańska.

„Były, proszę pani, bez przerwy były – zapewnia Urban. – MSW cały czas próbowało coś tam wyjaśniać i dostawałem jakieś umorzenia z powodu niewykrycia sprawców".

Dziennikarka „Wyborczej" uznaje tę odpowiedź za wystarczającą.

Mniej więcej w tym samym czasie postkomunistyczna „Trybuna" najbezczelniej pozwala sobie na opublikowanie nacechowanego wielką pewnością siebie stwierdzenia, że choć dekomunizacyjna prawica powołała kiedyś sejmową komisję, która miała odpowiedzialność za różne nieszczęśliwe wypadki w czasie stanu wojennego przypisać Jaruzelskiemu, to mimo starań nie udało się jej znaleźć żadnych dowodów.

Sejmowy druk 1104 wciąż pozostawał wtedy prawie nikomu nieznanym prohibitem.

We wstępie do wydania książkowego Rokita wyjaśnia, dlaczego raport spotkał taki właśnie los:

„Konkluzje raportu - jak na stan polskiej polityki jesienią 1991, krótko przed pierwszymi wolnymi wyborami parlamentarnymi - były niełatwe do zaakceptowania. Przypomnijmy je pokrótce. 78 śledztw winno być rozpoczętych od nowa, bo w latach 80. prowadzono je tak, żeby ukryć prawdę o zbrodniach. Blisko 100 funkcjonariuszy MO i SB w kręgu osób podejrzanych o popełnienie ciężkich przestępstw, w tym zabójstw. Ponad 70 prokuratorów, którzy za matactwa przy prowadzonych śledztwach winni być usunięci ze służby. Ale to nie wszystko. Czesław Kiszczak i Władysław Ciastoń odpowiedzialni za przestępstwa nadużycia władzy w związku z zabójstwami górników w kopalni „Wujek" (...) Udokumentowane przyzwolenia władz na strzelanie do bezbronnych ludzi ostrą amunicją w latach dyktatury Jaruzelskiego. Udokumentowane świadectwa stosowania tortur dla wymuszenia zeznań, aż do zgonu osób torturowanych. (...) Dowiedziona teza o gotowości użycia w tamtych latach przez władze wszystkich instytucji w państwie, z sądami i Radą Państwa włącznie, dla zagwarantowania bezkarności zabójcom z milicji. Udokumentowane przestępcze przygotowania PZPR do wprowadzenia stanu wojennego, podjęte *de facto* dokładnie dzień po podpisaniu Porozumienia Gdańskiego. Wykryty związek przestępczy wewnątrz MSW (»D«) przeznaczony do dokonywania prowokacji, napadów, porwań i podpaleń. Na koniec, udowodniona dziesiątkami szczegółowo udokumentowanych faktów teza, opisująca komunistyczne MSW jako instytucję »w całości służącą wywoływaniu i ochranianiu działań poszczególnych organów MSW i pojedynczych funkcjonariuszy«".

W grudniu 2000 roku, mianując szefa tegoż MSW „człowiekiem honoru", oznajmi Michnik, że siadając do Okrągłego Stołu generałowie „odkupili swe winy sto tysięcy razy". Z tej opinii nie wycofał się do dziś.

* * *

Czasem zadajemy sobie w Polsce pytanie o Katyń. Jak było możliwe, że tę zbrodnię Zachód całkowicie wyrugował ze swej świadomości? Dlaczego tam, w wolnych krajach, gdzie można było przecież mówić swobodnie całą prawdę – nikt tej prawdy nie chciał mówić, nikt jej nie chciał słuchać?

A tu oto mamy nowy Katyń, Katyń wolnej Polski, która nie chciała i nie umiała upomnieć się o ofiary stanu wojennego – choć znalezienie zbrodniarzy było naprawdę łatwe.

Łatwe. Ale nikomu nie na rękę. Poza ofiarami, które już i tak nie żyły. Z oczywistych względów nie chcieli tego postkomuniści. Z tych samych względów, aby nie osłabić pozycji postkomunistów, dla których widziała istotne zadania w walce z Polską „ciasną, zaściankową i kultywującą własne kompleksy", nie chciała tego michnikowszczyzna – przecież pomordowani przez komunistyczną bezpiekę to byli potencjalni męczennicy dla „jaskiniowych antykomunistów" i „oszalałych z nienawiści dekomunizatorów". Nie chciał też tego Wałęsa, który pomysł na rządzenie wolną Polską miał taki, że zostanie dla bezpieki nowym ojcem chrzestnym, i na niej właśnie oprze swą władzę. Symbolicznie pokazał bezpieczniakom, jakie z niego ludzkie panisko, usuwając ze służby w Urzędzie Ochrony Państwa kapitana Adama Hodysza – byłego funkcjonariusza SB, który współpracował z „Solidarnością" i został za to w peerelu skazany i uwięziony. W wolnej Polsce, zrehabilitowany i przywrócony do pracy w służbach specjalnych, dostał od Wałęsy wilczy bilet z uzasadnieniem: „nie można premiować zdrady". Z tą samą argumentacją „legendarny" przywódca „Solidarności" odmówił jakiegokolwiek uhonorowania pułkownika Kuklińskiego. Żeby nie było wątpliwości, że ci, którzy w latach osiemdziesiątych dopuszczali się zbrodni w służbie Jaruzelskiemu, teraz są już „jego" ubekami, i jeśli będą służyć jemu, nic im się złego stać nie może.

Kto rzeczywiście był w tym układzie stroną silniejszą, jasno pokazuje fakt, że to nie ubecy Wałęsie, ale on im starał się zamanifestować swoją lojalność.

* * *

Fragment z zeznań świadków zakatowania przez funkcjonariuszy MO Mariana Bednarka, które włączone zostały do „raportu Rokity": „Słyszałem dudnienie, bito tego mężczyznę tak, że pałki nie schodziły z niego. Jedna za drugą. Bili go tak około 15 minut... Reakcją były tylko jęki. Zaraz potem ucichł, nic nie krzyczał, a pałki uderzały jak w drzewo... Nabierano do wiadra wody, następnie otwierano celę i wodę tam wlewano... Około godziny 23 słyszałem, jak Bednarek zaczął okropnie wyć. Wył w sposób nieludzki".

Adam Michnik znalazł czas, aby wystąpić w obronie włoskiego komunisty, skazanego za zamordowanie komisarza policji. Dla opisania losu śp. Mariana Bednarka nigdy nie znalazł w swej gazecie ani skrawka miejsca, choć został on zakatowany właśnie za to, żeby Michnik mógł kiedyś zostać posłem i redaktorem naczelnym gazety wychodzącej ze znaczkiem „Solidarności".

Podobnie, jak nigdy nie uznał Michnik za potrzebne przypomnienie o losie którejś innej z listy – zapewne wciąż jeszcze niepełnej – 122 ofiar komunistycznego bezprawia schyłkowego peerelu.

Znalazł za to miejsce, aby już w grudniu 1990 opublikować artykuł generała Kiszczaka, wzywający, aby „zaprzestać dzielenia Polaków na lepszych i gorszych". Decyzją Michnika szef komunistycznej bezpieki, przełożony zbrodniarzy, który (sam Michnik i jego totumfaccy nigdy nie odważyli się temu zaprzeczać, woleli sprawę zamilczeć tak, jak zamilczano w peerelu zbrodnię katyńską) doskonale wiedział, do czego służyły w jego resorcie „sekcje D", który (o czym Michnik też już wtedy musiał wiedzieć) osobiście nadzorował akcję, mającą na celu uwolnić od kary morderców Grzegorza Przemyka, a doprowadzić do skazania ludzi niewinnych – człowiek ten z łamów gazety „Solidarności", gazety, która miała być odtrutką na wieloletnie kłamstwa propagandy peerelu, pouczył Polaków, co to jest moralność i uczciwość. I zaprotestował gorąco przeciwko mającym jakoby miejsce prześladowaniom byłych członków PZPR. „Gazeta Wyborcza" opublikowała jego wynurzenia bez słowa komentarza. A po kilku dniach postawiła kropkę nad „i" tekstem Teresy Boguckiej, formułującym tezę, która stanie się na długie lata mantrą michnikowszczyzny: istniejące normy prawne nie pozwalają pociągnąć nikogo do odpowiedzialności za przestępstwa popełnione w peerelu, więc rozliczenia wymagałyby sięgnięcia po metody rewolucyjne, a sięgać po takie metody nie wolno, bo zniszczyłoby to rodzącą się dopiero demokrację; innymi słowy, w imię wyższych racji nie można pozwolić, aby za popełnione w peerelu przestępstwa spadł komukolwiek włos z głowy.

Dlaczego pod tą myślą nie podpisał się swym nazwiskiem sam Michnik, choć przecież nie ma wątpliwości, że całkowicie się z nią zgadzał? Może dlatego, że jest człowiekiem ostrożnym, a publikując tezy pani Boguckiej musiał doskonale wiedzieć, iż są one jednym wielkim kłamstwem. Pomińmy kwestię, czy w obliczu zbrodni totalitarnego reżimu zasadne jest trzymanie się kazuistycznie pojmowanej litery prawa napisanego na własne potrzeby przez zbrodniarzy. Zbrodnie stanu wojennego nie nastręczają pod tym względem żadnego problemu, albowiem dokonywano ich wbrew prawu formalnie wówczas obowiązującemu - co nawet sam Michnik raczył w cytowanym wyżej apelu o abolicję dla „architektów stanu wojennego" zauważyć. Rozliczenie ich, wbrew uporczywie przez michnikowszczyznę powtarzanemu kłamstwu, w najmniejszym stopniu nie wymagało sięgania po „metody rewolucyjne". Komisja Rokity, której samo istnienie, nie mówiąc o pracach, zostało w „Wyborczej" i innych uległych michnikowszczyznie mediach, całkowicie zamilczane, stanowiła tego jednoznaczny dowód.

„Słychać dziś znów wrzaskliwe wezwania do dekomunizacji i rozliczeń. I demagogiczne hasła o rządzących Polską zdrajcach, zbrodniarzach, złodziejach... chcę z całą mocą zaprotestować przeciwko tej retoryce nienawiści. Nie rozumiem tego języka i nie aprobuję go. Ten język jest bowiem kalkowym odbiciem bolszewickiego czy też jakobińsko-bolszewickiego sposobu myślenia o politycznych przeciwnikach. To nie jest język ludzi budujących demokrację, to jest język ludzi szykujących nową Noc Świętego Bartłomieja" - oznajmia poseł Michnik drukiem w trzy tygodnie po przedstawieniu raportu Rokity Sejmowi.

Stanie się to jego ulubioną śpiewką: to nie zbrodniarze z UB i MO, nie ich przełożeni, nie wczorajsi jeszcze szefowie partii i aparatu terroru, są komunistami. To ci, którzy domagają się wymierzenia im sprawiedliwości, zasługują na miano bolszewików i hunwejbinów.

A w roku 1998 w szkicu o pułkowniku Kuklińskim, odmawiając mu przypisywanej przez niektórych (np. Jana Nowaka-Jeziorańskiego) zasługi uratowania Polski przed sowiecką interwencją, stwierdzi Michnik, iż „jeśli ktoś realnie ocalił Polskę od katastrofy" to „polityka ekipy Jaruzelskiego, która nie dążyła do krwawej rozprawy i nie prorokowała krwawych reakcji odwetowych. Podczas stanu wojennego zginęło znacznie mniej osób, niż na przykład w czasie zamachu majowego w 1926. Również to odsunęło problem sowieckiej interwencji".

Co znaczą te słowa, jeśli zastanowić się nad nimi przez chwilę? Że polityka terroru „punktowego", opartego na założeniu, że zamiast pacyfikować masowe protesty, lepiej zawczasu sterroryzować, a jeśli się nie dadzą złamać, zamordować ich potencjalnych przywódców i kapelanów, którzy mogliby do nich porwać tłumy – zasługuje na usprawiedliwienie, bo okazała się, *summa summarum*, dla Polski dobra!

Być może polityk może sobie pozwolić na takie rozumowanie. Podobno Churchill pozwalał sobie – choć nigdy publicznie – na analizy, brzmiące nie mniej, a nawet jeszcze bardziej cynicznie.

Ale komuś, kto chce na życie publiczne wpływać jako moralista, podobne myśli nie miały prawa nawet przemknąć przez głowę.

* * *

W czasie, kiedy Kozłowski i Mazowiecki drżeli z lęku, aby im podwładni nie stawili zbrojnego oporu, w MSW trwała energiczna krzątanina.

To, rzecz jasna, nie znaczy, że wcześniej SB próżnowała. Ani trochę. Mimo wielomiesięcznego, systematycznego niszczenia archiwów, możemy dziś mniej więcej odpowiedzieć, czym się zajmowała. Oficjalny plan działań Departamentu III na rok 1989 stawiał zadanie „wspierania grup konstruktywnej opozycji, która wspierałaby reformatorskie poczynania władz polityczno-państwowych" oraz „agenturalne opanowanie" organizacji niekonstruktywnych – wytyczne wymieniają tu zwłaszcza KPN i PPS – w celu „dążenia do rozbicia od wewnątrz tych organizacji". Michnik, dzieląc siły polityczne w Polsce na sprzyjające kompromisowi i zagrażające mu, i uznając, że podział ten ma charakter nadrzędny wobec tradycyjnych politycznych podziałów pomiędzy prawicą a lewicą, nie był, jak widać, oryginalny – przejmował tylko myślenie od lat organizujące pracę Firmy.

To nie znaczy, że opozycja „konstruktywna" nie była czujnie obserwowana. W ramach operacji pod kryptonimem „Żądło" bezpieka zdołała umieścić w Komitecie Obywatelskim przy Lechu Wałęsie co najmniej dziesięciu swoich kapusiów – na 135 osób tworzących w sumie to ciało; ilu ich umieściła w OKP, nie wiemy. Ale inwigilacja i represje wobec opozycji „niekonstruktywnej" trwały w najlepsze także po czerwcu 1989. Jak długo? Być może rzuci na te sprawy więcej światła śledztwo w sprawie tzw. szafy Lesiaka, czyli dokumentów z czasów rządu Suchockiej, dowodzących prowadzenia przez funkcjonariuszy ówczesnego Urzędu Ochrony Państwa nielegalnych działań przeciwko politykom opozycji. Jeszcze w latach 1993 i 1994 politycy związani z obalonym rządem Olszewskiego i partiami ostro atakującymi Okrągły Stół nękani byli w sposób typowy dla rutynowych „działań dezintegracyjnych", stosowanych przez SB w peerelu wobec opozycji – telefony z pogróżkami, cięcie opon i przewodów hamulcowych, w kilku wypadkach grożące naprawdę niebezpiecznymi wypadkami, podpalanie samochodów, wyszukiwanie i preparowanie „haków" dotyczących życia prywatnego i rzekomych przekrętów etc. Podsłuch założony wtedy w redakcji „Gazety Polskiej" oglądałem na własne oczy. W atmosferze owych lat przypadki takie nie kwalifikowały się do informowania o nich w wiodących mediach, przemykały po łamach prawicowych gazetek, dając publicystom michnikowszczyzny asumpt do kpiarskich felietonów ośmieszających obsesje prawicowców i ich użalanie się na rzekome prześladowania.

Według planu, miękkie lądowanie dla komunistów miała gwarantować sejmowa większość i prezydent, wyposażony w szeroki wachlarz uprawnień – nawet tak daleko idących, jak prawo rozwiązania w dowolnej chwili parlamentu. Ale, jako się rzekło, plan zawiódł, i to tam, gdzie się tego zupełnie nie spodziewano: okazało się, że czerwoni nie mogą liczyć na swoich ludzi w Sejmie. W każdym razie nie na wszystkich. Skala wyborczego zwycięstwa Komitetów Obywatelskich, a raczej skala wyborczej klęski tzw. koalicji, czyli sił starego reżimu, oraz upadek reżimów ościennych, podziałała deprymująco nie tylko na średni aparat w terenie, ale także na część nowo wybranych posłów. Zresztą, wskutek postępującego lawinowo rozkładu PZPR, znaleźli się wśród nich i tacy, którzy startując z dalszych miejsc list PZPR czy „stronnictw sojuszniczych" z poparciem miejscowej „Solidarności", pozajmowali mandaty przewidziane dla liderów tychże list.

W efekcie – doszło do tego, że kilku posłów z bloku rządowego wyłamało się z głosowania za prezydenturą dotychczasowego genseka. Do jego elekcji zaczęło brakować głosów – cała operacja ratowania nomenklatury brała w łeb w kluczowym punkcie. Wprawdzie Wałęsa i jego ludzie po raz drugi już – po kryzysie z wyciętą przez wyborców listą krajową – usłużnie uratowali partnerów historycznego kompromisu, niczego w zamian nie żądając i dzięki nieobecności bądź demonstracyjnemu oddaniu głosów nieważnych przez kilkunastu posłów i senatorów OKP Jaruzelski ostatecznie został prezydentem, jednym głosem. Ale zaraz potem, jak już się pisało, znalazła się sejmowa większość dla powołania komisji jednoznacznie wymierzonej w najbardziej żywotne interesy dotychczasowego reżimu.

Pierwsi wyłamali się, jak zresztą należało się spodziewać, pezetpeerowscy „koalicjanci" z ZSL i SD. W peerelu traktowani przez Politbiuro jak małpy kataryniarza, skorzystali skwapliwie z okazji do odpokutowania dziesięcioleci serwilizmu, i przyjęli ofertę Wałęsy utworzenia koalicji z OKP. Ten ruch Wałęsy był bardzo nie w smak Familii – ogłoszony przez Michnika manifest „Wasz prezydent, nasz premier" postulował inną sytuację, „wielką koalicję" OKP z PZPR. Na dodatek Wałęsa do przeprowadzenia swojego planu wyciągnął z tylnych szeregów człowieka zupełnie przez salon nieakceptowanego, ówczesnego senatora Jarosława Kaczyńskiego. „Niedobrze, że Wałęsa ci to dał, to powinien prowadzić Geremek. Tylko pamiętaj, że są już pewne układy, że trzeba będzie Kwaśniewskiego wprowadzić do rządu" – miał, według relacji Kaczyńskiego, oznajmić mu wtedy Kuroń. Koalicja OKP z ZSL i SD nie dawała jeszcze wystarczającej liczby głosów do powołania rządu – w kontraktowym parlamencie nie dało się tego zrobić bez PZPR – ale zmieniała polityczny układ, choćby dlatego, że teoretycznie wyobrażalne stało się odwołanie Jaruzelskiego z Belwederu.

Dlatego też w sierpniu 1989, w chwili, gdy jest już oczywiste, że premierem będzie nie generał Kiszczak, tylko ktoś z przeciwnej strony, ale jeszcze przed powołaniem Mazowieckiego, Kiszczak wprowadza w życie „plan B", czyli rozpoczyna gruntowną reformę MSW – zanim chciałby ją zacząć ktokolwiek inny. W następnych miesiącach zostaną polikwidowane dotychczasowe departamenty i biura, a cywilny wywiad i kontrwywiad formalnie wyprowadzony poza struktury SB. Z 25 tysięcy funkcjonariuszy zostaje w zreformowanej SB trzy i pół – późniejsze weryfikacje, dążące do usunięcia ze służb specjalnych wolnej Polski esbeków szczególnie skompromitowanych, będą miały w związku z tym raczej symboliczny charakter, tym bardziej że wobec zniszczenia dokumentów problemy mogą mieć właściwie tylko ci „pechowcy", których akurat ofiara zapamiętała z twarzy i nazwiska. Właśnie potrzeba zniszczenia dokumentacji jest jedną z dwóch głównych przyczyn całej reformy. Gdy w styczniu 1990 akcja ta przybiera takie rozmiary, że staje się tematem konferencji prasowej posłów OKP, i nawet „Gazeta Wyborcza" musi o sprawie napisać, kierownictwo resortu uspokaja właśnie tym argumentem: to tylko rutynowe niszczenie niewielkiej części dokumentów, które stały się zbędne wskutek reformy organizacyjnej.

W tym samym czasie płoną także protokoły z posiedzeń biura politycznego KC PZPR, szczególnie te z lat ostatnich, kiedy obradowano tam nad szykowaną transformacją. A także, prawdopodobnie – bo na ten temat wciąż jeszcze nic pewnego nie wiemy – co cenniejsze dokumenty Wojskowych Służb Informacyjnych.

Warto swoją drogą zwrócić uwagę: niszczenie archiwów było w świetle obowiązującego wówczas prawa działaniem jednoznacznie przestępczym. Michnikowszczyzna swą pobłażliwość dla zbrodni peerelu i powolność w likwidowaniu odziedziczonych po reżimie peerelu instytucji wielokrotnie motywowała koniecznością przestrzegania właśnie litery prawa – prawa peerelowskiego. Uczepiła się postulatu praworządności w sposób iście maniakalny, ilekroć ktokolwiek postulował likwidację tej czy innej postkomuszej patologii, natychmiast wsiadano na niego w „Wyborczej" z oskarżeniem, że lekceważy sobie prawo. Trąbiono, że nie wolno potępiać procederu wysysania pieniędzy z państwowych firm przez spółki „ojców chrzestnych" z PZPR, gdyż był to proceder w pełni zgodny z napisanym specjalnie w tym celu prawem.

Dla Jacka Kuronia, w przytaczanym wyżej wystąpieniu, lekceważeniem prawa było nawet urządzenie pod domem Jaruzelskiego pikiety mającej przypominać o ofiarach stanu wojennego.

A jednocześnie – kiedy prace komisji Rokity wykazywały, że przestępcy ze stanu wojennego łamali właśnie ówczesne prawo, nie było to przyjmowane do wiadomości. Podobnie, kiedy niszcząc archiwa łamano prawo w najlepsze niemalże na oczach nowego premiera, ten przez wiele miesięcy udawał, że nie zauważa, a zmuszony do zauważenia, ograniczył się do wydania zakazu dalszych takich działań i bodaj nigdy nie próbował sprawdzić, czy go posłuchano. Ani „Gazeta Wyborcza", ani inne gazety, dostosowujące się do nadawanego przez nią tonu, bynajmniej go do tego nie wzywały, ani nie starały się „jątrzyć" w jakikolwiek inny sposób, wytykając postkomunistom naruszanie praworządności. Nie protestowały też, gdy ostatecznie, po latach, uruchamiane pod naciskiem solidarnościowych „dołów" śledztwa w sprawie niszczenia archiwów były przez prokuratury po cichutku umarzane bez postawienia komukolwiek zarzutów.

Jak z tego widać, postulat przestrzegania prawa od samego początku traktowany był przez michnikowszczyznę instrumentalnie i dotyczył tylko jednej strony toczonego sporu o przyszłość Polski.

Co stało się z funkcjonariuszami, którzy pod koniec roku 1989 masowo wyrejestrowywani byli z SB, a nie przeszli do wywiadu i kontrwywiadu? Jakiś tysiąc wysłano na wcześniejsze emerytury lub renty inwalidzkie, ze dwa przeniesiono do milicji – można sądzić, że dotyczyło to raczej tych mniej lotnych. Ogromnej liczbie zapewniono „miękkie lądowanie" poza resortem – w tworzących się właśnie firmach ochroniarskich, w związkach i klubach sportowych, w centralach handlu zagranicznego i, oczywiście, w bankach. Kiedy w roku 2002 wpływowy prezes PZU Cezary Stypułkowski spowoduje wypadek drogowy, w którym śmierć poniosą 3 osoby, z opresji wyciągać go będzie jeden z jego dyrektorów, były funkcjonariusz zbrodniczego Wydziału „D" z Krakowa. Załatwi tę sprawę – w której przewijają się lewe ekspertyzy, zaniechanie przesłuchań świadków, i wszystkie inne elementy upodobniające ją do „śledztw", którymi zajmowała się komisja Rokity – z orzekającym sędzią, który, jak później się okaże, był za peerelu Tajnym Współpracownikiem SB. Swój do swego po swoje. O tym wszystkim będzie mogła „Gazeta Polska" napisać dopiero w sierpniu 2006. A przecież mówimy o człowieku, który zarządzał jedną z największych grup finansowych w Polsce. Ktoś, oczywiście, może sądzić, że ci, którzy go ocalili przed więzieniem, nie zażądali niczego w zamian. Będzie miał w pewnym stopniu rację. O tyle, iż, znając nieco elity III Rzeczpospolitej, mogę sądzić, że istotnie żądać od niego nic nie musieli. Sam na pewno doskonale wiedział, jak się odwdzięczyć.

Wracając do roku 1989 – poza tymi pracownikami Firmy, których przeniesiono do pracy „pod przykryciem", było też bardzo wielu już przygotowanych, by odejść do biznesu, którym zajmowali się bezpośrednio lub za pośrednictwem członków rodzin od co najmniej kilku lat.

Nie było to dla szefów MSW tajemnicą, zresztą angażowanie się funkcjonariuszy w taką działalność nie mogłoby się odbywać bez przyzwolenia ich przełożonych. Czesław Staszczak, szef służby polityczno-wychowaczej MSW, na odprawie kadry kierowniczej w Legionowie już na początku roku 1989 zapowiadał „jeśli na to wskazuje interes służby" „udzielanie zgody funkcjonariuszom na dodatkową pracę poza resortem spraw wewnętrznych", i, w innym miejscu swego wystąpienia, „stworzenie funkcjonariuszom możliwości uzyskiwania nowych dochodów". Wydaje się, że było to raczej oficjalne pobłogosławienie przez kierownictwo resortu procesu nasilającego się od lat, niż zapowiedź jakiejś nowej polityki kadrowej.

W powyższych słowach Staszczaka zwracam uwagę na odwołanie się do „interesu służby". Można w tym widzieć tylko rytualne zaklęcie, mające uczestnikom odprawy osłodzić wiadomość, że już nie tylko partia, ale i bezpieka zaczyna się rozłazić za szmalem. Ale można też, i skłonny jestem raczej tak rozumieć jego słowa, wyczytać informację, że towarzysze służby, przechodzący do czynności w biznesie, bynajmniej nie przestają być funkcjonariuszami SB.

Jest to chyba dość oczywiste. Lojalność wobec Firmy obowiązuje dożywotnio. To jasne, że gdy do takiego umieszczonego w bankowości, handlu czy gdziekolwiek indziej majora, kapitana albo porucznika SB przychodził człowiek wiarygodnie powołujący się na Firmę, traktowany był w sposób, powiedzmy, szczególny.

Mówiąc nawiasem, w tym samym czasie, gdy odbywała się odprawa w Legionowie, inny z odpowiedzialnych za socjalistyczne morale funkcjonariuszy – szef Służby Kadr i Doskonalenia Zawodowego MSW, Józef Chomętowski – siedział nad raportem dokumentującym analogiczne przemiany w MO, a przy okazji także nasilający się odpływ funkcjonariuszy, kłopoty z werbowaniem nowych i postępującą niechęć pozostałych do „bronienia socjalizmu" w jakiejkolwiek jego formie. Oczywiście, milicja uważana była wobec SB za służbę podrzędną, więc i możliwości tamtejszych chłopaków były odpowiednio mniejsze. Ale i w MO kto mógł, starał się je wykorzystać.

Powstawała w ten sposób siatka powiązań, czy raczej wiele siatek powiązań, oplatających od zarania poddaną transformacji gospodarkę i budowane struktury administracyjne nowej, wolnej Polski.

Ta siatka była znacznie gęstsza, niż wynikałoby to ze wszystkiego, co wyżej napisałem. Pisałem bowiem tylko o SB i milicji. Mimo wszystkich starań, zostały one w końcu poddane w nowej Polsce weryfikacjom, doszło do organizacyjnych i personalnych zmian, choć jak bardzo niewystarczających, najlepszym dowodem fakt, że w szesnaście lat po tych zmianach mogło się okazać, iż generał policji, jeden z tych funkcjonariuszy, którzy w ramach reform Kiszczaka przeszli do milicji z SB, zastępca Komendanta Głównego, szefował zagnieżdżonej w strukturach KG strukturze, której jego następca nie wahał się nazwać „związkiem przestępczym". Czyli, mówiąc językiem potocznym, mafii, która ciągnęła kasę z ustawiania przetargów na zaopatrzenie dla policji tak, aby zarabiały na nich zaprzyjaźnione firmy.

W chwili, gdy piszę tę książkę, śledztwo dopiero się rozpoczęło, i pewnie dopiero przed nami potwierdzenie informacji, jakie to powiązania miała mafia z Komendy Głównej Policji z innymi. Podobnie, dopiero zaczęło się śledztwo w sprawie analogicznej mafii w Ministerstwie Finansów, gdzie grupa urzędników – pracujących tam niezmiennie od kilkunastu lat – udzielała podatkowych zwolnień wybranym firmom i osobom, między innymi takim, o których wcześniej już było wiadomo, że są powiązane ze „zorganizowaną przestępczością".

Bo też – cóż to była w III Rzeczpospolitej ta „zorganizowana przestępczość"?

„Mafia! – zirytował się Wiktor Suworow, kiedy zapytałem go w wywiadzie o skalę tego zjawiska w jego ojczyźnie. – A cóż to jest mafia?! Jacyś kołchoźnicy, myśli ktoś, pozsiadali z traktorów, i założyli mafię? Mafia to KGB, to GRU, to nomenklatura, jej podrzędne struktury, które w chwili rozkładu uwolniły się spod kurateli Kremla!"

Ano właśnie. Nam przez wiele lat kazano wierzyć, że mafia w Polsce, jeśli w ogóle istnieje (bo trzeba było niejednej strzelaniny w motelu „George", aby to przyznano), jest dziełem drobnych cinkciarzy z podwarszawskich miejscowości. Że mafia to bandy ich ogolonych na łyso podwładnych z rozumem w pięści, którzy nachodzą właścicieli sklepów i knajp z żądaniem haraczu.

Kto chce, niech wierzy, że jeden cinkciarzyna z Pruszkowa i drugi z Wołomina mogliby wymyślić i przeprowadzić takie miliardowe interesy, jak masowe fałszowanie paliwa czy wyłudzanie VAT-u, że umieliby wysyłać do Południowej Ameryki broń z zapasów „ludowego" wojska i w zamian sprowadzać stamtąd kokainę. Kto chce, niech wierzy, że jakiś ogolony tępak mógłby zastrzelić generała policji i odejść niezauważony, nie korzystając z niczyjej ochrony. Że zamkniętego w wiedeńskiej celi „Baraninę" mogło powiesić paru zwykłych osiłków, którzy bandyckie wykształcenie zdobyli w ulicznych mordobiciach, i że oni mogli też wyczyścić bez pozostawienia śladów jego sejf, w którym gangster, jak mówił wielu ludziom (i pewnie ten brak dyskrecji skrócił mu życie) trzymał dokumenty stanowiące jego „polisę ubezpieczeniową".

Ja, przykro mi, nie wierzę. Ów znany nam z prasowych publikacji najniższy poziom zorganizowanej przestępczości w Polsce nie mógłby długo funkcjonować, gdyby nie miał patronów wyżej – w prokuraturach, w policji, w lokalnej i centralnej administracji państwa.

Cóż tu zresztą ma do rzeczy wiara? Weźmy jeden tylko krzyczący przykład, jakim było zamordowanie generała Papały. Oto przypadkiem, przy innej okazji, wpadł parę lat temu w ręce sprawiedliwości zawodowy morderca, który zeznał, iż namawiano go na to właśnie „zlecenie". Podał nazwisko „biznesmena", Edwarda Mazura, Polaka z obywatelstwem amerykańskim, który służył w tym zleceniu za pośrednika. Ponieważ Mazur był akurat w Polsce, został aresztowany. Zanim jednak zdążono go przesłuchać – do prokuratury trafiło stanowcze polecenie z samej góry, aby go wypuścić. Więc został wypuszczony. I... I co zrobił? Myślicie Państwo, że jak najszybciej pognał na najbliższy samolot do Ameryki?

Nie. Pojechał na imieniny byłego generała SB, aktualnie pełniącego wysoką funkcję w Komendzie Głównej, i bawił się tam całą noc w towarzystwie najwyższych oficjeli resortu, z samym Ministrem Spraw Wewnętrznych włącznie. I dopiero rano nie niepokojony przez nikogo (któż by śmiał?) udał się na lotnisko i odleciał do USA.

A to Polska właśnie. Mówimy oczywiście o Polsce Kwaśniewskiego i Millera, z Michnikiem jako duchowym patronem i czołowym autorytetem moralnym – bo rzecz miała miejsce w czasach przedrywinowych, gdy wszyscy trzej panowie żyli ze sobą w najlepszej zgodzie.

Potem co prawda zmieniła się władza, a na dodatek sprawa wyciekła do mediów i zaczęła bulwersować, więc prokuratura musiała się wziąć za załatwianie ekstradycji z USA tak gładko wypuszczonego z rąk podejrzanego. Tylko tak ją jakoś od lat załatwia, że a to zapomni coś dołączyć do ekstradycyjnego wniosku, a to się z nim spóźni, a to popełni w nim parę dziecinnych błędów formalnych, i papiery apiać wrócą do Polski. Ot, zabawa w ciuciubabkę – podobnie, jak wciąż przedłużane i nieposuwające się od lat ani na krok do przodu śledztwo w sprawie zamordowania Papały.

W latach osiemdziesiątych wyjechał z Polski człowiek skazany na długoletnie więzienie za zamordowanie staruszki. Jakimś cudem, jak gdyby nigdy nic, wyszedł z tego więzienia, dostał paszport na zmienione nazwisko i poleciał sobie do Szwajcarii. Tam został pracownikiem banku. Pracował sobie w tym banku, załatwiając różnym osobom z kraju różne interesy, o których byłoby ciekawie się czegoś dowiedzieć, ale, niestety, na razie nic nie wiemy. Aż nagle Interpol doszedł, że ów bankier to naprawdę człowiek oficjalnie w Polsce poszukiwany, zbiegły z więzienia morderca – więc go zapuszkował i odstawił do Polski, wywołując tu konsternację, bo nikt z naszych władz bynajmniej o to Interpolu nie prosił. Co się wtedy stało? W tempie superekspresowym, w ciągu zaledwie miesiąca, trafił do prezydenta Kwaśniewskiego wniosek o ułaskawienie, ten go natychmiast podpisał, i już po paru dniach bankier mógł spokojnie wracać do Szwajcarii.

A to Polska właśnie. III Rzeczpospolita.

To nie prokuratura, to dziennikarze - ale nie ci z „Gazety Wyborczej", której te tematy nigdy nie interesowały - odkryli w końcu, że „Baranina", „Nikoś", „Pershing", „Wańka" i inni głośni bossowie mafii, w latach 70. i 80. współpracowali z esbecją i milicją. Że korzystali z ochrony oficerów tych służb, a w zamian załatwiali dla nich interesy. Inni dziennikarze przypomnieli o aferze „Żelazo", gdzie na podobnej zasadzie posłużyli się przestępcami - tylko do dokonywania napadów, kradzieży i morderstw za granicą - funkcjonariusze peerelowskiego wywiadu. Przestawiano ją jako aberrację, nadużycie władzy przez grupę oficerów - ale czy musimy w to wierzyć? Czyż peerelowski wywiad nie miał licznej grupy „polonijnych biznesmenów", którym pozwalano robić interesy po obu stronach granicy, chyba przecież nie bez wywdzięczania się za tę szczególną łaskę (z tej grupy wywodzi się też wspomniany Edward Mazur). I czyż wielu z owych „pionierów" polskiego biznesu, bądź członków ich rodzin, nie znajdowaliśmy potem na samych szczytach list najbogatszych obywateli RP?

Dziennikarze ujawniają dziś zeznania ludzi takich, jak Zdzisław Herszman, który w latach osiemdziesiątych, przyjeżdżając do Polski, wynajmował po kilka najlepszych apartamentów w „Bristolu" i przyjmował tam gromady ówczesnych młodych cwaniaczków z PZPR, późniejszych najwyższych rangą dygnitarzy III Rzeczpospolitej. Ów Herszman siedzi dziś w szwedzkim więzieniu i opowiada tamtejszym prokuratorom o tym, jakie i z kim robił interesy najpierw w peerelu, a potem w niepodległej Polsce, i jak podczas wizyt w naszym kraju chronili go funkcjonariusze BOR. Tylko patrzeć, jak dojdzie nas wiadomość, że Herszman, wzorem Barańskiego, też się powiesił w więziennej celi.

Ta siatka, wracając do przerwanego wątku, była znacznie gęstsza – bo wciąż piszę tu tylko o SB i o milicji. Ta druga – jako się rzekło – uważana była za służbę w stosunku do SB podrzędną. Ale z kolei SB była służbą podrzędną wobec wywiadu i kontrwywiadu wojskowego, który w III Rzeczpospolitej przybrał miano Wojskowych Służb Informacyjnych. Poza tą zmianą nazwy nie ruszyło go nic. W WSI nie było żadnych, nawet najbardziej symbolicznych weryfikacji i żadnych reform. Ile zniszczyły one ze swoich archiwów, nie wiadomo. Co zrobiły z funduszami operacyjnymi, jak wykorzystały agentury – nie wiadomo. Nie dlatego tu o nich nie piszę, że nie byłoby o czym. Prawdopodobnie dopiero tam kryją się odpowiedzi na wszystkie pytania, które należałoby zadać, aby poznać prawdziwą historię III Rzeczpospolitej. Prawdopodobnie tam rodziły się wcielone potem w życie pomysły przeprowadzenia w Polsce bezprecedensowego eksperymentu przejścia z jednego ustroju do drugiego w taki sposób, aby w nowym systemie zachowała władzę i stan posiadania ta sama warstwa, która miała ją w poprzednim. Sam fakt, że Jaruzelski postawił na czele służb cywilnych właśnie Kiszczaka, człowieka „razwiedki", nie pozostawia wątpliwości, jaka była od czasów stanu wojennego prawdziwa hierarchia władzy w peerelu.

„W latach 90. setki oficerów byłej SB i milicji mających kontakty z przestępczym podziemiem po prostu stanęło na jego czele" – tak w roku 2006 piszący o tym dziennikarze streścili zeznania Herszmana i innych „skruszonych", Wojciecha Papiny i Marka Mincberga. Ale przecież już w roku 1999 przygotowany w MSW raport o przestępczości zorganizowanej, oprócz generalnych statystyk (w kraju działać miało wówczas 475 grup przestępczych, liczących łącznie 4 tysiące uzbrojonych gangsterów) podawał informację, że 80 procent (!) przywódców podziemia przestępczego było w peerelu informatorami lub Tajnymi Współpracownikami służb specjalnych.

Uważam się za dość pilnego czytelnika gazet, zresztą, z racji zawodu jestem do tego wręcz zmuszony. Ale nie przypominam sobie, aby w chwili powstania tego raportu MSW ktoś o nim informował; michnikowszczyzna była wtedy przecież u szczytu swych wpływów i do dobrego tonu należało raczej wyśmiewać „aferomanię", niż jej ulegać. Mniej więcej w czasie, gdy tak istotne opracowanie na temat polskiej mafii powstało, „Gazeta Wyborcza" zajęta była orkiestrowaniem kampanii świętego oburzenia, że Polska Agencja Informacyjna wydała, a ambasady RP rozprowadzają na świecie opracowanie dr. Jana Żaryna na temat historii Polski – skandaliczne, bo zawierające garść faktów spośród podanych na początku tego rozdziału, a tym samym sprzeczne z uładzoną historią „historycznego kompromisu" ustaloną przez Michnika.

* * *

Wiem, oczywiście, że ani wystąpienie Staszczaka, ani raport Chomętowskiego, ani inne dokumenty prezentujące prawdziwy stan „bijącego serca partii" nie były w 1990 roku znane Mazowieckiemu, Wałęsie, kierownictwu OKP ani posłowi redaktorowi Michnikowi. Choć gdyby się o to trochę bardziej postarali, na pewno mogliby uzyskać do nich dostęp. Ale nawet i bez tego – stopień rozkładu i dekadencji, jakie według opublikowanych już przez historyków dokumentów ogarnęły w końcówce lat osiemdziesiątych nie tylko PZPR, ale także jej zbrojne ramię, był tak wielki, że po prostu nie sposób uwierzyć, aby przywódcy opozycji zupełnie nic o tym nie wiedzieli. I żeby naprawdę, szczerze przekonani byli, że jeden fałszywy ruch, jedno zbyt radykalne posunięcie może sprawić, że partyjny „beton" rzuci się bronić marksistowsko-leninowskiej ortodoksji.

Partyjne kadry miały już w tym czasie ową ortodoksję gdzieś, a wojsko, bezpieka i milicja, gdyby wydano im rozkaz chwycenia za broń w obronie socjalizmu, albo by się rozbiegły na wszystkie strony, jak w Czechach i na Węgrzech, albo zwróciły tę broń przeciwko towarzyszom ze ścisłego kierownictwa, jak w Rumunii.

Rzeczywistą obawę budziła w Michniku i jego przyjaciołach wcale nie perspektywa buntu komunistycznego „betonu" w obronie walącego się ustroju, ale inny zupełnie scenariusz.

Oddajmy znowu głos naszemu bohaterowi. Oto artykuł „Pułapka nacjonalizmu" z lutego 1990. Otwiera go wywód, że w państwie totalitarnym podział polityczny na lewicę i prawicę stracił znaczenie, bo każdy z tych obozów miał swoich nieprzejednanych i tych, którzy z różnych względów szli na jakąś współpracę z reżimem. To oczywiście obserwacja niewątpliwie słuszna – wystarczy jako dowód choćby wspomniany wyżej plan operacyjny SB, który z jednej strony ustawiał jako potencjalnych partnerów ludzi ze środowisk bliskich Kościołowi i z „lewicy laickiej", a z drugiej Moczulskiego i Ikonowicza. Ale Michnik zakłada, że taka sytuacja musi przetrwać także po upadku totalitaryzmu, przekształcając się w spór pomiędzy rzecznikami kompromisu i fundamentalistami, co trąci fałszem – we wszystkich państwach postkomunistycznych, tak samo jak w zdenazyfikowanych Niemczech Zachodnich, prędzej czy później wykształciła się w miarę normalna demokratyczna scena polityczna. A wszystkie te rozważania służą Michnikowi do wysnucia następującego wniosku: „Taka jest prawidłowość: konający totalitaryzm pozostawia w spadku agresywny nacjonalizm i plemienną nienawiść. Zwycięstwo tych tendencji przeobrazić może Europę Centralną i Wschodnią w piekło narodowych waśni i krwawych konfliktów. Wtedy ideę demokratycznego pluralizmu wyprze nacjonalizm i atmosfera konfliktu narodowego, egoizmów i nietolerancji. Spójrzmy na Jugosławię: konflikty na tym tle to zapowiedź tego, co może się wydarzyć w każdym z naszych krajów. Nad Europą Centralną unosi się cień finału irańskiej rewolucji, od dyktatury do dyktatury.

Zagrożeń trzeba być świadomym: finałem procesu antytotalitarnego może być pułapka wojskowo-nacjonalistycznych dyktatur".

Pytanie, dlaczego mamy spoglądać akurat na Jugosławię – jak się już rzekło, państwo szczególne, bo stworzone w sposób sztuczny jako zlepek kilku skłóconych narodów, a potem na pięćdziesiąt lat poddany socjalizmowi, który w doskonały sposób potęguje wszystkie napięcia etniczne, bo w systemie „wyrównywania szans" drogą redystrybucji każda narodowość uważa, że to jej właśnie zabiera się pieniądze i dobra materialne po to, żeby obdarowywać „tamtych". Każdy Serb do dziś powie, że w Jugosławii to oni utrzymywali wszystkie pozostałe nacje, i tak samo każdy Chorwat, Słoweniec czy Bośniak potwierdzi, że to od nich wywożono wszystko do Serbii. Każdy Ruski oznajmi wam, że bieda w ZSSR wynikała z faktu, że musieli utrzymywać bratnie kraje socjalistyczne, a zwłaszcza Polskę; a przecież u nas wszyscy wiedzą, że dlatego nie było mięsa, bo je wywożono do Ruskich. Nawet w cywilizowanej Belgii „państwo opiekuńcze" zdołało na tej zasadzie skutecznie skłócić Flamandów z Walonami, a we Włoszech Północ z Południem.

Ale Jugosławia okazała się na mapie postkomunizmu przypadkiem bardzo szczególnym. W żadnym innym państwie rzekoma „prawidłowość", którą jako pewnik przywołuje Michnik, się nie powtórzyła. Czechy i Słowacja rozwiodły się w sposób nader cywilizowany, a na Węgrzech, w Bułgarii czy Rumunii żaden „agresywny nacjonalizm" czy „plemienna nienawiść" zauważyć się na szerszą skalę nie dały, choć w dwóch ostatnich z tych państw przebieg ustrojowej transformacji naprawdę trudno uznać za wzorcowy.

Ba, „plemienna nienawiść" nie dała się zauważyć nawet w niektórych krajach rzeczywiście mających narodowościowe problemy – choćby w krajach bałtyckich, którym po półwieczu okupacji pozostały w spadku liczne mniejszości rosyjskojęzycznych kolonizatorów.

Z jakiego więc powodu tragedia, która dotknęła Jugosławię, miałaby być przestrogą dla Polski?

Z żadnego. Nie tylko dziś, w roku 2006, ale i w początkach roku 1990 nie unosił się nad Europą Centralną duch finału irańskiej rewolucji. Ani przez chwilę nie groził nam zbrojny bunt ubeków i milicji, ani tym bardziej wojna domowa. Nikt też nie chciał stawiać szubienic i powoływać rewolucyjnych trybunałów. Nie znaleźliśmy się na żadnej granicy, po przekroczeniu której Polska spłynęłaby krwią. Wszystkie te zagrożenia istniały tylko w publicystyce Adama Michnika i jego podwładnych uzasadniającej linię polityczną, której logiczną konsekwencją musiała być z jednej strony bezkarność wobec zbrodni popełnionych w poprzednim ustroju, z drugiej – swoboda działania dla mafii, w jaką w wolnej Polsce przekształciły się struktury peerelowskiej przemocy.

* * *

Tak zupełnie nie *à propos*, tytułem dygresji – jeździcie Państwo samochodami? Tak? To prawdopodobnie lejecie do baku sfałszowane paliwo. Bo takie, wedle różnych szacunków, sprzedaje się w Polsce na co trzeciej, a niektórzy twierdzą, że i na co drugiej stacji. Zamiast 96 oktanów 80, zamiast czystej benzyny – domieszka lakieru, oleju opałowego czy jakiejś innej bejcy. Na każdym litrze parędziesiąt groszy. W skali kraju – co najmniej kilka, kilkanaście miliardów rocznie. Jedno z głównych źródeł dochodu mafii.

No cóż, powiada michnikowszczyzna, złodziejstwo zdarza się wszędzie. Oczywiście. Ale nigdzie na taką skalę i w sposób tak bezczelny. Nie do pomyślenia byłoby w cywilizowanym kraju, by na stacji lano sfałszowane paliwo, zaraz wykryłaby to inspekcja, właściciel straciłby koncesję i stanął przed sądem. U nas nie. Dlaczego? Bo prawo skonstruowane zostało tak, że nie można nic nikomu zrobić. Pompiarz oznajmi, że sprzedaje tylko to, co mu nalali z cysterny. I szukaj wiatru w polu. Bo na całym świecie pompiarz ma obowiązek przechowywania próbek każdej dostawy, i namierzenie, z której to cysterny, do kogo należącej, świństwa nalano, nie nastręcza najmniejszych problemów. A w Polsce tego obowiązku nie ma, i ilekroć próbowano go wprowadzić, zawsze gdzieś w sejmowej komisji, gdzieś w ministerstwie, w ostatniej chwili wymóg przechowywania próbki wykreślała jakaś niewidzialna ręka. Niekiedy znikał tak, że sami posłowie, którzy wnosili nowelizację ustawy i głosowali za nią, byli zdumieni – przecież nie za tym głosowali! To znaczy, wydawało im się, że nie za tym.

Taką to niewidzialną rękę mamy w Polsce, zamiast postulowanej niewidzialnej ręki wolnego rynku.

Świętej pamięci Krzysztof Dzierżawski napisał kiedyś o ustawie wprowadzającej podatek VAT, że dla mafii w Polsce była ona tym samym, co poprawka konstytucyjna wprowadzająca prohibicję na całym terenie USA dla Ala Capone. To prawda, ale niecała. Praktycznie wszystkie afery, jakie wstrząsały III Rzeczpospolitą, miały swój początek w ustawach. W jakimś jednym zdaniu, w paru słowach, zręcznie dopisanych lub skreślonych przez niewidzialną rękę. O tym, jaką potęgę ma w sobie taki zabieg, przeciętny Polak dowiedział się dopiero w czasach „afery Rywina", słuchając ze zdumieniem, ile to miliardów zależało od tego, czy w ustawie pojawią się słowa „lub czasopisma", czy też z niej znikną. Ale wtajemniczeni wiedzieli to od zawsze. Odkąd pisali ustawy gospodarcze Rakowskiemu, tak, aby na tych ustawach można było uwłaszczyć nomenklaturę i służby.

W chwili, kiedy piszę tę książkę, prasa dużo pisze o zatrzymanych „baronach" mafii paliwowej, o „alchemikach" od paliw i ich krociowych zyskach. Sadza się do więzień jakichś właścicieli spółek, którzy wyglądają na słabo zorientowanych w procederze figurantów, wynajętych do wpisania w sądowe rejestry właśnie po to, żeby to ich, a nie kogo innego, ścigały prokuratury. Ale stacja benzynowa nadal nie ma obowiązku przechowywania dla inspekcji próbki z każdej dostawy paliwa. Prosty jak drut, oczywisty zapis nadal nie może wygrać z niewidzialną ręką, która jak nie tu, to tam ciągle wykreśla coś albo dopisuje w produkowanych hurtowo nowelizacjach do nowelizacji.

Dziennikarze badający sprawki mafii mogą wymienić dziesiątki wydarzeń jasno wskazujących, że nad wieloma gangsterami czuwa ktoś wysoko postawiony.

A to policjanci chroniący świadka koronnego dostają od zwierzchników polecenie, żeby zostawili go w określonym miejscu (gdzie już, jak się potem okazało, czekali egzekutorzy), oddalili się na chwilę i udawali, że nic nie widzą. A to gubią się dowody w prokuraturze i akta w sądzie. A to kwity chodzą od biurka do biurka tak długo, aż się oskarżenie przedawni. A jeśli mimo wszystko gangster zostanie zatrzymany, to pokazuje papiery, że jest śmiertelnie chory, i nikt nie wpada na pomysł zweryfikowania tych papierów przez komisję lekarską. A jeśli już jakimś cudem niewątpliwy bandyta wpada, zostaje osądzony i wsadzony do więzienia, to prezydent go ułaskawia.

Wiemy o jednym takim wypadku – niejakim „Słowiku", którego ułaskawił Wałęsa. Ale generalnie informacja o ułaskawieniach jest tajna – na mocy ustawy o ochronie danych osobowych. Zgodnie z tą ustawą z urzędu prezydenckiego uzyskać można tylko informację, że liczba złoczyńców uwolnionych w ciągu drugiej kadencji przez Aleksandra Kwaśniewskiego od kary przekroczyła nieco 3 000. Kogo ułaskawił konkretnie, i co ten ktoś miał na sumieniu, tego nie wiemy.

Mam wierzyć, zapytam raz jeszcze, że za tą niewiarygodną niemożnością państwa polskiego stoi jakiś cinkciarzyna z Pruszkowa czy Wołomina?

* * *

Tak więc, będąc w miarę uważnym czytelnikiem gazet, o wspomnianym wyżej raporcie MSW i zawartych w nim wnioskach dowiedziałem się dopiero z wydanej parę lat później „Historii Polski 1914–2001" Wojciecha Roszkowskiego. Nasunęło mi się wtedy pytanie, jak sądzę, oczywiste. Jeśli policja wie już o szefach gangów, że w peerelu byli współpracownikami służb, to przecież nic prostszego, niż sprawdzić w archiwach, kto był danego gangstera „oficerem prowadzącym". Prawda? I już byśmy wiedzieli, pod jaką to „kryszą" gangster działa.

Mnie, laikowi, wydało się to łatwe i oczywiste. Ale z jakiegoś powodu nikt tego nie zrobił.

Muszę się więc poprawić. Od samego początku oplotła wolną Polskę nie jedna – oplotły ją dwie wzajemnie się uzupełniające sieci, czy raczej, powtórzmy, zbitki siatek, sitw, układów, niezależnych od siebie, ale poczuwających się do wspólnoty interesów i przez to działających zgodnie. Jedna – to opisana swego czasu przez „Życie" i przypominana od czasu do czasu „Czerwona Pajęczyna", z firmami takim jak BIG Bank (obecnie bank Millennium), Universal, Polisa, Transakcja, Inter-ster. Sieć firm zupełnie legalnych, powstałych z kapitałów wyssanych z upadającego państwa „realnego socjalizmu", działających w pełnej zgodzie z przepisami, które pisane były pod ich potrzeby, z prominentnymi komunistami w zarządach i radach nadzorczych, wspierających ludzi postkomunistycznej lewicy i zapewniających im finansowe zaplecze. Druga – to ukryta przed oczami postronnych sieć mafii, których najniższym szczeblem są różne „Pruszkowy" i „Wołominy", prawdziwymi bossami, jak dziś jeszcze możemy się tylko domyślać, ludzie skryci w gabinetach władzy, być może tych najwyższego szczebla, a pożytecznymi współpracownikami zapewniającymi ochronę, korzystne decyzje władzy i dające okazję do miliardowych interesów „luki w prawie" – są TW, wciąż kontrolowani przez swych byłych oficerów prowadzących.

* * *

W książce o michnikowszczyźnie te litery nie mogły się w końcu nie pojawić: TW. Tajny Współpracownik. W ubeckim żargonie określano ich też innymi nazwami: Kontakt Operacyjny, Kontakt Służbowy, Źródło Osobowe, Konsultant, Ekspert... Mniejsza o nazwę. Wiemy, o kogo chodzi – o konfidentów, których peerelowskie służby starały się pozyskać w każdej możliwej grupie społecznej. I którzy po roku 1989 stali się dla postkomunistów bodaj najcenniejszym kapitałem, jedną z podstaw ich ukrytej siły.

W latach osiemdziesiątych ich liczba zbliżała się do stu tysięcy. Mówię oczywiście o liczbie TW (pozostańmy już przy tej jednej, najliczniejszej kategorii tajnej współpracy ze służbami) czynnych jednocześnie. Niektórych konfidentów SB uznawała w pewnym momencie za niewiarygodnych lub niemających do przekazania żadnych ciekawych informacji, niektórzy zrywali współpracę – wbrew upowszechnianemu przez michnikowszczyznę stereotypowi było to możliwe, choć oczywiście wymagało odrobiny niezbędnej odwagi – inni okazywali się zbyt pazerni i zbyt wiele, zdaniem ubecji, żądali za swoje usługi (przypadek stosunkowo najczęstszy wśród TW ze sfer artystycznych), jeszcze innych SB „usypiała", czyli odpuszczała sobie na razie, ale pozostawiała możliwość aktywowania ich w przyszłości. Byli też konfidenci uważani za tak cennych, że nie żądano od nich podpisywania deklaracji o współpracy, co było formalnym warunkiem rejestracji TW; z takimi ludźmi spotykano się w szczególnej konspiracji, zazwyczaj robił to wyższy rangą oficer, i to on sporządzał potem dla przełożonych szczegółowe notatki z tego co usłyszał. Ale to wypadki rzadsze.

Jako się rzekło, w marcu roku 1990 Tadeusz Mazowiecki odważył się w końcu mianować „solidarnościowego" wiceministra w resorcie spraw wewnętrznych, i wybrał do tej roli Krzysztofa Kozłowskiego z „Tygodnika Powszechnego". Nie można by powiedzieć, że redaktor Kozłowski zabrał się do swych nowych obowiązków energicznie, gdyby nie jedno: niemal natychmiast, 20 marca, powołana została komisja do przeglądu akt MSW. Oficjalnie było to reakcją rządu (rychło w czas!) na pojawiające się doniesienia o niszczeniu archiwów. Komisja kierowana była przez ówczesnego ministra nauki, Henryka Samsonowicza, i składała się z historyków: Bogdana Krolla, Andrzeja Ajnenkiela, Jerzego Holzera oraz Adama Michnika, który na tę okoliczność przypomniał sobie, że też jest z wykształcenia historykiem, choć przecież przez całe życie zajmował się raczej tworzeniem Historii niż jej badaniem.

Komisja ta, od nazwiska jej najbardziej znanego uczestnika nazwana potocznie „komisją Michnika", jest jedną z bardziej tajemniczych spraw, jakie miały miejsce w początkach ustrojowej transformacji. Przez wiele lat stanowiła ona dla wiodących mediów tabu. Nie to, że nie było o niej wolno pisać – ale nie wypadało. Więc nikt nie pisał, a jeśli napisał, nie miał gdzie wydrukować. Sprawa niby nie była tajemnicą, ale nie istniała. Tak samo, jak nie istniał pokrywający się kurzem w sejmowym archiwum raport Rokity, jak nie istniała, choć nie była tajna, wiedza o Transakcji, BIG czy Polisie i kapitałowych przepływach pomiędzy tego rodzaju spółkami, a bankami państwowymi, PZU czy FOZZ.

Ja wiem, że co młodsi czytelnicy będą mieli trudności, żeby to zrozumieć. Że zapytają: no to dlaczego o tym nie pisaliście wtedy, dlaczego niby jesteście tacy mądrzy teraz, po piętnastu latach? Przecież nie istniała cenzura. Przecież była wolna prasa. Michnik ani nikt inny nie mógł wam tego zabronić!

Na takie pytania po prostu opadają mi bezsilnie ręce, bo cóż odpowiedzieć? Mógłbym równie dobrze odpowiedzieć – owszem, pisaliśmy, tylko Wy nie szukaliście w zakamarkach kiosków i nie prenumerowaliście tych pism, w których na takie tematy pisano. Ale jeśli bym umieścił jakąś wzmiankę – drobną wzmiankę! – na przykład o komisji Michnika, to mój tekst w żadnym wysokonakładowym piśmie nie mógłby się wtedy ukazać. Nie dlatego, że nie było wolno. Nie było żadnej instytucjonalnej cenzury, która by to zdjęła, ani żadnego Politbiura, które by zabraniało na ten temat pisać. Był tylko redaktor, który, w najlepszym razie, patrzył na mnie z mieszaniną rozbawienia i współczucia w oczach i mówił: no co pan.

Rzadko mówił, bo z oszołomami się nie rozmawiało, a zwłaszcza nie zapraszało ich na poważne łamy. No co pan, to nie jest temat dla nas. Może gdzie indziej.

A owo „gdzie indziej" stanowiły „Ład", „Tygodnik Solidarność", „Młoda Polska", „Najwyższy Czas", „Gazeta Polska" i inne prawicowe bieda-pisma o nakładach kilku, kilkunastu tysięcy egzemplarzy, z zasady nie cytowane w mediach elektronicznych. Cokolwiek się w nich napisało, uważane było z założenia za nieważne, z racji miejsca publikacji.

To właśnie było istotą choroby polskiej inteligencji lat dziewięćdziesiątych, chorobą, którą nazywam tu michnikowszczyzną. W latach peerelu inteligencja nie obcowała z prawdą, bo prawdy nie było. Żeby do niej dotrzeć, potrzebny był pewien wysiłek – choćby tak minimalny, jak wsłuchiwanie się wieczorami w charkot zagłuszarek (nie wiem jak kto – ale ja tego charakterystycznego dudnienia w ojcowskim radyjku, tych gwizdów i chrobotów, przez które z ledwością przebijał się głos lektora „wolniuchy", nie zapomnę nigdy; i pewnie w niejednym domu rozbrzmiewały one po całych wieczorach). W latach III RP zarażona michnikowszczyzną inteligencja obcować z prawdą nie chciała. Wolała całkowicie, bezkrytycznie zawierzyć, że autorytety – z najwyższym autorytetem bohatera podziemia i uosobienia moralności, Adamem Michnikiem, na czele – wiedzą lepiej. To przecież nie tylko sam Michnik, ale i nasi wspaniali nobliści, i intelektualiści, i mistrzowie kamery, i ich zagraniczni przyjaciele... No, jeśli oni wszyscy mówią, że czegoś czytać, czegoś mówić, o czymś wiedzieć nie wypada – no to widocznie nie wypada!

Wrócimy do tego później. Na razie – komisja Michnika. Jako się rzekło, należała ona do tych faktów, które, tak jak raport komisji Rokity, istniejąc, jednak nie istniały, bo nie było ich w świadomości opinii publicznej. A skoro komisja nie istniała, to przez wiele lat nie można było zapytać, po co właściwie powstała, jak pracowała i co zrobiła. Dopiero po wielu latach, po aferze Rywina, gdy takie pytania się pojawiły, profesor Samsonowicz poczuł się zmuszony wyjaśnić listem do „Rzeczpospolitej", że nie ma co szukać w sprawie jakichś sensacji, że wszystko jest jasne i proste: komisji powierzono ocenę stanu archiwów, komisja ten stan oceniła i zakończyła swe prace oficjalnym sprawozdaniem, które powinno być gdzieś w archiwach do dziś.

Ale to wyjaśnienie nie wyjaśniło żadnej z zagadek. Po pierwsze – jeśli, jak głosiła wersja oficjalna, komisja powstała po to, żeby zbadać stan archiwów po wielkim paleniu z poprzedzającego jej istnienie półrocza, to po co do takiej roboty historycy, i to z takimi nazwiskami, jak Samsonowicz, Holzer czy Ajnenkiel? Czyż nie należało w takim razie wziąć po prostu zwykłych archiwistów, żeby sporządzili kwerendę: są akta takie i takie, zniknęły takie i takie?

Ponadto nie sposób nie zapytać, jeśli nowo mianowany wiceminister stwierdził potrzebę oceny stanu archiwów, dlaczego nie skorzystał z możliwości drogi służbowej, tylko sięgnął po kruczek prawny – zapis zezwalający na wstęp do archiwów historykom za zgodą Ministra Edukacji? I dlaczego Minister Edukacji nie zastosował do powołania komisji przewidzianej procedury prawnej, dlaczego komisja historyków miała charakter poufny i po tym, jak jej istnienie zostało odkryte i nagłośnione, między innymi przez „Tygodnik Solidarność" i Krzysztofa Wyszkowskiego, zakończyła pracę w sposób równie nagły, jak ją zaczęła?

Po drugie – jeśli już uznano, że historycy wywiążą się z postawionego im zadania lepiej od archiwistów – to dlaczego nie ma nawet śladu zabrania się przez komisję do prawdziwej kwerendy akt? Komisja pracowała dwa miesiące, nie jest to na pewno dość czasu, żeby dokładnie skatalogować materiały tworzone przez dziesięciolecia, ale też można przez ten czas zrobić coś więcej, niż napisać sprawozdanie na półtorej kartki, z którego wynika mniej więcej tyle, że archiwa MSW są zdaniem komisji niekompletne – co akurat doskonale było wiadomo i bez niej?

Po trzecie – dlaczego znalazł się w składzie komisji akurat Michnik? Czynny poseł, redaktor naczelny opiniotwórczej gazety, jedna z głównych postaci rządzącego obozu? Czy naprawdę właśnie on, mając tyle zajęć, musiał się zajmować sprawą wymagającą tak mało intelektualnej finezji, jak wertowanie i katalogowanie pożółkłych papierów? Po co angażować kogoś tak ważnego tam, gdzie wystarczyłby pierwszy z brzegu absolwent „psiaka" (Policealnego Studium Archiwistyki i Księgarstwa)?

Po czwarte i najważniejsze – jak to się stało, że historycy, mający wszak archiwistykę w małym palcu, złamali wszystkie żelazne reguły, jakie podczas badania archiwów, nawet mniej ważnych niż te z MSW, obowiązują? Przecież do archiwów nie wchodzi się ot, tak sobie, i nie wyciąga się z półki teczki, która akurat wydała się ciekawa, żeby ją sobie na kolanie przejrzeć, a potem wetknąć z powrotem na półkę. Żelazną zasadą jest rejestrowanie: kto zażądał jakiej teczki, kiedy ją otrzymał, kiedy zwrócił, co kopiował lub wynotowywał. O tym, że z teczki nic nie wolno wyjmować i wynosić poza archiwum nawet już nie będę wspominał.

Tymczasem po komisji Michnika nie pozostał w archiwach żaden ślad. Przemknęła ona przez nie niczym korowód duchów. Nie ma jednego zapisu, kto kiedy wszedł do archiwum, co przeglądał. Nie wiadomo więc, czym się właściwie zajmowali członkowie komisji i nie ma żadnego dowodu, że zostawili badane dokumenty w takim samym stanie, w jakim je zastali.

We wspomnianych wyżej niskonakładowych, prawicowych bieda-pisemkach, których autorzy, wobec faktycznego wypchnięcia poza debatę publiczną, nie obcyndalali się ewentualnymi procesami (a nawet wręcz się ich wytoczenia domagali, bo dopiero taki proces mógłby zwrócić na ich tezy uwagę szerszej publiczności), te wątpliwości wyjaśniono oczywiście już dawno, w sposób prosty: komisja była zwykłym picem, pretekstem, historyków zaangażowano w niej tylko po to, żeby – na zasadzie „Michnik też historyk" – umożliwić wstęp do archiwów naczelnemu „Gazety Wyborczej", a ten musiał tam wejść jak najszybciej, żeby wynieść i zniszczyć „kwity" na siebie i na swoich przyjaciół. Dlatego to Michnikowi przypisuje się fakt, iż w zachowanych archiwach nie ma teczek większości działaczy opozycji. Nawet Bronisława Geremka, który na piastowanym przez siebie stanowisku po prostu musiał ją mieć, bo, chciał czy nie, był z urzędu uważany przez SB za „kontakt służbowy".

Cóż, hipoteza, że Michnik najszybciej jak mógł wpadł do archiwów MSW, aby je wyczyścić, logicznie wyjaśnia wszystkie wątpliwości. Ma tylko jedną wadę –

nie ma na jej poparcie żadnych dowodów, może poza przesłanką, iż Michnik, szafujący pozwami sądowymi, gdy tylko uzna, że ktoś nie okazuje mu należytego szacunku, tym, którzy oskarżali go o świadome niszczenie jakichś materiałów, nigdy nie wytoczył procesów. Ale może nie zrobił tego właśnie dlatego, że takie procesy i związany z nim rozgłos byłyby jego przeciwnikom na rękę.

Z drugiej strony, nie ma też żadnych dowodów przeciwko wyżej streszczonej tezie. Po prostu to, jak widzimy rolę Michnika w archiwach MSW pomiędzy kwietniem a czerwcem 1990, zależy od tego, czy mamy do niego zaufanie i wierzymy w jego uczciwość – czy nie.

Co nie ulega kwestii, to to, że od momentu wizyty w archiwach Adam Michnik stał się zajadłym wrogiem jakiegokolwiek ich udostępniania. „Archiwa powinny zostać na pięćdziesiąt lat zapieczętowane" – napisze Michnik w roku 1992.

Może ktoś w tym zauważyć sprzeczność – jeśli Michnik uważa, że do archiwów nie należy zaglądać, to po co sam to robił? Wątpliwość tę wzmacnia postawa, jaką michnikowszczyzna zajęła wobec teczek, gdy już pomimo jej sprzeciwów powstał IPN, kolejne osoby uzyskały „status pokrzywdzonego" oraz idący z tym w parze dostęp do tego, co bezpieka zgromadziła na ich temat, i zaczęły ujawniać nazwiska konfidentów. W „Gazecie Wyborczej" zapanowała wtedy moda na składanie deklaracji „ja nie zamierzam do swojej teczki zaglądać". Deklarowali tak znani intelektualiści, opozycjoniści, artyści – sugerując mniej lub bardziej otwarcie, że zaglądanie do teczek, nawet jeśli zostało usankcjonowane prawem, jest i zawsze będzie czymś brzydkim, hańbiącym, rodzajem podglądactwa czy uczestniczenia w maglowych plotach, słowem, czymś, co człowiekowi na poziomie jest całkowicie obce. Nikt jednak z ugruntowujących to przekonanie nie śmiał wytknąć Michnikowi, że na początku lat dziewięćdziesiątych, wertując teczki, uległ brzydkiej pokusie.

Nawiasem mówiąc – w chwili, gdy piszę te słowa, „Gazeta Wyborcza" sekunduje senatorom, którzy starają się w nowej ustawie zachować wspomniany „status pokrzywdzonego". Mało kto już pamięta, że kiedy ustawa o IPN była, za rządów AWS, przyjmowana, to właśnie istnienie takiej nierówności w dostępie do danych pomiędzy tymi, których IPN uzna za inwigilowanych, a tymi, których zaliczy do prześladowców, był głównym punktem ataku Michnika i jego podwładnych. Oskarżano twórców ustawy, że chcą pozwolić, aby grupa pracowników IPN arbitralnie decydowała, kto był konfidentem, a kto nie.

Zresztą, proszę bardzo, oto stosowny wstępniak z grudnia 1998:

„Fundamentalną zasadą porządku demokratycznego jest równość obywateli wobec prawa. Ustawa o Instytucie Pamięci Narodowej rażąco narusza tę zasadę, przyznając prawo do obejrzenia własnej »teczki bezpieczniackiej« kategorii obywateli arbitralnie zdefiniowanej jako »pokrzywdzeni« (...) Należałem od początku do zdeklarowanych przeciwników grzebania w papierach, które komunistyczna policja polityczna gromadziła przeciw obywatelom, by na każdego mieć »haka« [! – RAZ]. Nieczystościami kloacznymi – sądziłem naiwnie – powinny zajmować się służby oczyszczania miasta, a nie politycy.

Rozumiałem jednak ludzką potrzebę poznania prawdy – choćby tej obrzydliwej – o policyjnych zakusach na ludzką wolność i godność. Dlatego rozumiałem tych polityków, którzy w imię prawdy domagali się ujawnienia teczek.

Myliłem się. Wczoraj w Sejmie zwyciężyły politykierskie kalkulacje, a nie zasady demokratyczne i troska o dobro obywateli. Tu nie chodzi o prawdę na temat bezpieczniackich metod ani o wyrównanie ludzkich krzywd. Tu chodzi o kolejny instrument szantażu politycznego, który pozwoli władzom Instytutu pewne materiały o pewnych ludziach utajniać, a inne ujawniać. Inaczej mówiąc: ta ustawa otwiera drogę do manipulacji, bowiem cysterny błota gromadzone przez asów komunistycznej Służby Bezpieczeństwa kolejny raz zostaną użyte przeciw ówczesnym ofiarom".

Nie oparłem się pokusie zacytowania całości z uwagi na ów passus, który podkreśliłem wykrzyknikiem – między innymi jako dowód, do jakiego stopnia w roku 1998 nie istniał w społecznej świadomości fakt, iż kiedy tylko stało się to możliwe, to właśnie Michnik pierwszy ochoczo pognał pluskać się w „nieczystościach kloacznych". Także z uwagi na owo retoryczne zapewnienie, jakoby Michnik „rozumiał" tych polityków, którzy domagali się lustracji. Jak ich „rozumiał", parę charakterystycznych cytatów za chwilę.

Ale co do meritum – w 1998 wprowadzenie do ustawy „statusu pokrzywdzonego" „rażąco naruszało" podstawy państwa prawa, w 2006 próba zachowania go w nowej ustawie, wpisania tam w senackich poprawkach na powrót, całkiem bez sensu, ponieważ nowa ustawa diametralnie zmieniła prawną konstrukcję ujawnienia zasobów archiwalnych MSW – stała się nagle szlachetną walką o to, aby nie była naruszana prywatność ofiar, aby, jak to zwykła górnolotnie formułować „Wyborcza", bezpieka nie odniosła pośmiertnego zwycięstwa nad tymi, których prześladowała.

Niekonsekwencja – powie ktoś?

A guzik tam. Jest w tym właśnie żelazna konsekwencja. Po prostu w 1998 prawny byt „osoby pokrzywdzonej", która mogła otrzymać swą teczkę (co prawda z wyczernionymi nazwiskami kapusiów, ale zbierając się w kilku kumpli nietrudno było odkryć, kto mógł to a to wtedy a wtedy donieść) i ujawnić ją, przyśpieszał wydostanie z czeluści archiwów prawdy. W roku 2006 – już wręcz przeciwnie. A linia michnikowszczyzny była zawsze taka, aby wspierać wszystko to, co proces lustracji utrudni, i jeśli nawet nie uniemożliwi, to opóźni. Tak samo, na początku lat 90. stanowczo przeciwstawiała się michnikowszczyzna jakimkolwiek próbom tworzenia ustawy lustracyjnej – a po obaleniu rządu Olszewskiego wręcz przeciwnie, domagała się „ucywilizowania" lustracji, co polegało wtedy na pisaniu projektów ustaw. Zgłosiła taki projekt Unia Demokratyczna, zgłosił swój KLD*, lewica takoż, nagle się zrobiło tych projektów bodaj z pięć, i dobrze, i o to chodziło – im więcej projektów, tym dłużej można było nad nimi jałowo deliberować.

---

* Kongres Liberalno-Demokratyczny

Powiada Michnik w cytowanym wstępniaku, że był przeciwnikiem „grzebania w papierach" od początku. Jak wiemy, nie od początku, tylko odkąd sam w nich pogrzebał. W świetle tego, co wiemy o zawartości archiwów dziś, pozwala mi to postawić hipotezę co do przyczyn tej wolty.

Wiemy – oczywiście – wciąż niewiele. Ale co do kilku nazwisk nie ma już wątpliwości. Wiadomo na pewno, że wieloletnim konfidentem bezpieki był Andrzej Szczypiorski, literat, lansowany przez Michnika na wielki autorytet moralny, z wyżyn owego autorytetu przez całe lata gromiący Polaków za zaściankowość, prymitywny nacjonalizm etc. I oczywiście miotający niewybredne obelgi na prawicę, Kościół katolicki, patriotyczne manifestacje i tak dalej.

Swoją drogą, rzecz ciekawa – częściowe zdemaskowanie Szczypiorskiego w „Newsweeku" w roku 2006, kilka lat po jego śmierci, przeszło niemal bez echa. Tych kilka lat wystarczyło, aby o człowieka napompowanego przez michnikowszczyznę do rangi, bo ja wiem, współczesnego Żeromskiego, nie chciało się kłócić przysłowiowemu psu z kulawą nogą. Niech to służy za memento tym, których próżność wiedzie ku wysługiwaniu się medialnym potęgom.

Nie ma wątpliwości, że konfidentem bezpieki był Lesław Maleszka. I to konfidentem – ze znanych do tej pory – bodaj najbardziej przebiegłym i podłym. Uczestnicząc w krakowskiej opozycji nie tylko donosił na kolegów, ale pisał dla SB bardzo wartościowe analizy, pełne szczegółowych propozycji – który z kolegów opozycjonistów ma jakie słabe punkty, w jaki sposób najmocniej można go ugodzić. Czytając te raporty – opublikowane w jednej z książek wydanych przez IPN – można zauważyć, jak wyżywał się w nich, jak realizował jakąś niezwykłą pasję szkodzenia tym, którzy uważali go za przyjaciela z konspiracji i więcej, za swojego antykomunistycznego „guru".

Tę pozycję guru zachował potem, aż do nieoczekiwanej demaskacji, w „Gazecie Wyborczej".

„Maleszka był nie tylko świetnym dziennikarzem i redaktorem, ale i autorytetem moralnym. Uczył nas – mnie i Kasię Kolendę i całą grupę młodych dziennikarzy – myślenia o polityce" – wspomina Katarzyna Janowska. A wspomniana przez nią Kolenda-Zaleska stwierdza: „W »Gazecie Wyborczej« był kimś w rodzaju szarej eminencji, Michnik darzył go wielkim zaufaniem (...) Moje myślenie o lustracji było ukształtowane przez niego". Roman Graczyk: „Adam liczył się z jego zdaniem jak mało z którym w »Gazecie«. Gdy przysyłałem tekst, Adam często mówił, że musi go też przeczytać Leszek i powiedzieć, co sądzi".

Prawda o Maleszce wychodziła na jaw stopniowo. Po pierwszej odsłonie, gdy już wiadomym się stało, iż pracował on dla SB jako TW „Ketman", Maleszka zamieścił w „Wyborczej" wzruszający tekst o swym upadku „Byłem Ketmanem", w którym przyznał się do wszystkiego, co w tym momencie było już o nim wiadomo. Tekst był nieźle napisany, robił wrażenie, ksiądz Adam Boniecki zachwycał się nim naiwnie: „Ten tekst jest kryształowy. To nazwanie zła po imieniu a jednocześnie nieprzekreślenie człowieka". Niestety, z czasem okazało się, że Maleszka był nie tylko Ketmanem, że pracował także pod trzema innymi pseudonimami, i ma na sumieniu znacznie więcej, niż znalazło się w „naukowej" pracy esbeka, która dostała się w ręce Bronisława Wildsteina i pozwoliła kapusia zdemaskować. Mimo to Lesław Maleszka, osobistą decyzją Adama Michnika, nadal pracuje w „Gazecie Wyborczej", i ponoć nawet nadal do niej pisuje, choć jego nazwisko nie pojawiło się już na łamach.

Przypomnijmy, że wspomniany wyżej Roman Graczyk, jedynie za to, że nie zgodził się z linią „Wyborczej" w sprawie lustracji – nie w publicznym wystąpieniu, tylko na redakcyjnym kolegium – został z gazety natychmiast wylany. Jego ówczesna trudna sytuacja rodzinna nie była w najmniejszym stopniu powodem, aby tak litościwy dla Maleszki kolektyw pozostawił mu bodaj jakie drugorzędne zajęcie, póki nie znajdzie sobie innego zarobku. Coś nam to mówi, co dla michnikowszczyzny jest złem mniejszym, a co niewybaczalnym.

Agentem okazał się wreszcie ksiądz Michał Czajkowski. Kapelan „Gazety Wyborczej", tak jak dwaj poprzedni, bliski przyjaciel i zaufany Michnika, lansowany przez niego na wielkiego odnowiciela polskiego Kościoła. Zdecydowany krytyk „Kościoła zamkniętego", nietolerancji i antysemityzmu, niechętny płytkiemu, ludowemu katolicyzmowi, szermierz tolerancji i postępu, i tak dalej. Donosił przez kilkanaście lat, między innymi na księdza Popiełuszkę – dopiero zamordowanie bohaterskiego kapłana w roku 1986 stanowiło dla Czajkowskiego wstrząs, po którym współpracę zerwał. Nigdy jednak o niej nie powiedział, bez zażenowania pouczając Kościół i bliźnich z pozycji moralisty.

Zdemaskowany, najpierw wszystkiemu zdecydowanie zaprzeczył, potem, gdy wszystkie rewelacje na jego temat zostały potwierdzone także przez przyjaciół z „Więzi", przyznał się i wycofał z życia publicznego.

Poprzestańmy na tych trzech przykładach. Konfidentami bezpieki okazało się trzech ludzi, którzy w III RP cieszyli się wielkim autorytetem, głównie za sprawą „Gazety Wyborczej" – ale którzy też, wzajemnie, swoim autorytetem ją wspierali. Wszystkich trzech, każdego na swoim polu, uznać by można wręcz za „filary" michnikowszczyzny; zdemaskowaniu dwóch towarzyszyły histeryczne zaprzeczenia ich uczniów i akolitów, listy protestacyjne intelektualistów, wściekłe ataki na demaskatorów i relatywizowanie winy. O Maleszce publicysta „Tygodnika Powszechnego", a potem „Polityki", Adam Szostkiewicz dowodził uparcie, że „świnia... może być dobrym nauczycielem" i że „Leszek w roli opozycyjnej zawiódł [Zawiódł?! Nieszczęsny człowieku, on się wyżywał w rozpracowywaniu opozycji, był bardziej gorliwy, od swoich oficerów prowadzących! – RAZ]; to jest sprawa środowiskowa, mniej ważna. Ale czy zawiódł w roli publicysty i redaktora? Trudno by było znaleźć jego tekst, który można by indywidualnie podważyć". Podobny ton pojawił się w zbiorowym liście otwartym zwolenników księdza Czajkowskiego: nie zmieniamy o nim zdania, jesteśmy wdzięczni za to, czego nas uczył, i nieważne, co tam miał za uszami. Można sądzić, że i Andrzej Szczypiorski znalazłby swoich obrońców, gdyby przed demaskacją nie zemknął do grobu.

Jednym słowem: nieważne, co nasze autorytety robiły, ważne, co mówiły. To dość dobitny przykład obłudy, bez której michnikowszczyzna istnieć by nie mogła. Podwójna miara wobec swoich i tamtych jest w niej normą. Przecież głównym powodem, dla którego sama dyskusja z Michnikiem i jego salonem okrzyczana została w III Rzeczpospolitej czymś niestosownym, nie była waga jego racji, argumentów, bo na te nie zważano, te były naciągane, wzajemnie sprzeczne, demagogiczne – jeszcze się tym będziemy zajmować. Powodem było: tak nam mówią ludzie, którzy moralnie stoją wyżej, których do przemawiania z pozycji arbitrów i autorytetów upoważnia ich udowodniona nieskazitelnymi życiorysami prawość! A kiedy nagle jeden, drugi, trzeci autorytet leci na pysk, i okazuje się, że żadna tam nieskazitelna prawość, tylko oszust, hipokryta i zwykła świnia – to michnikowszczyzna wzrusza ramionami i nagle stwierdza, że phi, co tam, świnia też może być dobrym nauczycielem, nieważne, jak żył, ważne, że mądrze gadał.

Ale taka aberracyjna postawa to oczywisty skutek tego, iż wpływ Michnika na polską inteligencję był tak wielki i tak długotrwały. Każdy psycholog potwierdzi zapewne, że ludzie zawsze bronią się przed zaburzeniem utrwalonego poglądu na świat. Tym bardziej się bronią, w im większym, okazuje się, tkwili błędzie. Robią się agresywni wobec tego, kto usiłuje im otworzyć oczy, brną w zaprzeczenia, nie zważając na zdrowy rozsądek, usiłują jakoś unieważnić przeczące przyzwyczajeniu fakty, zaprzeczyć im. W języku psychologii nazywa się to wyparciem. Objawy w sumie podręcznikowe, proszę przyjrzeć się, jak reagowano w Niemczech i na całym świecie na przyznanie się Güntera Grassa do służby w SS. Możliwe, że na przykładach osieroconych wyznawców Maleszki i Czajkowskiego jakiś psycholog zrobi doktorat, klasyfikując nową jednostkę chorobową, dajmy na to – „wstrząs polustracyjny".

Gdyby jednak archiwa ujawnione zostały od razu, na samym początku lat dziewięćdziesiątych? Gdyby, jak w Niemczech, fałszywe autorytety posypały się niczym gruszki z otrząsanego drzewa już wraz z pierwszą falą przemian?

Dlatego ja postawię hipotezę inną, niż znana z pism radykalnej prawicy teza, że Michnik chciał przed innymi wejść do archiwów, żeby sprawdzić teczki przyjaciół, a nawet, zdaniem niektórych, swoją własną. Zresztą nie muszą one być ze sobą sprzeczne. Sądźcie Państwo sami, czy w świetle tego, co wiemy, moja hipoteza jest uzasadniona, czy nie. Otóż sądzę, że wizyta w archiwach MSW uświadomiła Michnikowi – nawet jeśli wcześniej się tego nie spodziewał – jak wiele osób, na które liczył, po ewentualnym ujawnieniu tych archiwów zostanie skompromitowanych, będzie musiało zamilknąć i zniknąć z życia publicznego. Mógł się też spodziewać, że jeśli upadnie i zhańbi się tyle autorytetów moralnych z kręgów jego salonu, to i pozostali, nawet jeśli nic konkretnego nie zostanie im zarzucone, stracą swój wpływ na społeczeństwo.

Komu to posłuży? – nie mógł sobie nie zadać Michnik tego pytania. Jeśli nie Czajkowski, Szczypiorski (mówię dla przykładu; nie wiem, czy już wtedy poznał prawdę o tych akurat konfidentach, czy poczytał sobie akta innych, o których my jeszcze nie wiemy), to kto będzie mówił ludziom, co jest dobre a co złe, dokąd zmierzać i o co walczyć? Jeśli nie Maleszka, to kto będzie uczyć dziennikarską młódź myślenia o polityce?

I nie mógł sobie nie odpowiedzieć: jaskiniowi antykomuniści. Ludzie, którzy chcą podpalić Polskę. Którzy, świadomie czy nie, wyzwolą tu żywioły potworne, przywrócą widma pogromów, gett ławkowych, spirale zemsty... No, czytaliśmy przecież wspólnie charakterystyczne fragmenty Michnikowej publicystyki, i jeszcze parę ich tu przeczytamy.

Sądzę, że wtedy Michnik podjął decyzję: nie wolno do tego dopuścić. Prawda nas nie wyzwoli, prawda obali autorytety i otworzy drogę najciemniejszym żywiołom, prawda nas zniszczy, więc – trzeba brnąć w kłamstwo.

* * *

Tytułem Adama Michnika do sprawowania tego szczególnego rządu dusz, jaki powierzyła mu nad sobą polska inteligencja czasów III Rzeczpospolitej, jest w oczach jego wyznawców przede wszystkim jego heroiczna przeszłość. Stąd i sposobem, w jaki swoją władzę nad umysłami sprawował, była moralistyka. Michnik niewiele miejsca poświęcił w swych wypowiedziach kalkulacjom i rachubom tego rodzaju, jakie wypełniają – weźmy jako przykłady – takie choćby „Myśli nowoczesnego Polaka" Dmowskiego czy „Pisma" Piłsudskiego. Albo, co Michnikowi na pewno bliższe, polityczne artykuły Jerzego Giedroycia. Prawie zupełnie nie ma u niego tego kombinowania – co możliwe, co wskazane, co wynika z geopolityki, a co z ekonomii. W porównaniu z wyżej wymienionymi – a nawet i bez takich porównań – teksty Michnika są dojmująco płytkie. Ich głównym tematem jest nieustanne rozdzielanie pochwał i nagan. To szlachetne, a to podłe. To przeraża, a to jest budujące. Tu groza, tu nadzieja. To czarne, tamto białe. Cała para idzie w przymiotniki. W jak najostrzejsze, jak najbardziej kategoryczne sformułowanie aktów kanonizacji i potępienia. I nie powstaje z tego żaden spójny etyczny system; jest to moralistyka doraźna, gazetowa, w której przyszeregowanie do strony dobra albo zła zależy od wymogów bieżącej polityki, takich, jakimi je Michnik w danej chwili widział. Jedyną konsekwencją, jaką daje się w jego pismach zauważyć, jest tendencja do uporczywego trzymania się raz wyrażonej opinii. Wbrew wszystkiemu, a najbardziej wbrew faktom. Dlatego w szesnaście lat po Okrągłym Stole, po badaniach licznych historyków, po ujawnieniu dokumentów, Michnik upiera się, że Jaruzelski ocalił Polskę przed sowiecką interwencją, że stan wojenny przebiegł przy minimalnej liczbie ofiar, że jedyną alternatywą dla kapitulanctwa rządu Mazowieckiego była krwawa wojna domowa, i tak dalej.

Rzecz charakterystyczna, że Michnik nie dyskutuje z przeciwnikami. Czasem stoczy jakąś łagodną polemikę z kimś, kto się z nim w prawie całej rozciągłości zgadza – ot, z Jackiem Kuroniem albo Leszkiem Kołakowskim. Do innych zwrócić się może tylko w nieznoszącym sprzeciwu, wyrokującym bezdyskusyjnie pamflecie. W spory na równych prawach nie wchodzi i nie dopuszcza do publicznej konfrontacji z kimś, kto by reprezentował inny obóz. Prorocy nie dyskutują, prorocy przemawiają z wyżyn i rozstrzygają - w ich wyroki można tylko wierzyć albo iść precz.

Funkcjonując w tej sposób, Michnik wychował sobie nie tylko rzeszę wyznawców, ale także rzeszę zdecydowanych przeciwników. Problemem tych drugich, jak mi się wydaje, jest to, że nie wyzwolili się ze sposobu polemiki - jeśli można to nazwać polemiką - narzuconego przez Michnika. Odwracają tylko znaki wartości. Jeśli w oczach wyznawcy Michnik jest prawodawcą, bo jest uosobieniem dobra - to w oczach wroga Michnik jest deprawatorem, bo jest uosobieniem zła. Dla wyznawcy - bohater podziemia, wieloletni więzień polityczny, ofiara szykan i represji, który umiał stanąć ponad podziałami, przekroczyć w imię racji moralnych uprzedzenia i wznieść się ponad doznane krzywdy. Dla wroga - zakłamany komunista, syn komunisty i komunistki, brat stalinowskiego zbrodniarza, wychowanek „czerwonego harcerstwa" i po prostu oszust, który udawał opozycjonistę, a całe życie mieszkał w zastrzeżonej dla ludzi reżimu warszawskiej enklawie luksusu.

Nie ma szansy na spór, są za to rozpalone do białości emocje i wściekłe obelgi, miotane w tę i we w tę.

Widzę to nieco inaczej. Winą Adama Michnika, choć zapewne i jego tragedią, jest to, że moralistyka była dla niego tylko wyborem taktycznym. Staram się tu Państwu udowodnić, że wszystkie zasadnicze punkty jego nauczania, głoszonego po roku 1989 i stanowiącego podstawę redakcyjnej praktyki gazety, która na dziesięciolecie określiła myślenie dominującej części polskiej inteligencji, nie były skutkiem żadnych odruchów moralnych, postawienia „czucia i wiary" ponad szkiełko i oko mędrka, jakiegoś fanatyzmu prawdy czy słuszności. Były logicznym skutkiem racjonalnej analizy politycznej.

Racjonalnej – to nie znaczy trafnej. Wręcz przeciwnie, jako polityk Michnik był jedną wielką pomyłką. Rozeznał sytuację początków ustrojowej transformacji tak nietrafnie, że gorzej nie było można. Dostrzegł szanse i zagrożenia akurat nie tam, gdzie należało, wyciągnął z tego wnioski mające się nijak do rzeczywistości, ulegając na dodatek traumom, fobiom i sentymentom swoim i swojego środowiska. Nawet nie zauważył przy tym, że jest manipulowany przez tych, których uznał za nowych przyjaciół, i że swą moralistyką osłania ich tęgo cuchnące geszefty. Nie piszę tego, żeby się nad nim pastwić, po szesnastu latach to zbyt łatwe – stwierdzam po prostu fakt.

Michnik nie dlatego bronił komunistów przed odebraniem im majątków i rozliczeniami, nie dlatego ich wzmacniał, nie dlatego blokował lustrację i niszczył zwolenników dekomunizacji, że tak mu podszeptywał instynkt moralny. Przede wszystkim robił tak dlatego, że tak mu podpowiadały jego rachuby – że to potrzebne, aby władzę zdobyli i utrzymali ci, którzy będą ją sprawować najlepiej i poprowadzą Polskę we właściwym kierunku.

Ale zdając sobie sprawę, że jego najskuteczniejszą bronią jest pozycja najbardziej znanego opozycjonisty peerelu, jego martyrologia, jego zupełnie fantastyczny „pijar" męczennika i autorytetu, uprawiał politykę właśnie za pomocą sprowadzonych do roli narzędzi etyki i moralistyki.

Nieszczęście polegało na tym, że cele, które w ten sposób promował, były głęboko niemoralne. Moralizowanie wydaje się rzeczą prostą: „tak - tak, nie - nie", jak to ujmuje Dobra Księga. Ale moralistyka Michnika i jego gazety to ciąg nieustających łamańców, wolt i wewnętrznych sprzeczności, gołosłownych deklaracji, pociągających za sobą treści zupełnie z nimi sprzeczne, pokrętnych wywodów, w demagogiczny sposób mających dowieść tez z gruntu absurdalnych, i nieustannego stosowania podwójnej miary wobec tego, co arbitralnie uznane za słuszne, i tego, co uznane za niesłuszne. Prawdziwa moralistyka wpływa na odbiorcę tak, że pod jej wpływem człowiek inteligentny, poznawszy podstawowe założenia, sam bez trudu wydedukuje, co powinien sądzić o takich czy innych przypadkach konkretnych. Wyznawca michnikowszczyzny musi natomiast nieustannie oglądać się na swoje autorytety, żeby wiedzieć, co powinien myśleć, kto tu słuszny, a kto niesłuszny. Zamiast prostych i jasnych wskazań otrzymuje maskujące sprzeczności gładkie zdanka, magiczne formułki, w stylu „nie wyrzekliśmy się marzeń, ale wyrzekliśmy się złudzeń" czy cytowanego już „dla zbrodniarza nie może być bezkarności, ale może być wielkoduszność".

Michnik postanowił więc argumentami moralnymi bronić rzeczy głęboko niemoralnych. Broniąc, z politycznej kalkulacji, kłamstwa, niesprawiedliwości, zła - starał się udowodnić, że są one właśnie prawdą, sprawiedliwością i dobrem. To właśnie stanowi o fenomenie. W dziejach społeczeństw pełno było chybionych politycznych rachub, błędnych analiz, nadętych wielkości i obłudników strojących się w szaty autorytetów. Nie brakło też przykładów masowej demoralizacji i zaniku elementarnej zdolności odróżniania dobra od zła. Ale takiego czegoś, jak niemoralna moralistyka Michnika, na taką skalę, z takim społecznym rezonansem – nie było. Nie było sytuacji, aby tak liczna grupa, jaką jest pokaźny odłam polskiej inteligencji ostatnich dziesięciu lat, tak ochoczo brnął w kłamstwa pod hasłem dążenia do prawdy i godził się na powszechną krzywdę ofiar i nagradzanie oprawców pod hasłem sprawiedliwości!

Ale też, rzecz pocieszająca: jeśli już na samym wstępie tej książki mogłem napisać, że Michnik jest dziś człowiekiem przegranym, choć miał w ręku wszystko, co tylko do zwycięstwa niezbędne – praktyczny monopol na prawdę i słuszność, możliwość reglamentowania dostępu do debaty publicznej, powolnych sobie ludzi na najwyższych stanowiskach w państwie – to właśnie dlatego, że na dłuższą metę moralność oparta na niemoralności zwyciężyć po prostu nie może.

Przegrał, nie ma już tych wpływów, dajcie mu spokój, przestańcie się nad nim pastwić, powiadają dziś półgębkiem jego wczorajsi pomagierzy od zakłamywania spraw i rugowania ze zbiorowej pamięci zła komunizmu. Ależ tu pastwienie się nie ma nic a nic do rzeczy!

Tu – pozwólcie, że się raz jeszcze odwołam do gorzkiej bajki Jewgienija Szwarca – nie wystarcza, że smok został pokonany w rycerskim pojedynku i zabity. Trzeba jeszcze tego smoka zabić w duszy każdego z jego poddanych.

* * *

No, coś tam może jest na rzeczy, słyszę, jak powiadają niektórzy z Państwa, ale tu żeś już pan przesadził. Zakłamywanie, brnięcie w kłamstwa – no, stawiać takie zarzuty Adamowi Michnikowi to już gruba przesada!

A ja się wcale z tych sformułowań nie zamierzam wycofywać, i więcej – nie przypadkiem użyłem ich właśnie tutaj. Bo nie ma lepszego przykładu, na którym można udowodnić, jak michnikowszczyzna fałszowała rzeczywistość, niż to, kim byli konfidenci peerelowskiej bezpieki, i czym może, a czym nie może być lustracja.

„Od początku byłem przeciwnikiem lustracji. Powód jest prosty: na podstawie teczek zgromadzonych przez UB i SB nie da się dociec prawdy o danym człowieku. Teczki oraz zgromadzone w nich dokumenty kłamią i dla kłamliwych celów zostały zgromadzone. Miały służyć między innymi szantażowi, zatem zawierają sfabrykowane donosy, fotografie, taśmy magnetofonowe" – pisze Michnik w roku 1992.

Niewątpliwie, to bardzo słuszna uwaga, że na podstawie teczek SB nie da się dociec prawdy o danym człowieku. Pytanie, czy w ogóle, a jeśli, to na jakiej podstawie, można jej dociec? Ileż to żon przeżyło ze swym ślubnym wiele lat w przekonaniu, że wie o nim wszystko, albo odwrotnie, iluż to mężów... A ilu pisarzy było całkiem innymi ludźmi w prawdziwym życiu, niż można by dociekać na podstawie ich twórczości. Albo... Tak, ale przypadkiem nie jesteśmy na seminarium filozoficznym, więc zamiast kwestią poznawalności ogólnej prawdy o danym człowieku zajmijmy się może problemem nieco bardziej konkretnym: czy na podstawie teczek można dociec, czy dana osoba była Tajnym Współpracownikiem SB.

Otóż można, bo teczki TW do tego właśnie służyły, aby trzymać w nich dokumentację ich działalności, od pierwszego do ostatniego donosu.

Tezę, jakoby teczki „miały służyć między innymi szantażowi" i tym samym zawierały „sfabrykowane donosy, fotografie, taśmy", można obronić tylko dzięki przezornemu użyciu przez Michnika zwrotu „między innymi". Ale później Michnik zatracił tę przezorność i wielokrotnie twierdził, że ubeckie archiwa to przede wszystkim – jeśli nie wyłącznie – „komprmateriały". Powtarza tę tezę także w dużym, jubileuszowym tekście na dziesięciolecie „Gazety Wyborczej", powtórzonym potem w książce: „O przydatności obywatela do pracy w administracji nie mogą decydować papiery gromadzone przez funkcjonariuszy komunistycznej Służby Bezpieczeństwa... Te papiery gromadzone były jako instrument policyjnego szantażu; to były kompromaty – materiały zbierane po to, by móc kompromitować ludzi dla władzy niewygodnych".

Można by sądzić, że SB była czymś w rodzaju redakcji tabloidu. Otóż nic podobnego – i Adam Michnik doskonale o tym wie. Obraz, jaki naszkicował choćby w cytowanym wyżej akapicie, jest fałszem, obliczonym na tych, którzy nie mają pojęcia o podstawowych sprawach. Więc wyjaśnijmy: SB gromadziła swe archiwa dla siebie samej. Nikt spoza SB nie miał do jej teczek nigdy wglądu. Gromadziła je po to, aby pomagały jej w prowadzeniu rozmaitych śledztw i operacji. Tak, jak policja nie tworzy kartotek po to, żeby za ich pomocą mafię skompromitować, tylko po to, żeby ją rozbić – tak SB „rozpracowywała" środowiska wrogie socjalizmowi. „Haki" zbierała tylko przy okazji.

To prawda, że wśród różnych metod działania ubecji było także sporządzanie rozmaitych fałszywek. Ale fałszywki służyły ubecji do oszukiwania innych. Ona sama doskonale wiedziała, co sfałszowała, i nigdy nie wsadzała tego do teczek swoich TW.

Oczywiście, bezpieka węszyła za wszystkim, co mogło być przydatne do „pracy operacyjnej". Jeśli udało się jej nakryć „figuranta" (w ubeckim żargonie – osobę rozpracowywaną) na pozamałżeńskim romansie, na homoseksualizmie czy braniu narkotyków, skrzętnie takie sprawy notowała. Andrzej Friszke, członek kolegium IPN, związany z „Więzią", a więc bliższy raczej michnikowszczyźnie niż lustratorom, poproszony został pod koniec sierpnia 2006 przez „Rzeczpospolitą" o skomentowanie publikacji w „Dzienniku", w której – bez nazwisk – pojawiały się wątki rozmaitych ekscesów obyczajowych ludzi z podziemia. Friszke, wobec wspomnianego artykułu bardzo krytyczny, powiedział wtedy: „Opisane w nim [tj. w artykule „Dziennika«] przypadki autor albo całkowicie zmyślił, albo przejrzał ogromną ilość materiału, żeby wyłowić z niego »smaczki«, które pasowały mu do tezy. Przeczytałem kilkaset teczek i wiem, że trzeba się bardzo natrudzić, żeby natrafić na choćby jeden *casus* podobny do opisanych w »Dzienniku«. Oczywiście (...) Służba Bezpieczeństwa chętnie zbierała kompromitujące materiały na działaczy opozycji i notowała sobie takie fakty albo plotki. Jeśli mogły posłużyć do zdezawuowania kogoś... Ale nie są to bynajmniej rzeczy nagminne. A tekst w »Dzienniku« sugeruje, że tak właśnie wyglądało życie codzienne opozycji. To jest obraz kłamliwy... Trzeba mieć dużo złej woli, żeby skonstruować taki opis".

Ale przecież – taki właśnie opis teczek dał w swych dziełach kilkakrotnie także Michnik, twierdząc wprost, że ubecja nie tyle nawet „zbierała", co fabrykowała materiały do szantażu, i że owe fałszywki, haki, kompromaty etc. stanowią główną zawartość teczek!

Odnotujmy opinię historyka, którego kwalifikacji ani uczciwości nigdy michnikowszczyzna nie podważała: trzeba do tego „dużo złej woli".

„Archiwa są niewiarygodne", powtarzają w nieskończoność podwładni Michnika. Nigdy nie potwierdził tego żaden historyk. Wręcz przeciwnie – każdy z nich, pytany, czy kiedykolwiek zetknął się ze sfałszowaną teczką, zaprzecza. Jedyny taki udowodniony wypadek, spreparowanie „lojalki" Kaczyńskiego, miał miejsce już w latach dziewięćdziesiątych. A opowieści snute przez byłych esbeków, którzy na każdym procesie lustracyjnym zapewniają, że odnalezione przez śledczych wpisy sami własnoręcznie fałszowali, można włożyć między bajki, tak samo, jak opowiastki snute dziennikarzowi „Gazety Wyborczej", jakoby ubecy dla zdobycia premii chodzili sobie po blokowiskach, spisywali przypadkowe nazwiska z listy lokatorów i zakładali na nie teczki fałszywych TW. W wielu sferach życia peerelu panował kompletny bajzel, pogłębiający się w miarę upływu lat – ale akurat nie w służbach. Istniały tam kontrole, istniały też surowe kary dla funkcjonariuszy, którzy ośmieliliby się oszukiwać swoich przełożonych.

Chyba, że mamy wierzyć, iż jeszcze w latach siedemdziesiątych SB dowiedziała się dzięki jakiemuś wehikułowi czasu, że niebawem komunizm szlag trafi, że do jej najtajniejszych archiwów wejdą ludzie z aktualnej opozycji, i w związku z tym postanowiła ich skołować, wpisując do archiwów różne bzdury.

„Nie można wierzyć esbekom", powtarza michnikowszczyzna, i za każdym razem, gdy komuś zostaną wyłożone na stół dowody jego zdrady, zawodzi, że to „pośmiertne zwycięstwo SB". Otóż jeśli nie można wierzyć esbekom, to przede wszystkim nie można wierzyć ich dzisiejszym opowieściom, jakoby zakładali fałszywe teczki albo wpisywali kogoś do ewidencji TW bez jego wiedzy po to, aby mu pomóc albo go przed czymś ochronić. Faktycznie, nie należy im wierzyć, bo plotą to wszystko w poczuciu absolutnej bezkarności, starając się zgodnie wybielić Firmę i obalić każde lustracyjne oskarżenie. Należy znacznie bardziej, niż im, wierzyć archiwom – temu, co w nich zapisywali na użytek własny i przełożonych wtedy, gdy nie wiedzieli, że ktoś inny będzie te archiwa czytać.

Oczywiście, nie każda wiadomość znaleziona w teczkach SB musi być prawdziwa. Ubecy czasem się mylili, ich konfidenci czasem fantazjowali, a czasem byli wprowadzani w błąd. Tak samo można powiedzieć, że wiele nieprawdy jest w innych archiwach. Na przykład na posiedzeniach Politbiura cytowano różne z gruntu fałszywe statystyki i te statystyki zostały zapisane w protokołach. Mimo to nikt nigdy nie wzywał, żeby *a priori* wyłączyć z badań protokoły posiedzeń władz peerelu czy inne zespoły archiwalne. Jedynym źródłem jakoby całkowicie niewiarygodnym mają być archiwa MSW. Żaden – powtórzę – żaden historyk nigdy się nie podpisał pod taką tezą. Poza Adamem Michnikiem, oczywiście.

Bo dla michnikowszczyzny każde sięgnięcie do archiwów SB stanowi asumpt do wysunięcia oskarżenia, że ten, kto to zrobił, traktuje archiwa „bezkrytycznie". Że chce pisać historię wyłącznie na ich podstawie, że widzi w nich prawdy objawione, że patrzy na wydarzenia oczyma bezpieki i tak dalej. Są to wszystko gołosłowne, niczym nieuzasadnione insynuacje. W żadnej pracy historycznej, w żadnej nawet publikacji prasowej, włącznie z tymi, które wzbudziły największą wściekłość publicystów Michnika, materiały ubeckie nie zostały potraktowane „bezkrytycznie". Są one konfrontowane z faktami, z zawartością innych archiwów, słowem, poddawane normalnej krytyce źródeł, jak to jest zwyczajem historyków. Rozmawiałem z wieloma z nich, także z tymi, których michnikowszczyzna obdarzała mianem „pętaków", „małych gnojków z IPN", w najłagodniejszej wersji „trzydziestoletnimi inkwizytorami z IPN". Żaden z nich nie uważał badanych archiwów MSW za bardziej wiarygodne niż archiwa, dajmy na to, PZPR czy rządu. Ale też, i to chyba wystarczy by być „gnojkiem", nie uważali ich za mniej wiarygodne i mniej przydatne w pracy historyka. W pracy, z której przecież rozliczają ich nie czytelnicy gazet, ale, wedle ustalonych dla tego zawodu zasad, inni historycy.

Archiwa mają być niewiarygodne także dlatego, że zostały „przetrzebione". To kolejny koronny argument michnikowszczyzny, i trzeba przyznać – wyjątkowo tupeciarski, zważywszy, jak wiele w stosownym czasie, za Mazowieckiego, zrobili ludzie z kręgu Michnika, aby przeszkodzić bezpiece w wielkim paleniu teczek. Ale, znowu, badający sprawę historycy twierdzą, że archiwów na sto procent wyczyścić nie było można. Że, jak to ujął znany historyk rosyjski – archiwa nie płoną. Uniemożliwiał ich wyczyszczenie sam skomplikowany system obiegu informacji, który w nich obowiązywał. Papiery z jednych teczek „przechodziły" w innych sprawach, były więc stale rozmnażane, i praktycznie nie sposób usunąć z archiwów śladów działalności jakiegoś TW, bo nawet jeśli spaliło się jego teczkę pracy, zobowiązanie odręczne i pokwitowania, to donosy nadal tkwią w innych teczkach. Nie sposób też zlikwidować śladu po zniszczonych materiałach, bo wszystkie dokumenty były wielokrotnie odnotowywane w różnych ewidencjach, z których nie można było już potem niczego usunąć ani niczego dopisać. Mimo wszystkich starań, usilna niszczycielska praca podwładnych generałów Kiszczaka i Dankowskiego tylko znacznie utrudniła historykom dotarcie do prawdy. Uniemożliwić go nie zdołała.

„Teczki powinny zostać zapieczętowane na pięćdziesiąt lat", postulował Michnik, oskarżając prawicę o to, że szuka w teczkach amunicji. Ale pisząc te słowa, musiał wiedzieć, że na to za późno, że archiwa zostały już gruntownie przekopane, i to nie przez prawicowców. Na użytek Wałęsy Andrzej Milczanowski przeprowadził cichą lustrację, którą objął siedem tysięcy osób – lustrację o tyle inną od postulowanej przez „jaskiniowych antykomunistów", że mającą na celu nie ujawnienie prawdy o zasobach archiwalnych, tylko znalezienie „haków" na polityków. Stworzona przez Milczanowskiego lista od późniejszej listy Macierewicza była o trzy nazwiska dłuższa, bo zespół Macierewicza przyjął zasadę, aby nie uznawać śladów w ewidencji komputerowej nie potwierdzonych archiwami papierowymi. Zresztą, jak wspomina Olszewski, gdy został premierem, Milczanowski przekazał tę listę także jemu, najwyraźniej traktując to jak czynność rutynową. Musiał też Michnik wiedzieć, że jeszcze w czasach peerelu archiwa były mikrofilmowane i że los tych mikrofilmów nie został przekonująco wyjaśniony – nie można wykluczyć, że znalazły się poza Polską. W takiej sytuacji wypadałoby przynajmniej rozważyć możliwość, czy ujawnienie zasobów, jak próbował to zrobić rząd Olszewskiego, nie jest mniejszym złem, niż godzenie się na funkcjonowanie „kwitów" w szarej strefie. Michnik na ten argument pozostaje głuchy albo po prostu go wyszydza.

Na tym wyczerpują się antylustracyjne argumenty natury praktycznej. Ale michnikowszczyzna, nie tylko w tej jednej sprawie, bardziej polegała zawsze na argumentach etycznych. Zaglądanie do teczek jest nie tylko uleganiem brzydkiej skłonności do podglądactwa i grzebania się w „kloacznych nieczystościach". To także – jakżeżby to słowo mogło nie paść – „podłość". Nawet „skończona podłość". Bo przecież konfidenci byli ludźmi „złamanymi", zmuszonymi do współpracy szantażem, strachem albo wręcz torturami. Więc nie należy potęgować ich cierpień, wywlekając im teraz chwile słabości.

Obraz konfidenta SB jako człowieka nieszczęśliwego, złamanego, który „coś tam podpisał" pod wpływem prześladowań, upowszechniany był przez michnikowszczyznę tak długo, aż stał się potocznym stereotypem, i większość z Państwa, słysząc „konfident", zapewne odruchowo wyobraża sobie kogoś takiego.

Ale to stereotyp fałszywy. Henryk Głębocki, badając archiwa SB w Krakowie, wyliczył bardzo precyzyjnie, że ponad 96 proc. jej TW podejmowało współpracę dobrowolnie, dla korzyści materialnych, dla pomocy w karierze, zyskania możnych protektorów, ułatwień w wyjazdach zagranicznych. Nawet w czasie chwilowego, ale wyraźnego załamania werbunków podczas karnawału pierwszej „Solidarności", niewątpliwie spowodowanego ówczesnym przypływem nadziei, „współodpowiedzialność obywatelska" była wykazana jako podstawa 87 proc. „pozyskań". Podobnie wyglądają statystyki z innych ośrodków. Kapujący artyści zwykle od swych oficerów prowadzących domagali się załatwiania im dobrych recenzji, wystawień, wznowień. Kapujący dziennikarze – wyjazdów na atrakcyjne zachodnie placówki. Kapusie naukowcy oczekiwali pomocy w awansie i wyjeździe, prawnicy – przymknięcia oka na dochody z prywatnej kancelarii (formalnie biorąc, nielegalne). A bezpieka w miarę możliwości takie prośby spełniała.

Bo przecież, choć sięgała także i po broń zastraszenia czy szantażu, wiedziała doskonale, że „z niewolnika nie ma pracownika". TW pozyskany pod przymusem był TW marnym, niepewnym. Zawsze istniała obawa, że będzie się starał wykręcić sianem, informować o sprawach drugorzędnych, które sam uznaje za nieistotne, albo że po prostu przyzna się tym, których mu kazano infiltrować, i ostrzeże ich, żeby nie mówili mu o niczym istotnym. Po takich TW sięgała bezpieka tylko w sytuacjach naprawdę rozpaczliwych i traktowała ich donosy bardzo ostrożnie. Kiedy stosowano werbunek pod przymusem, to raczej po to, żeby wybić kogoś z działalności opozycyjnej albo poprzez dekonspirację zasiać lęk i niepewność w jego środowisku niż w nadziei, iż rzeczywiście dostarczy on jakichś istotnych informacji.

Proszę zwrócić uwagę, że z trzech wymienionych wcześniej autorytetów michnikowszczyzny, zdemaskowanych jako TW, żaden nie był zastraszony czy złamany. To znaczy, podawał się za takowego Maleszka, ale w oczywisty sposób kłamał. Podwójne życie i zwalczanie opozycji pod pozorem działania w niej było dla tego człowieka, jak widać z dokumentacji jego konfidenckiej kariery, prawdziwą pasją, dostarczało mu jakichś adrenalinowych dreszczy, porównywalnych z tymi, które musiał odczuwać sławny Jewno Azef. Ksiądz Czajkowski puścił się na współpracę z władzą, szukając wsparcia dla swych pomysłów na reformowanie i „otwieranie" Kościoła, z którymi nie był zbyt dobrze postrzegany przez większość duchownych, a zwłaszcza hierarchów. Andrzej Szczypiorski, człowiek ogromnej pychy i ambicji, a zarazem literat bardzo mierny, sprzedał się dla zaszczytów, dla przekładów, promocji i klaki.

Stereotyp konfidenta jako człowieka złamanego przemocą, zaszczutego, zwykle łączy michnikowszczyzna z innym mitem - jakoby bezpieka pozyskiwała TW tylko w środowiskach opozycyjnych. Tak więc TW to ktoś, kto walczył o ojczyznę, poświęcił się - cóż, złapali go i zeszmacili esbecy, ale przynajmniej próbował. Dlaczegóż on ma się znaleźć pod pręgierzem opinii publicznej, pyta rozdzierająco michnikowszczyzna, aby potępiali go ci, którzy nic nie robili, tylko siedzieli podekowani w domach?

W rzeczywistości akurat w opozycji bezpieka miała współpracowników raczej mało i to głównie pośród ludzi „obsługujących" opozycjonistów - na przykład poprzez ich nocowanie - niż z grona samych aktywnych działaczy. Oczywiście, nie można wykluczyć, że był ktoś taki także i wśród liderów. Udawało się to służbom w innych krajach, mogło się udać i u nas. Taki wysoki rangą współpracownik byłby na pewno zbyt ważny, aby zakładać mu teczkę, żądać odręcznego zobowiązania czy podpisywania kwitów. Rozmowy byłyby prowadzone przez wysokiego rangą funkcjonariusza, a notatki z nich traktowane jako ściśle tajne i przeznaczone tylko dla najwyższego kierownictwa. Przy takich rozmowach trudno by było zresztą wyznaczyć granicę pomiędzy agenturalnością a polityczną grą, czy swego rodzaju negocjacjami. Nie można oczywiście wykluczyć, ale - nawet jeśli komuniści mieli w opozycji kogoś takiego, nie zmienia to faktu, iż stopień jej zinfiltrowania nie był tak wielki, jak by można sądzić z dzisiejszych przechwałek ubeków na łamach Urbanowego szmatławca. Archiwa pokazują, że większość swych informacji o opozycji czerpała SB nie z agentury, a ze środków technicznych, podsłuchów telefonicznych i pokojowych, z przechwytywania korespondencji.

Według ustaleń historyków, najbardziej naszpikowane agentami były – duchowieństwo, główny wróg peerelu, na nękanie i szpiegowanie którego bezpieka nie szczędziła sił ani środków, następnie środowisko dziennikarzy, palestra, kręgi naukowe i artystyczne. Bezpieka, o czym się dziś zapomina, istniała nie tylko po to, by zwalczać opozycję (co by w takim razie miał do roboty niemiecki urząd Gaucka, przecież w NRD żadnej opozycji nie było), ale przede wszystkim po to, by kontrolować, co się myśli i mówi w społeczeństwie, szczególnie w jego kręgach opiniotwórczych. I lubiła być dobrze poinformowana.

Nie ma więc realnych podstaw stosowany przez michnikowszczyznę moralny szantaż, że kto domaga się ujawniania konfidentów, chce zniszczyć i zbrukać piękną historię „Solidarności", jedną z ostatnich rzeczy, z jakich możemy być dumni; osobiście zresztą sądzę, że bruderszafty Michnika, jego głośne *tournée* po Paryżu z Jaruzelem i demonstracyjnie okazywana atencja dla innych prominentnych komunistów zbrukały mit „Solidarności" o wiele bardziej, niż mogłoby to zrobić znalezienie nawet kilku agentów wśród jej liderów. Nie jest także prawdą, jakoby rozliczanie agentów było na rękę postkomunistom, bo ich ta sprawa nie dotyczy. Owszem, instrukcja z lat siedemdziesiątych zakazywała werbowania TW wśród członków partii, ale w czasie stanu wojennego i po nim mało kto się już tym w bezpiece przejmował. Zresztą, rzecz jest oczywista – gdyby postkomuniści uważali lustrację za korzystną dla siebie, to by ją popierali, a senator Jarzembowski domagałby się w ich imieniu zwiększania, a nie zmniejszania budżetu IPN. Z faktu, że w tej kwestii, jak i w wielu innych, solidaryzowali się zawsze z michnikowszczyzną, płynie wniosek oczywisty.

To absurdalne, żeby ujawniać ofiary – to znaczy konfidentów – jeśli ci, którzy ich łamali, szantażowali i torturowali, pozostają nieznani, głosi inny antylustracyjny argument michnikowszczyzny. Chce się zapytać – ale dlaczego pozostają nieznani? Jeśli zabrakło do ich ujawnienia woli politycznej – także ze strony partii powiązanych z Michnikiem – to czyż taka medialna potęga, jak „Gazeta Wyborcza", nie mogła przedsięwziąć czegoś, aby społeczeństwo poznało prawdę o tych, którzy szantażowali i torturowali? Bo pamiętam, że kiedy inna gazeta ujawniła, jak się obecnie nazywa i gdzie pracuje jeden z morderców księdza Popiełuszki, w „Wyborczej", jak zwykle, znaleziono dla niej tylko wyrazy moralnej przygany. W porządku, spróbujmy wziąć za dobrą monetę zapewnienie Michnika z tekstu opublikowanego w 1992, że choć nazwiska powinny jego zdaniem pozostać utajnione na pięćdziesiąt lat, to jednak należy „obnażyć cały mechanizm zbrodni i terroru, drańśtwa jednych i krzywdy drugich". Nie sposób nie zapytać: to dlaczego przez tyle lat nigdy nie zrobił redaktor Michnik niczego, literalnie niczego, co by szło w tym kierunku? Wystarczało zlecić któremukolwiek z setek zatrudnianych przez gazetę dziennikarzy: opisz ten cały mechanizm i go obnaż. A potem to wydrukować. Co stanęło na przeszkodzie? Dlaczego komunistyczne zbrodnie kończą się w świecie przedstawianym przez gazetę Adama Michnika na roku 1976, a o stanie wojennym pisze się wyłącznie w kontekście „martyrologii" tych, którzy ku straszliwej męce sumienia musieli go wprowadzić i wykonać?

Nazwiska pracowników UB i SB są stopniowo ujawniane przez IPN, niebawem doczekamy się doprowadzenia listy do lat osiemdziesiątych. Dzieje się to przy zajadłym oporze Głównego Inspektora Ochrony Danych Osobowych. Nie przypominam sobie, by „Wyborcza" kiedykolwiek potępiła za to GIODO lub postulowała zmianę dającej się tak niefortunnie interpretować ustawy o ochronie danych osobowych. W związku z tym zapewnienia Michnika „amnestia tak, amnezja nie" należy uznać za jeszcze jedno z jego gołosłownych hasełek maskujących, a argument „nie ujawniajmy ofiar, skoro oprawcy pozostają nieznani" za obliczony nie na ujawnianie nazwisk oprawców, tylko na ukręcenie całej sprawie łba.

Michnikowszczyzna, wzorem swego bohatera, starała się przekonać, że „szukanie agentów" to rodzaj igrzysk. Igrzysk niesmacznych. Że to igrzyska dla motłochu, który uwielbia ściągać z piedestałów i poniżać autorytety, robota jakichś paranoików, lubujących się w roztrząsaniu „kloacznych nieczystości", a wreszcie metoda podłej walki politycznej, którą posługują się „radykałowie ostatniej godziny" – tacy, co to nie byli odważni, gdy był na to czas, a teraz chcą unurzać w błocie prawdziwych, zasłużonych przywódców opozycji, żeby zająć należne im po sprawiedliwości miejsce u steru państwowej nawy. Ze sprawy lustracji uczynił Michnik problemat moralny - wałkowane po tysiąc razy pytania, czy godzi się, czy mamy prawo, czy to etycznie - oraz spór estetyczny, w którym bezustannie powtarzają się stwierdzenia o ubeckim szambie i babraniu się w nieczystościach, oraz deklaracje coraz to innych autorytetów, że one żadnych teczek ciekawe nie są.

Michnikowszczyzna nie przyjmuje oczywistego argumentu, że lustracja to kwestia bezpieczeństwa państwa, że były TW na wysokim stanowisku daje możliwość wpływania na najważniejsze decyzje tym, którzy mają w ręku dowody jego agenturalności. Michnik z tym argumentem nawet nie próbuje polemizować. On go, swoją metodą, po prostu wykpiwa: „Taki agent może być szantażowany, powiada senator Romaszewski - pisze Michnik w roku 1992 - dlatego trzeba ujawnić jego teczkę. Ale przecież szantażowany może być nie tylko agent UB czy SB. Szantażowany może być homoseksualista - to może należy jeszcze ujawnić teczki homoseksualistów? Szantażowana może być żona, która ma kochanka - to może ujawnić teczki wszystkich żon? Dodajmy wreszcie, że szantażowane mogą być kobiety, które dokonały aborcji. Słowem, jeżeli się przyjmuje, że trzeba wykluczyć z polityki wszystkie potencjalne ofiary szantażu, to w konsekwencji przyznaje się policji wprost nieograniczone możliwości".

Czy mam wierzyć, że Adam Michnik nie słyszał nigdy o obyczaju krajów cywilizowanych poddawania kandydatów na wysokie stanowiska czemuś, co z angielska zwie się „procedurami clearingowymi" – czyli właśnie po prostu lustracji?

Jeden przykład. Był wśród wiernych towarzyszy Aleksandra Kwaśniewskiego niejaki Zbigniew Sobotka. W wypełnionym służbą partii życiorysie zabrakło mu czasu na zrobienie matury, ale jako szef organizacji partyjnej w Hucie Warszawa uczynił z niej nader sprawną strukturę. Tak sprawną, że, jak wspomina w rozmowie z Torańską peerelowski minister kultury, Józef Tejchma, kiedy tylko wychylił się wśród twórców jakiś odrobinę bardziej niezależny literat, kiedy powstał jakiś nieco mniej komunistyczny film, zaraz na biurkach partyjnych decydentów lądowały spontaniczne rezolucje oburzonej klasy robotniczej, właśnie z Huty Warszawa. Hutnicy domagali się, aby wrogom socjalizmu i robotnika przykręcić śrubę, a decydenci, oczywiście, ochoczo wolę ludu spełniali. W podzięce za tę sprawność Sobotka w ślad za swymi mocodawcami zrobił karierę w III RP, złamaną dopiero po sławnej „aferze starachowickiej", kiedy to jako wiceminister spraw wewnętrznych ostrzegł mafiosów z tego miasteczka, przez skolegowanych kumpli z partii, o szykowanej przeciwko nim akcji policyjnej. Został nawet skazany, ale ani dnia nie przesiedział, ułaskawiony natychmiast przez Aleksandra Kwaśniewskiego.

Otóż zanim Sobotka osiadł w resorcie spraw wewnętrznych, najpierw towarzysze z SLD zrobili go wiceministrem obrony narodowej. W tej roli wybrał się nawet w zagraniczną podróż – do Włoch. A tam zawrócono go na lotnisku i wsadzono do samolotu, odsyłając – jak to się dawniej mówiło, „ciupasem" – do kraju. Okazało się bowiem, że nasz wiceminister obrony narodowej figuruje na sporządzonej na użytek NATO liście współpracowników wywiadu sowieckiego, i jako taki jest w krajach sojuszu „personą niepożądaną". No cóż, są to dzikie kraje, gdzie policja ma nieograniczone możliwości.

Na otarcie łez SLD, jak już pisałem, przeniosło Sobotkę do MSW. A michnikowszczyzna, która kilka lat później, za rządów PiS, tyle głośnych lamentów poświęciła temu, jak strasznie podważa wiarygodność Polski w świecie ta czy inna wpadka Kaczorów, jakoś nie rozdzierała szat, że posyłając do NATO jako swego rządowego wysłannika faceta uważanego przez nich za współpracusia KGB skompromitowaliśmy się i straciliśmy wiarygodność w oczach sojuszników.

W tekście przed chwilą cytowanym Adam Michnik zaczyna swoim zwyczajem od stwierdzenia: „Agenci UB – a tym bardziej KGB – nie powinni być ministrami". Ale jak to pogodzić ze stwierdzeniem, że nie wolno weryfikować czyjejś przydatności do służby państwowej na podstawie esbeckich papierów? Jak to pogodzić z następującym stroniczkę dalej okrzykiem: „I ja miałbym zmieniać opinię o kimś, kogo znam od lat, i z kim od wielu lat współpracowałem, tylko dlatego, że UB włożyło coś do jego teczki?" (ale o Maleszce troszeczkę jednak Michnik zmienił zdanie, skoro zabronił mu dalszego podpisywania się w gazecie prawdziwym nazwiskiem?). Jak pogodzić to z przytoczonymi wyżej kpinami z argumentu o możliwości szantażowania byłych TW przez państwa ościenne lub rodzimą mafię?

Tylko w jeden sposób: trzeba uznać, że deklaracja „agenci nie powinni być ministrami" ma charakter czysto retoryczny i nie odzwierciedla rzeczywistych poglądów Adama Michnika.

* * *

Wśród argumentów, używanych przez Michnika przeciwko lustracji, zdarzają się przedziwne. Oto na przykład zastanawiający fragment z recenzji książki Jacka Snopkiewicza „Widma bezpieki" – dość wrednego, napisanego na kolanie paszkwilu na właśnie obalony rząd Olszewskiego. Adam Michnik odnalazł tu swoje ulubione sprowadzenie zła komunizmu do stalinizmu, i pożywkę dla tezy, że antykomunizm jest moralnie z owym stalinizmem równoznaczny:

„Oczywiście najstraszniejsze wrażenie robią dokumenty z okresu stalinowskiego. Raz jeszcze przywołany zostaje świat koszmarnych zbrodni, nieludzkich tortur, niewybaczalnych okrucieństw (...) Tego nie wolno zapomnieć, bo byłby to grzech wobec tych wszystkich, którzy w tamtych latach torturom byli poddani. Ale tego nie wolno zapomnieć również dlatego, że – jak naucza historia – mechanizm terroru i prowokacji, kłamstwa i zbrodni potrafi odradzać się w nowym czasie historycznym, w nowych warunkach, przyozdobiony w nową retorykę.

Przecież wtedy też mówiono o potrzebie sprawiedliwego ukarania winnych wcześniejszych zbrodni: tym motywowano specjalne ustawodawstwo o odpowiedzialności za faszyzację kraju. Jak posługiwano się tym prawem, to temat na osobną rozprawę. Ważne jest jednak, że samą zasadą tego ustawodawstwa miał być akt zemsty, który miał uchodzić za wymierzenie sprawiedliwości za wczorajsze przestępstwa, był zaś w swej istocie instrumentem terroryzowania społeczeństwa dnia dzisiejszego.

Wtedy też wszystko zaczynało się od »teczek«. Od demaskowania agentów przedwojennej policji, od tropienia wrogów ludu czy wrogów narodu, od grzebania w cudzych życiorysach.

Rozmawiamy dziś dużo o dekomunizacji i omawiana tu książka jest istotnym przyczynkiem do tych rozmów".

Stalinowskie zbrodnie zaczęły się od „teczek"? Ki diabeł znowu? Przecież każdy, nie tylko zawodowy historyk, wie doskonale, że nic podobnego. Zbrodnie komunizmu nie odwoływały się wcale do żadnej tam zemsty, tylko do wizji świetlanej przyszłości, w imię której trzeba zlikwidować warstwy społeczne stojące na drodze postępu – „wroga klasowego", kułaka, posiadacza, wyzyskiwacza. Jakże może Michnik tak kompletnie mijać się z prawdą?

Dopiero po dłuższym namyśle znalazłem jedyne logiczne wyjaśnienie dla tego zdumiewającego passusu. „Stalinowskie zbrodnie" to dla Michnika nie masowa eksterminacja żołnierzy AK, nie wyniszczanie niedobitków warstw wyższych, przemysłowców, ziemian, prawdziwej inteligencji. To wszystko w oczach Michnika jest mniej istotne od wewnętrznej dintojry w komunistycznej mafii, która dotknęła tego czy owego działacza przedwojennej KPP, KPZU czy KPZB – to procesy

Spychalskiego, Kliszki czy innych takich, w których, istotnie, czasem sięgano po oskarżenie o współpracę z sanacyjną „dwójką".

* * *

Na temat lustracji michnikowszczyzna naprodukowała tyle absurdów, że gdybym je wszystkie chciał cytować, nie skończyłbym tego rozdziału nigdy.

Ale jeszcze jeden zacytować trzeba koniecznie. Jak już wspomniałem, najciekawsze rzeczy mówił Michnik wtedy, gdy wypowiadał się dla mediów zagranicznych. W roku 2002 redaktor naczelny „Gazety Wyborczej" udzielił wywiadu dla niemieckiego miesięcznika „Dialog". Wypowiedział się w nim między innymi o IPN – zarzucając gołosłownie Instytutowi, że jest to „instytucja poddana skrajnym manipulacjom politycznym, powołana w intencji politycznej i funkcjonująca bardzo źle" i że „po prostu należy tę instytucję zlikwidować". Słowa te zacytowała w Polsce postkomunistyczna „Trybuna". Chciałoby się rzec – oto komusza wdzięczność, pokąsać rękę, która ich wykarmiła i obroniła. Ale „Trybuna" bynajmniej nie zauważyła w wywiadzie Michnika nic niestosownego, chciała się po prostu podeprzeć opinią Autorytetu w swoich porachunkach z Instytutem.

Zareagował na ten cytat oburzeniem ówczesny prezes IPN i w efekcie „Gazeta Wyborcza" poczuła się w obowiązku wydrukować całość tekstu, o którym zrobiło się głośno.

Dzięki temu światło dzienne ujrzał w Polsce, po polsku, taki oto wyimek z mądrości Adama Michnika, wyjaśniającego swym niemieckim rozmówcom, dlaczego w Polsce jest źle z refleksją nad tym, co było. Otóż – oczywiście! – nie dlatego, że nie było w Polsce lustracji i dekomunizacji, ale dlatego, że „cała debata na temat PRL-u poszła w drugą stronę, w stronę szukania winnych". A jeśli się szuka winnych, to:

„Jeżeli urządza się poszukiwanie winnych, to to jest mechanizm eksternalizacji win. Mamy jakichś winnych, a sami jesteśmy niewinni. A tymczasem system dyktatury mógł trwać w Polsce nie dlatego, że byli aparatczycy i bezpieka, tylko dlatego, że miliony ludzi na to przyzwalały. W Polsce były tak zwane wybory, w których brało udział 90 proc. uprawnionych do głosowania. I najgorsze jest to, że tych liczb wcale nie trzeba było fałszować. Rzeczywiście, tłumy, w niedzielę, prosto z kościoła, waliły na wybory i głosowały bez skreśleń".

Żeby nie było wątpliwości: te słowa nie są fragmentem jakichś abstrakcyjnych rozważań o winie jako takiej. Zostały umieszczone w jednoznacznym kontekście, są częścią odpowiedzi na pytanie o IPN, częścią argumentacji Michnika, dlaczego należałoby rozwiązać pion prokuratorski tej instytucji i zaniechać dochodzeń w sprawie komunistycznych zbrodni.

Pomińmy tę kwestię, jak to rzekomo w III RP „szukano winnych" nieprawości peerelu i poświęcano temu „całą debatę na temat PRL-u". Los sejmowego druku 1104, potocznie zwanego „raportem Rokity", który Państwu przedstawiłem wcześniej, wydaje mi się wystarczająco dobitnym przykładem, jak się miała rzeczywistość i do powyższych utyskiwań Michnika, i do ubolewania przez generała Kiszczaka na łamach „Wyborczej", że się dzieli Polaków „na lepszych i gorszych".

Co wynika ze słów Michnika? Że zadając pytanie, kto zamordował księdza Suchowolca, księdza Zycha, kto powiesił na płocie stoczni Samsonowicza, na urągowisko i postrach wrogom reżimu, czy kto utopił w Wiśle Barchańskiego – jesteśmy podli. Ulegamy własnej chęci do samowybielenia. Bo tak naprawdę nie jest ważne, kto konkretnie ich zamordował – jest ważne, że za te mordy ponosimy odpowiedzialność wszyscy! Wszyscy wspólnym wysiłkiem skręcaliśmy kark Pyjasowi, wszyscy katowaliśmy Bednarka, i zadawanie dziś pytania, czy może istnieli BARDZIEJ winni od zwykłego, sterroryzowanego polactwa, które chodziło na „wybory", bo wiedziało, że kto nie pójdzie, kto się nie odhaczy na liście, ten będzie wzywany do dyrekcji i POP, nękany, będzie miał, krótko mówiąc, przerąbane – że zadawanie tego pytania to nikczemna próba zrzucenia z siebie tej winy. Że jeśli twierdzimy, iż były w komunizmie konkretne osoby, które dokonywały zbrodni, które kierowały aparatem przemocy, układały zbrodnicze plany i sprzedawały swoją ojczyznę za transferowe ruble, i że ich winy są nieskończenie WIĘKSZE, niż tych, którzy tylko chcieli po prostu żyć, bo nie mieli w sobie dość heroizmu ani wiary w sens walki, żeby ją prowadzić – to po prostu próbujemy zrzucić z siebie współodpowiedzialność.

A to brzydko.

Tak oto Adam Michnik skonstruował moralną interpretację, która pozwala mu bez cienia zażenowania bratać się z najgorszymi kanaliami i zapraszać je do wspólnego obozu Lepszej Przyszłości: wszyscy byli winni tak samo.

Z tą poprawką, że komunistyczni generałowie, którzy oddali przy Okrągłym Stole władzę Michnikowi i jego środowisku, swoje winy już odkupili. „Sto tysięcy razy".

Oto podstawy tej szczególnej wiary, przed którą padła na kolana wielka część inteligencji III Rzeczpospolitej.

Siły światła i ciemności

Ale dlaczego padła ona na kolana tak skwapliwie? Oto pytanie.

Jest na nie wiele odpowiedzi. Czy raczej, jest to w sumie jedna odpowiedź, ale można jej udzielać na różne sposoby. Jednym z nich jest przypomnienie klasycznego socjologicznego eksperymentu, z którym zapoznaje się na pierwszym roku student niemal każdego kierunku humanistycznego – chyba że od moich czasów coś się w tej kwestii zmieniło i „Konformizm" Aronsona nie jest już w lekturach obowiązkowych. Jeśli tak, to bardzo szkoda.

Eksperyment polegał na pokazywaniu kolejnym osobom dwóch odcinków różnej długości. Odcinek A był w sposób wyraźny dłuższy od odcinka B. Haczyk polegał na tym, że pierwsze osoby, udzielające odpowiedzi, były przez prowadzących badanie podstawione. Jedna po drugiej, z pewnością siebie, pokazywały jako krótszy odcinek A.

I kiedy na ich miejscu siadał badany, to w przytłaczającej większości wypadków, wbrew świadectwu swoich własnych oczu, udzielał tej samej odpowiedzi, co poprzednicy: krótszy jest odcinek A.

W badaniu zmieniano liczbę osób podstawionych i rozmaite szczegóły – wykazano na przykład, że opinia poprzedników działała na badanego tym mocniej, im lepiej byli oni ubrani i im bardziej dystyngowanie wyglądali. Ale na zasadniczy mechanizm nie miało to wpływu. Zwykli, normalni ludzie postawieni w obliczu grupy zgodnie uznającej za oczywiste coś sprzecznego ze zdrowym rozsądkiem, machinalnie podporządkowywali się jej zdaniu, choć nikt na nich nie nalegał i nikt do tego bezpośrednio nie zachęcał.

Na tym samym mechanizmie oparła swe wpływy michnikowszczyzna. „Gazeta Wyborcza" rzadko – tylko w chwilach szczególnie gorących politycznych przesileń – formułowała wprost jakieś wezwania do czytelnika. Na co dzień po prostu prezentowała poglądy ludzi, których pozycja i prestiż upoważniały do wygłaszania opinii na różne tematy. Prezentowała je w taki sposób, aby nie pozostawić wątpliwości, że są to poglądy oczywiste – po prostu trudno sobie wyobrazić, by człowiek „na pewnym poziomie" mógł ich nie podzielać.

Te opinie mogły się w rozmaitych szczegółach różnić, i różniły się. Ale jakoś tak, że mimo różnic układały się w zgodną, harmonijną całość. Jakoś tak – w niewymuszony sposób wyznaczały granice, co wypada, co mieści się w poglądach dopuszczalnych, a co nie. Jednego dnia prezentował się katolik, drugiego socjaldemokrata, trzeciego liberał. Socjaldemokrata podkreślał, że oczywiście wrażliwość społeczna, ale nie wolno też zapominać o stabilności gospodarczych fundamentów państwa. Liberał akcentował makroekonomiczny wymiar reform, ale też stanowczo się odżegnywał od „dzikiego kapitalizmu", a katolik nie mniej gorąco odcinał się od wszelkiego fundamentalizmu, eksponując prywatny, intymny wręcz aspekt wiary, z którą nie powinno się leźć w oczy osobom postronnym. A wszyscy oni zgadzali się co do tego, że antykomunizm to rzecz przebrzmiała i płynąca z brzydkich resentymentów, że z teczek bije fetor, a prawicy źle z oczu patrzy.

I wszyscy trzej byli pełni zachwytu, że potrafią się tak pięknie różnić i że należą do najlepszego z towarzystw.

W niedawnym wznowieniu dzieł Janusza Szpotańskiego zamieszczono kapitalną anegdotę o pewnej starej arystokratce, którą bezpieka przesłuchiwała w sprawie operetki „Cisi i gęgacze". Operetki, w której występowały postacie peerelowskich oficjeli, i za śpiewanie której na prywatnych spotkaniach Szpotowi wlepiono trzy lata z paragrafu o rozpowszechnianie fałszywych informacji na temat ustroju PRL. Otóż na pytanie ubeka, czy słyszała, co Szpotański śpiewał, dystyngowana hrabina odparła: „coś tam śpiewał, ale ja nie zwracałam uwagi, bo to nie było nic o ludziach z towarzystwa".

Hm, właściwie, zastanawiam się teraz, czy młodszy czytelnik wyczuwa, z czego się przy tej opowieści śmiano. To może jeszcze jedna peerelowska anegdotka, jak to na jednym z polowań, w których komunistyczna nomenklatura się lubowała, stary, przedwojenny leśniczy pyta, kto przyjedzie. „Wszyscy – odpowiadają mu –

Gierek, Babiuch, Pyka, Kruczek, Moczar, Tejchma, Kąkol..." „Przecież nie pytam o nagonkę – przerywa leśniczy – kto będzie Z PAŃSTWA?"

Przytaczam te żarty z dwóch przyczyn. Pierwsza jest taka, że pokazują one pewną bardzo charakterystyczną dla peerelu, inteligencką tęsknotę – właśnie tęsknotę za dobrym towarzystwem, za owym „państwem", którego miejsce usiłowali na siłę zająć „chłopcy o twarzach buraczanych" i „bardzo brzydkie dziewczyny o czerwonych rękach". Wszyscy oczywiście wiedzą, ale na wszelki wypadek przypomnę, że to określenia z najsławniejszego chyba wiersza czasów peerelu, „Potęgi smaku" autorstwa Zbigniewa Herberta – tegoż Herberta, którego do pewnego czasu Michnik ogłaszał jednym ze swych najwyższych autorytetów (konkretnie, do czasu, aż Herbert nie okazał się „jaskiniowym antykomunistą" – wtedy został przez michnikowszczyznę ogłoszony wariatem). Tak, ów smak, o którym pisał Herbert, był dla inteligenta, zmuszonego do życia w państwie robotników, chłopów i – przede wszystkim – „ciemniaków" z partyjnego aparatu, czymś szalenie ważnym. I to on sprawiał, że komunistów można się było bać i można było ich z konformizmu słuchać, ale nie można było ich szanować, bo – jako chamowaci parweniusze – byli po prostu śmieszni.

Owo poczucie smaku nie tylko, jak to pisał Herbert, chroniło przed rzuceniem się w objęcia „wnucząt Aurory". Tworzyło ono także tęsknotę za salonem. Takim prawdziwym, jak sprzed wojny, jak z „Kabaretu Starszych Panów", gdzie spotkać można tylko ludzi – jak to ujęła stara hrabina – z Towarzystwa.

Nie chcę powtarzać tego, co pisałem już w „Polactwie", bo liczę, że albo Państwo tę książkę znają, albo zechcą do niej sięgnąć. Krótko tylko, nie rozwijając wątku, który rozwijałem tam, muszę powtórzyć: inteligent w peerelu żył w poczuciu osaczenia przez chamów, od genseka, siorbiącego herbatę bez wyjmowania ze szklanki łyżeczki, poprzez pomiatających inteligentem partyjnych sekretarzy i dyrektorów, po bezczelnego hydraulika z najsławniejszego kabaretowego skeczu tych czasów. To tęsknotę za salonem, za Towarzystwem, jeszcze bardziej potęgowało.

Adam Michnik i jego gazeta potrafili tę tęsknotę zaspokoić, i dać inteligentom, a także rzeszy aspirujących do tego miana półinteligentów, poczucie przynależności do wspólnoty, w której uczestnictwo samo w sobie jest zaszczytem. To na pewno jedna z ważniejszych przyczyn, dla których tak wielu ludzi do dziś na jakąkolwiek krytykę Michnika reaguje żywiołową agresją.

Nie będę wcale udawał, że mnie samemu salony nie imponują, że kwestionuję sens istnienia lepszego towarzystwa czy fakt jego istnienia uważam za coś złego. Przeciwnie. Jako inteligent w drugim pokoleniu sam czuję się mile połechtany, jeśli mnie zaproszą gdzieś pomiędzy ludzi kulturalnych i dystyngowanych, przechodząc do porządku nad mą nieumiejętnością jednoczesnego posługiwania się nożem i widelcem. Rzecz w tym, że w sytuacji normalnej, jeśli mnie nie zaproszą, to mogę wzruszyć ramionami, mogę iść do salonu innego, albo nawet próbować założyć własny. Natomiast u zarania III RP sprawę załatwiono tak, że salon Michnika był salonem jedynym. Kogo do niego nie wpuszczono – tego nie było w ogóle. Kiedy Anna Bojarska opublikowała portretującą Michnika, Kuronia i inne osoby z Towarzystwa powieść z kluczem „Czego nauczył mnie August", jej nazwisko stało się do tego stopnia *passé*, że odmówiono jej w „Wyborczej" nawet druku nekrologu zawiadamiającego o śmierci matki (takie ogłoszenia przyjmuje się w gazecie według rutynowych procedur, ale do Bojarskiej pracownik „Wyborczej" zadzwonił po paru godzinach i poinformował, że druk nekrologu nie jest możliwy, pieniądze zostaną zwrócone). To był oczywiście przypadek wyroku ze szczególnym obostrzeniem, uzasadniony wagą przewiny pisarki – aż tak poważne sankcje groziły rzadko, albo za naruszenie szczególnie istotnych tabu, jak finanse „Gazety Wyborczej" (przypadek Ryszarda Bugaja), albo wtedy, gdy zdrajcą okazywał się człowiek z Towarzystwa (przypadek Tomasza Jastruna).

Wybieram akurat te przykłady, aby podkreślić ponadpartyjność Towarzystwa. Zatrzaśnięcie drzwi salonu przed Krasnodębskim („Krasnodębski? Przecież jego się nie czyta!", oznajmił, całkiem jak ta przesłuchiwana przez SB hrabina, wieloletni redaktor „Tygodnika Powszechnego", gdy ktoś w seminaryjnej dyskusji powołał się na książkę politycznie niepoprawnego profesora) czy Legutką, przed Trznadlem, Burkiem, Nowakowskim czy Orłosiem, przed Januszem Krasińskim albo Wiesławem Pawłem Szymańskim, albo nawet Janem Walcem, da się wytłumaczyć kryterium ideologicznym, choć w istocie nie o nie tu szło. Ale o żadnym z trojga wymienionych nijak nie można powiedzieć, aby żywili choć cień sympatii do prawicy, żadnego nie sposób utożsamić z obroną konserwatywnych obyczajów i wartości. I może zresztą zgubiło ich właśnie nadmierne przywiązanie do ideałów głoszonych przez Towarzystwo – to znaczy, nieuświadomienie sobie w porę, że te otwarcie głoszone zasady są oczywiście słuszne, ale w szczególnej sytuacji, wobec aktualnych zagrożeń, są sprawy od nich ważniejsze, takie, jak zwarcie szeregów wokół moralnego autorytetu i jego fortecy. Bugaj z naiwnością lewicowego ideowca ośmielił się zadać pytanie o moralną ocenę faktu, iż „ludzie »Gazety Wyborczej«", zbudowanej na państwowych kredytach, papierze i druku, znaku firmowym „Solidarności" oraz zachodnich darach, które również, bez wnikania ofiarodawców w szczegóły, były darami dla gazety „Solidarności", a nie dla gazety trzech panów, choćby nader sławnych, którzy formalnie zawiązali spółkę „Agora", uwłaszczyli się na tym majątku i zostali miliarderami. Bugaj nazwał to „ostatnim peerelowskim uwłaszczeniem nomenklatury" i zaapelował, aby dla przyzwoitości choć część swych miliardów przeznaczyli „ludzie »Gazety Wyborczej«" na pomoc ofiarom komunizmu, a zwłaszcza tym byłym działaczom podziemia, którzy żyją dziś w biedzie, bo jest takich bardzo wielu.

A Jastrun? Zacytujmy fragment felietonu z paryskiej „Kultury": „Wstrząsającą przygodę miał mój znajomy pisarz, człowiek – podkreślam – delikatny i zupełnie niekonfliktowy. Został przez Byłego Moralistę (nazwijmy go więc BM) wzięty na bok, gdzie otrzymał propozycję współpracy z »naszą grupą«. – »Bo nie wiem czy wiesz« – rzekł BM – »że wpierdalasz się w moją działkę«. Pisarz nie wiedział. I z przykrością odmówił, tłumacząc się umowami oraz zobowiązaniami, no i tym, że przecież wcześniej nikt mu nie proponował. – »To ja ci teraz proponuję« – rzekł moralista, potykając się o własne słowa. Gdy i to nie pomogło, BM oświadczył: »To ja ciebie zniszczę!«".

Oczywiście nie wiem, kim był ów pisarz (nie wiem nawet, ma się rozumieć, kto jest owym Byłym Moralistą, przemawiającym w charakterystycznym, knajackim stylu znanym z nagrania rozmowy z Rywinem i „potykającym się o własne słowa"), ale ciekawe, czy rzeczywiście został zniszczony. Zapewne tak. Mało kto był zbyt wielki dla Towarzystwa, które zgnoić umiało nawet Zbigniewa Herberta, choć to, co prawda, udało się tylko dzięki zdradzie, jakiej się wobec Obywatela Poety dopuściła wdowa po nim. Jedynym przykładem wydaje się Jerzy Giedroyc, który przecież owe straszliwe, oszołomskie, pełne nienawiści, trącące czarną sotnią i białą bolszewią słowa swego wieloletniego felietonisty śmiał przepuścić do druku. Nie w „Nowym Świecie", nie w „Gazecie Polskiej", ale w paryskiej „Kulturze" ukazały się tak pełne jadu pomówienia pod adresem najbardziej zasłużonego z Polaków... Całe szczęście, że mało kto tę „Kulturę" czytywał, wszystkim wystarczało wiedzieć, że jest wspaniała i że wypada deklarować, iż się na niej wychowało. Gustaw Herling-Grudziński (kolejny wykreślony z Towarzystwa) wspominał w jednym z wywiadów, jak niedługo po publikacji tego felietonu Michnik starał się, za pośrednictwem życzliwej mu redaktorki „Zeszytów Literackich" o przejęcie „Kultury", i jak odwiedzając w Maisons-Lafitte Czapskiego, demonstracyjnie omijał Giedroycia i umykał na schody, żeby się z nim nie przywitać.

Opisał też Herling, jak później, otrzymawszy bolesną lekcję, że zajęcie miejsca Giedroycia jest poza jego zasięgiem, jednał się z nim Michnik, teatralnym gestem padając na kolana i ogłaszając się „synem marnotrawnym". Ta teatralność, skądinąd, powtarza się w relacjach ludzi, którzy w różnych okresach współpracowali z Michnikiem. Na przykład w opisie jego stosunku do Wałęsy.

Moi rozmówcy często bywają skonsternowani, gdy z głupia frant zapytam ich, czy pamiętają, co robił Michnik podczas solidarnościowego karnawału pomiędzy sierpniem 1980 a grudniem 1981. Z trudem przypominają sobie jakąś podwarszawską miejscowość, gdzie przypadkiem obecny Michnik, przedstawiając się jako „siła antysocjalistyczna", uśmierzył tumult i ocalił przed linczem kilku miejscowych milicjantów. Bo faktycznie, w tym okresie Michnik dał się zupełnie zepchnąć na boczny tor. Nie napisał ani jednego (!) ważnego artykułu, bo wszystkie ważne artykuły ukazywały się wtedy w „Tygodniku Solidarność", na łamy którego Mazowiecki Michnika nie zaprosił. Wygłosił jeden odczyt w Stoczni Gdańskiej, z którego potem musiał się zapewne długo tłumaczyć, bo był on filipiką przeciwko dyktatorskim zapędom Wałęsy, którego porównał Michnik do Stalina – niby to żartobliwie, ale nie do końca. A tak w ogóle, był wtedy postrzegany jako człowiek Andrzeja Gwiazdy (zabawne są te piruety historii). Do znaczenia zdołał Michnik powrócić dopiero po stanie wojennym, wtedy też pojednał się z Wałęsą, i zaczął do niego zwracać się per „Wodzu". Co w zasadzie też miało być żartem, ale świadkowie zgodni są, że akurat Wałęsa tego żartu nie wyczuwał. Trudno też uznać za żart opisywane przez Kaczyńskiego zdarzenie, jak to widząc wysiadającego z pociągu Wałęsę Michnik wyrwał się przodem, chwycił walizkę Wałęsy i niósł ją za nim przez całą drogę.

Wałęsa lubił podobne zachowania (wspomnijmy choćby sławne zakładanie mu kapci przez Wachowskiego), co zresztą częste u ludzi awansowanych gwałtownie ze społecznych nizin. A Wałęsa z każdym rokiem stawał się coraz bardziej nie żadnym tam przewodniczącym, bo w podziemiu fizycznie nie było możliwe zachowywanie procedur wewnątrzzwiązkowej demokracji, tylko dyktatorem „Solidarności", rozumianej już wtedy nie jako formalna struktura, lecz jako moralna siła przeciwstawiająca się władzy. Coraz bardziej stawało się jasne, że jako dyktator będzie podejmował decyzje brzemienne w skutki. Ryszard Bugaj wspominał, że w okresie, kiedy zbliżało się rozstrzygnięcie kwestii, kto zostanie redaktorem naczelnym przyznanej „Solidarności" przy Okrągłym Stole gazety (w pierwszej chwili oczywistym pewniakiem wydawał się Mazowiecki), „Michnik zaczął podlizywać się Wałęsie w sposób po prostu obrzydliwy. Wychodziłem, bo nie mogłem na to patrzeć".

Cóż, taka jest polityka – kiedy nie da się przeleźć, trzeba przepełznąć. Być może tu szukać trzeba jakiejś części tej niewiarygodnej zajadłości i furii, z jaką atakował Michnik Wałęsę w czasie „wojny na górze"?

Ale zabrnąłem w dygresję – nie piszę i nie zamierzam pisać biografii Michnika. Choć tych kilka przywołanych wypowiedzi powinno Państwu uświadomić, dlaczego taka biografia nie została dotąd napisana i jeszcze długo nie zostanie.

Wracam do wątku: kogo z salonu wykluczono, ten przestawał istnieć, kogo tam potępiono, ten na każdym kroku musiał się tłumaczyć, oczywiście prywatnie, bo publicznie nie miał nawet takiej okazji. A co obłożono anatemą, to spotykał los „Tygodnika Solidarność", które to zasłużone i sławne pismo z wyroku Michnika – taka była wtedy jego siła – z tygodnia na tydzień po prostu przestało być czytane i poważane.

To zresztą niezwykle pouczający moment w dziejach III RP, zatrzymajmy się przy nim na chwilę. Tadeusz Mazowiecki został premierem, więc zwolniło się stanowisko redaktora naczelnego tygodnika. Tygodnik był własnością związku zawodowego „Solidarność", wówczas już powtórnie zarejestrowanego i mającego swoje władze. Któż inny, jeśli nie owe władze miał prawo mianować nowego szefa pisma? One więc to zrobiły – nie pamiętam, czy formalnie była to uchwała komisji krajowej, czy po prostu polecenie Wałęsy jako jej przewodniczącego, bez wątpienia decyzję podjął on sam, bo wszystkie tak podejmował. A że był to już moment, kiedy Wałęsa zaczynał gorzko żałować, iż oddał gazetę codzienną Michnikowi, i wyczuwał, że nie może z jego strony liczyć na lojalność, chcąc stworzyć sobie przeciwwagę dla propagandowego oddziaływania „Wyborczej", mianował Jarosława Kaczyńskiego.

Ta decyzja została żywiołowo oprotestowana. Okazało się, że mniejsza o prawo formalne – salon uznał, że Wałęsa nie miał prawa moralnego. Że nowego naczelnego powinien wybrać zespół redakcyjny, a nie właściciel. W obronie praw zespołu wystąpiła oczywiście „Wyborcza", ani trochę nie przejmując się, że jej naczelnego też przecież, zaledwie kilka miesięcy wcześniej, mianował właśnie Wałęsa. Równie arbitralnie. Że przecież równie arbitralnie mianował członków Komitetu Obywatelskiego, jego władze, kandydatów na posłów i senatorów, a, prawdę mówiąc, i samego premiera. W ogóle, fakt, że Wałęsa, jak się już mówiło, funkcjonuje od dawna jako dyktator „solidarnościowej" rewolucji, jako taki solidarnościowy Traugutt, tylko oczywiście znacznie mniej udany, jeszcze kilka miesięcy wcześniej Michnikowi, Kuroniowi, Geremkowi i innym świętym Towarzystwa nie przeszkadzał. Przeciwnie. Gdy na mocy swej dyktatury Wałęsa podjął decyzję, może najważniejszą dla przyszłych losów „Solidarności", by nie zwoływać jej legalnych władz z 1981 roku, tylko zarejestrować związek zupełnie na nowo, wypychając z niego przy tej okazji wszystkich oponentów, miał pełne poparcie doradców, równie jak on zainteresowanych zepchnięciem na margines związkowych „radykałów".

A teraz nagle okazało się, że „dyktatorskie nawyki" Wałęsy są nie do przyjęcia!

Od tej chwili napięcie będzie rosło, z czasem wybuchnie we wściekłej kampanii oskarżeń przed wyborami, a wojnę zakończy dopiero rozejm zwany „małą konstytucją", zawarty w obliczu wspólnego wroga, czyli rządu Olszewskiego.

Część dziennikarzy „Tygodnika Solidarność" oprotestowała nowego naczelnego i demonstracyjnie odeszła z redakcji, zresztą wprost do „Gazety Wyborczej". „Byłbym ostatnim ch..., gdybym was nie przyjął" – powiedział im Michnik, w czym można widzieć, jak kto chce, albo wyraz poparcia dla rodzącej się idei dziennikarskiej niezależności, albo odwdzięczenie się za rozwalenie od środka konkurencji. Po czym salon ogłosił, że „Tygodnik Solidarność" przestał istnieć. Po prostu „to już nie to samo pismo". Popełniono w nim „podłość", lekceważąc oczywiste prawo zespołu do demokratycznego wybrania sobie naczelnego, narzucono „komisarza politycznego", „oszołoma", w związku z czym – od tej chwili jest to pismo, do którego się nie pisze, któremu się nie udziela wywiadów, którego się nie czyta (patrz przytoczona wyżej anegdota o Krasnodębskim), o którym wie się tylko, jeśli zaszczyci je polemiką „Gazeta Wyborcza". Wtedy to właśnie, za fakt pisania do „Tysola", i to zresztą pisania jakichś zupełnych michałków, wylany został z „Wyborczej" wspomniany już Stanisław Remuszko.

Trudna może dla dzisiejszego czytelnika do zrozumienia niezwykłość zjawiska michnikowszczyzny polega na tym, że sprzedaż tygodnika faktycznie załamała się i nigdy już nie wróciła do poprzedniego poziomu. Nie był to stopniowy spadek, który świadczyłby o rozczarowaniu czytelników, tylko gwałtowne załamanie, z numeru na numer. Pytałem o wspomnienia z tych czasów wiele osób, wszystkie przyznały zgodnie, że od momentu mianowania Kaczyńskiego tygodnik związku został obłożony skuteczną anatemą i samo przyznanie się do jego czytania stało się deklaracją jednoznacznie prawicowego światopoglądu.

Zresztą nie tylko ten tygodnik. Podczas głośnej wizyty na Litwie (głośnej, bo Kuroń i Michnik oburzyli miejscowych Polaków, potępiając, jako nacjonalizm, ich starania o wolność używania własnego języka i rozwijania polskiej oświaty) do redaktora naczelnego „Wyborczej" podszedł dziennikarz świeżo wtedy założonego, konserwatywnego dziennika „Czas". Podszedł, zagadał, rozmowa zapowiadała się doskonale, dopóki dziennikarz nie powiedział, skąd jest. Wtedy, jak opisuje, Michnik cofnął się o krok, twarz wykrzywił mu grymas żywiołowej nienawiści, zacisnął zęby i przez chwilę wydawało się jego rozmówcy, że zostanie opluty – ale Michnik tylko obrócił się gniewnie na pięcie i odszedł bez słowa.

Konsekwentnie tłumaczę tu wybory podejmowane przez Michnika racjonalnymi, choć błędnymi kalkulacjami. Ale przecież każdy, kto go czytuje, a zwłaszcza kto go widział w akcji, wie doskonale, że naczelny „Wyborczej" nie jest w najmniejszym stopniu typem człowieka chłodnego, ważącego słowa i kontrolującego swe zachowania. O, bynajmniej! Michnik łatwo wpada w gniew, krzyczy i zaperza się, ale i odwrotnie – jeśli kogoś zdecyduje się popierać, to i od razu demonstruje do niego żywiołową miłość, obściskuje się na niedźwiadka i nie zna umiaru w pochwałach. Co go zresztą gubi – w końcu inaczej zupełnie oceniano by jego zmianę stosunku do komunistycznych generałów, gdyby ograniczała się ona do politycznych argumentów na rzecz abolicji, a nie łączyła się ze wspólnym piciem wódki, ekscesami w rodzaju „odpieprzcie się od generała" czy mianowanie Kiszczaka „człowiekiem honoru" i wylewnym okazywaniem przyjaźni nawet w momencie tak do tego niestosownym, jak proces morderców z „Wujka", w którym Michnik występował jako świadek, a Kiszczak jako oskarżony.

Sprzeczność? Zapewne, ale wpisana w duszę. O ile mi wiadomo, wśród ludzi szczerze go podziwiających panuje opinia, że „Michnik po prostu jest wariat – kochany, cudowny, ale wariat" (nieważne, kogo konkretnie tu zacytowałem); jeśli odrzucić przymiotniki, mogę się z nią zgodzić. Podziemie pełne było – jeśli używać tego słowa w takim właśnie, jak wyżej, specyficznym znaczeniu – wariatów. Mało kto normalny puszczałby się na takie wariactwo, jakim było w peerelu działanie w opozycji, pisanie listów otwartych, organizowanie samopomocy i tak dalej, wiedząc przecież, że nic konkretnego to przynieść nie może, to znaczy, z konkretów najwyżej tyle „że to się znowu skończy więzieniem", jak śpiewał Kelus. Ale w wypadku Michnika będę się jednak upierał, że jego „wariactwo" jest kontrolowane, że nie kieruje się on irracjonalnymi porywami serca, tylko pewną polityczną przebiegłością. Tak go Pan stworzył, że nie umie być letni, tylko albo kocha, albo nienawidzi, ale jednak kogo nienawidzi a kogo kocha wynika z kalkulacji, uczucia przychodzą potem.

Relacja dziennikarza krakowskiego „Czasu" – wydrukowana – podobna jest do wielu innych, które znam z osobistych rozmów. Wobec mediów łamiących jego monopol na wyrokowanie, co dobre, a co złe, Michnik nie próbował nawet kryć swej żywiołowej niechęci. Traktował je nie jak konkurencję, ale jak wrogów – kto nie był z nim, był przeciwko niemu, nawet jeśli nie wiedział, że „wpierdolił się w jego działkę". A skoro Michnik walczył o dobro, o Polskę europejską, otwartą, tolerancyjną – to o co mogli walczyć ludzie się z nim niezgadzający? O wszystko, co najgorsze. O zamienienie naszego kraju w skansen nienawiści, ksenofobii i antysemityzmu.

To nie jest bynajmniej osobnicza przypadłość Adama Michnika. Tak mniej więcej zwykli myśleć wszyscy liderzy, których mentalność ukształtowała walka w podziemiu. My i oni – my to dobro, oni to zło. Nie ma miejsca na szarości, półcienie, a już zwłaszcza na pogodzenie się, że ktoś, kto nie ma racji, mimo to ma prawo się swych błędów trzymać. To znaczy, werbalnie można mu takie prawo przyznać. Ale co z tego, poza gołosłowiem, wynika? Przecież jeśli ktoś wyznający błędne poglądy zaczyna je realizować, to znaczy, że zaraz narobi zła. Może i nieświadomie – w swych najostrzejszych politycznych atakach Michnik wielkodusznie przyznaje Kaczyńskim, Macierewiczowi czy Olszewskiemu, że może i chcą dobrze i nie rozumieją, do jak strasznych skutków by doprowadzili, gdyby im na to pozwolić – ale obiektywnie po prostu nie można, nie wolno pozwolić, żeby swobodnie rozpowszechniali swoje miazmaty. Dajcie takiemu Macierewiczowi, który może nawet i chce dobrze, ale co tam po chceniu, nagłośnienie, dajcie mu przemówić do mas (tak sobie rekonstruuję tok myśli Michnika z czasów, powiedzmy, batalii przeciwko Olszewskiemu), a co się stanie? Wiadomo, już tę wizję wielokrotnie cytowałem: nacjonalizm, spirala nienawiści, szubienice, potem szubienice dla tych, którzy stawiali szubienice... Czy można na to pozwolić? Zasady? Owszem, zasady, oczywiście, generalnie są słuszne, ale sytuacja jest wyjątkowa!

Sytuacja zawsze jest wyjątkowa.

Lech Kaczyński – w chwili, gdy piszę te słowa, prezydent RP – mówił czy pisał na początku lat dziewięćdziesiątych, że Michnik zwykł zachowywać się jak oprych, który wyrywa człowiekowi portfel, głośno krzycząc „łapać złodzieja!". Jeśli popatrzeć na jego działalność powierzchownie, to można faktycznie takie wrażenie odnieść. Z jednej strony upaja się własną tolerancją, powtarzając za Wolterem „nienawidzę tego, co mówisz, ale oddam życie, abyś mógł to mówić" – z drugiej, jeśli ktoś mówi nie po jego myśli, staje na głowie, żeby mu zatkać gębę. Zdanie odmienne można tolerować tylko jeśli jest odmienne w niewielkim stopniu i głoszone przez kogoś, za kim nie stoi realna siła. Ciekawym polecam długaśny wywiad, jaki przeprowadził z Michnikiem Tomasz Wołek, człowiek przez pewien czas uważany za jego ideowego przeciwnika, ale przecież szalenie mu życzliwy, podkreślający wręcz, że różnice między nimi nie dotyczą spraw fundamentalnych, ale niuansów. Ten wywiad – przedrukowany w książce „Diabeł naszego czasu" – pokazuje, jak Michnik gotów jest, żeby się z nim Wołek czy Hall nie zgadzali ogólnikowo, ale kiedy zaczyna być mowa o sprawie konkretnej (wykorzystaniu przez opozycję pielgrzymki papieskiej), tolerancja Michnika kończy się jak nożem uciął, a zaczyna wrzask. Słowem, masz prawo mieć inne zdanie od mnie, ale tylko wtedy, gdy z tego twojego innego zdania nic nie wynika.

Hipokryzja? Raczej skutek najgłębszego jakie tylko można sobie wyobrazić przekonania o własnej słuszności, i to połączonego z determinacją, żeby zaradzić dostrzeganemu złu bez względu na koszta. Takie przekonanie daje siłę do rzucania się z motyką na słońce i nieliczenia się ze szkodami, jakie się przy tym poniesie samemu. Ale, niestety, takie przekonanie pozwala się też z góry rozgrzeszyć, że zapobiegając najgorszemu, złamie się zasady i kogoś rozdepcze.

Po cóż szukać lepszego przykładu - pisałem tę książkę, obserwując boje, jakie toczył z Układem jeden z głównych, jeśli nie główny oponent Michnika, po raz pierwszy od lat piętnastu zwycięski - Jarosław Kaczyński. I niech mnie kaczki zdepczą (bez żadnych aluzji do nazwisk), jeśli dzieje jego rządów i „budowania IV Rzeczpospolitej", które to pojęcie zaczęło wskutek owych rządów brzmieć ironicznie, nie przypominają bojów Michnika niczym lustrzane odbicie. Podobnie jak Michnik, Kaczyński osiągnął w pewnym momencie już prawie wszystko. I nie wystarczyło mu to, musiał zdobyć jeszcze więcej - bo przecież walczył z Układem. Wszystkie istotne punkty w państwie musiał mieć obsadzone swoimi ludźmi - granice politycznego kompromisu kończyły się na wypuszczeniu spod kontroli Ministerstwa Sportu. Słowa „swoi ludzie" w tym przypadku nie oznaczają nawet ludzi z własnej partii, choć jej szeregi były nieustająco czesane i sprawdzane pod kątem lojalności wobec prezesa. Układ jest przebiegły - taki Marcinkiewicz, na przykład, wydawał się swój, ale zaczął podejmować jakieś nieskonsultowane decyzje i trzeba go było odwołać. Na szefa PZU, jednej z największych polskich instytucji finansowych poszedł więc adwokat, który nigdy nie zarządzał niczym większym od swojej kancelarii. Na ministra skarbu kolega ze studiów, na szefową telewizyjnej anteny znajoma mamy z rekolekcji. Że nie mają o tym pojęcia? Trudno, ci, co mają pojęcie, są z Układu. Na dodatek adwokat był umoczony w przekręty, a kolega od Skarbu okazał się mieć w życiorysie dość wysoką funkcję w PZPR. Że to ma się nijak do głoszonej odnowy moralnej? Kto tak mówi, ten widać jest też z Układu. Potem koalicja z szemranym typkiem skazanym pięcioma prawomocnymi wyrokami – nie protestować, to konieczność, walczymy z Układem! Potem wyciąganie spod tego typka jeszcze bardziej szemranej posłanki, na dodatek głupiej jak kilo kitu – paniusia skazana za fałszowanie podpisów, z wykształcenia szefowa punktu skupu mleka, stawia warunek, żeby ją zrobić wiceministrem? Nie ma problemu, mamy dużo stanowisk, a żeby wygrać z Układem potrzebujemy sejmowej większości za każdą cenę. Komu się nie podoba, kto się ośmielił to nagrać, pokazać w telewizji, ten niewątpliwie był inspirowany przez Układ!

Fakt, że mówienie o Układzie nie jest bezzasadne – co starałem się w paru miejscach tej książki udowodnić – to jedno, a ocena tej sekwencji zdarzeń to drugie. Michnik przecież też nie zmyślił sobie tego, że w Polsce istnieje antysemityzm, istnieje jakiś obskurantyzm i szowinizm – on tylko potraktował to zagrożenie tak przesadnie, i wyciągnął z niego tak daleko idące wnioski, że ostatecznie, aby nas uchronić przed nacjonalizmem, otworzył drogę do recydywy komunizmu (rozumianego oczywiście jako rządy PZPR-owskiej mafii, a nie jako ideologia), a chcąc ustrzec debatę publiczną przed „dyskursem nienawiści" praktycznie ją uniemożliwił. Po roku budowania IV Rzeczpospolitej nie zdziwię się wcale, jeśli skutek będzie taki, że Kaczyński zlikwiduje Układ, ale razem z wolnym rynkiem, parlamentaryzmem i wolnością mediów.

Tacy oni po prostu są. Oni – to znaczy dawni, niezłomni liderzy podziemnej walki. Wiele lat temu napisałem o tym tekścik, wywodząc, głównie na przykładzie Wałęsy, że dokładnie te same cechy, które tworzą znakomitego dynamitarda dla antytotalitarnej opozycji, zarazem dyskwalifikują kandydata na polityka w ustroju demokratycznym. Niezłomne oddanie Sprawie, które w podziemiu pozwalało nie ugiąć się przed represjami, zmienia się w tępy upór, by zawsze postawić na swoim. Wiara w wyższość racji moralnych nad praktycznymi wyrodnieje w nawyk nieliczenia się z realiami, a to samo przekonanie o swej słuszności, które dawało siłę do walki, wyradza się w przekonanie, że cel uświęca środki. *Ergo*, bohaterom dać ordery, gratyfikacje, wille z basenami i postawić pomniki, ale zakazać uprawiania w wolnej Polsce polityki!

Nie generalizowałem, bynajmniej, przecież wielu wspaniałych ludzi z podziemia ustrzegło się tej choroby, wielu też wcale nie poszło w politykę, może zdając sobie sprawę, że nie do tego ich Pan stworzył – chciałem tylko zwrócić uwagę, że zasługi w podziemiu nie są żadną kwalifikacją do rządzenia demokratycznym państwem, które wymaga giętkości, umiejętności zawierania kompromisów, twardego stąpania po ziemi, tego wszystkiego właśnie, co w antysystemowej opozycji przeszkadzało. Ale i tak, mimo wszystko, po publikacji tego tekstu znienawidził mnie Stefan Niesiołowski. Przysłał do redakcji pełną inwektyw polemikę, dłuższą od niego chyba ze trzy razy - wiem, to żadne osiągnięcie być obrzuconym bluzgami przez Niesiołowskiego, to też przecież przykład niezłego świra. Ale co tam on - wszystkich skasował Kazimierz Świtoń, w peerelu wspaniały, odważny bojownik o Polskę, założyciel Wolnych Związków Zawodowych, który w III RP pospołu z jakimś odrażającym ubekiem zaczął obstawiać oświęcimskie Żwirowisko krzyżami, wykrzykując przy tym rozdzierająco, że okupację sowiecką zastąpiła w Polsce okupacja żydowska.

Być może po prostu, walcząc ze smokiem, nie można nie odnieść ran - jeśli nie na ciele, to na duszy.

Tak czy owak - medialny salon Michnika potrzebował monopolu. I taki monopol został mu przez życzliwych polityków na wiele lat zapewniony. Oczywiście, nie mówię o monopolu w ścisłym znaczeniu tego słowa. Nikt nie zabraniał zakładania nowych mediów, nikt nie cenzurował, nie było żadnego komitetu, który by policyjnie egzekwował respektowanie swych wytycznych. Ale żeby założyć gazetę, trzeba było mieć pieniądze. Ogromne pieniądze.

Bez pieniędzy kończyło się to tak, jak skończył się tygodnik „Młoda Polska" czy „Tygodnik Gdański". Albo, jeśli się nawet nie skończyło, to trwało tak jak „Gazeta Polska" czy „Najwyższy Czas". Czyli jako niskonakładowe pisemka, niecytowane w mediach elektronicznych - chyba że dla wyśmiania - i skazane tylko na tych, którzy ich szukali, bez szansy na poszerzenie kręgu odbiorców.

Pieniądze przychodziły czasem z zewnątrz. Francuzi zainwestowali w tygodnik „Spotkania", tygodnik wychodził przez pewien czas, powoli zdobywał czytelników, i nagle, z dnia na dzień, francuski wydawca postanowił najpierw zmienić redakcję, a potem w ogóle pismo zamknąć. Ktoś tam komuś, prywatnie i po cichu, wyjaśnił, że Francuzi przez wiarygodnych dla nich ludzi tu w kraju zostali ostrzeżeni, że redakcję ich tygodnika opanowali nacjonaliści, a jak na francuskie elity działa słowo „nacjonalista", to wiadomo. Ale tej wersji, powtarzanej z przekonaniem przez byłych pracowników „Spotkań" zweryfikować nie sposób – oficjalnie wydawca po prostu zmienił swe strategiczne plany, niezadowolony z finansowych wyników inwestycji.

Zachodnioeuropejskie konsorcjum z siedzibą w Luksemburgu postanowiło w Polsce założyć telewizję – nazwano ją RTL 7. Nie znając się na niuansach polskiej polityki, powierzyło misję jej zorganizowania ekipie Macieja Pawlickiego, właśnie dopiero co usuniętej z „publicznej" TVP 1, która za prezesury Walendziaka miała całkiem zachęcające wyniki. Potrwało to może z miesiąc, telewizja ruszyła całkiem dobrze, i nagle szefostwo koncernu wywaliło nie wiedzieć czemu całe kierownictwo. Na miejsce Pawlickiego i jego „pampersów" przyszedł jakiś podejrzany etranżer, który zamawiając programy sam u siebie koncertowo wyssał z RTL 7 kasę i doprowadził ją do bankructwa. I znowu, chodziły słuchy, że za tą nagłą decyzją stały płynące z Polski ostrzeżenia, że do RTL 7 wpuszczono prawicowych radykałów, poparte faktem, że telewizji kierowanej przez Pawlickiego Krajowa Rada Radiofonii i Telewizji nie chciała dać zgody na retransmisję przez telewizje kablowe. Dała tę zgodę dopiero po zmianie kierownictwa, choć oczywiście nie od tej zmiany była jej decyzja uzależniona. Od czego zatem?

KRRiTV powołana została po to, żeby sprawiedliwie, bez „dzikiego kapitalizmu", podzielić narodowe „dobro rzadkie", jakim były częstotliwości telewizyjne. Z jakiegoś powodu w amerykańskim eterze mieści się 12 telewizji naziemnych, a w polskim ledwie 5, widać obowiązują u nas inne prawa fizyki. Rada się z zadania wywiązała, podzieliła dobro rzadkie właściwie, żadna z dwóch dopuszczonych do istnienia telewizji prywatnych nie dała się opanować nacjonalistom. No, dobrze – ale RTL 7 była telewizją satelitarną. W żaden sposób nie obciążała polskiego eteru. W kablu może się zmieścić i pięćset kanałów, a jak kto chce, to i tysiąc, żadne to dobro rzadkie, nie ma żadnej uczciwej przyczyny, by je reglamentować. Okazało się jednak, że twórcy III RP pomyśleli o zagrożeniu, które jakiś niezweryfikowany przez Towarzystwo nadawca mógłby stanowić dla morale społeczeństwa. I uchwalili prawo, zgodnie z którym każda telewizja, nie tylko terrestialna, ale i satelitarna, aby operator kablówki mógł ściągać jej sygnał z transpondera i transmitować go do polskich domów, musi mieć specjalne zezwolenie Rady, musi być zatwierdzona, że nie zawiera szkodliwych treści, że wolno ją Polakom oglądać. RTL 7 takiej zgody przez ponad miesiąc nie dostawała, nie wiadomo dlaczego, a potem ją dostała, też nie wiadomo, dlaczego.

Koncesję trzeba mieć też, żeby założyć radio. Ten rynek w III RP został urządzony w drodze zupełnie jawnego gangsterstwa, o którym pisałem obszernie gdzie indziej, więc tylko przypomnijmy fakty. Kilka miesięcy po powstaniu „Gazeta Wyborcza" dostała od Francuzów nadajnik, włączyła go na okoliczność jakiegoś festynu, jako takie czasowe uzupełnienie gazety, a potem już nie wyłączyła. Początkowa nazwa „Radio-Gazeta" skróciła się tylko do „Radio Zet". Założyciel tego radia – jak sam wspominał – do ówczesnego ministra łączności poszedł razem z Adamem Michnikiem i dzięki temu dostał „eksperymentalne zezwolenie" na nadawanie programu. Z głupia frant, bez żadnej homologacji, bez zgody stosownych kontroli. Prawo niczego podobnego jak „eksperymentalne zezwolenie" na coś, co nie było prawnie dopuszczalne, nie przewidywało, bo to tak, jakby minister spraw wewnętrznych dał kumplowi „eksperymentalne zezwolenie" na dokonanie gwałtu albo inny czyn, którego ściganie znajdowało się w jego kompetencjach.

Wkrótce potem „eksperymentalne zezwolenie" dostało też radio RMF – nic nie wiadomo mi o tym, aby jego założyciel również poszedł do ministerstwa razem z Michnikiem, ale na pewno nie był człowiekiem z towarzystwem Michnika skłóconym – oraz „Radio Solidarność". Ktoś w końcu zauważył, że to granda i prawny nonsens, i wtedy – patrzcie Państwo i podziwiajcie – Sejm Rzeczpospolitej uroczyście zakazał zaprzyjaźnionemu z Adamem Michnikiem ministrowi udzielać dalszych „eksperymentalnych zezwoleń" do czasu, aż wejdzie w życie ustawa regulująca sposób przyznawania koncesji.

Ale te już wydane prawem kaduka pozostały w mocy.

Pisanie nowej ustawy trwało, nawet jak na polski Sejm, wyjątkowo długo. Projekt chodził z komisji do komisji, wracał, szedł do konsultacji, do uzupełnień, jakaś niewidzialna ręka spychała go stale w porządku obrad na później i jeszcze później, zaangażowani w sprawę posłowie wykorzystywali wszystkie możliwości obstrukcji, w końcu Sejm się rozwiązał, potem został wybrany następny, potem i ten następny został rozwiązany, a ustawa ciągle była gdzieś w lesie.

A „Zetka" i RMF nadawały, rozwijały się i zagarniały jak szuflą cały rynek reklam, bo były jedynymi w Polsce dopuszczonymi do działania radiami komercyjnymi (trzecie, jak sama nazwa wskazuje, było z nieco innej bajki). Kto chciał słuchać radia żywego, nowoczesnego, z modną muzyką, miał szeroki wybór – albo Zet, albo RMF. Przez tych kilka lat, zanim w końcu na Sejmie wymuszono odnośną ustawę, duopol zarobił góry kasy i okrzepł tak, że właściwie do dziś nikt nie zdołał go przełamać.

Taka to i była wolność w tej nowej Rzeczpospolitej. Jak to obrazowo ujmował pewien ułan w „Lotnej" – z Rzeczpospolitą jak z krasulą, kto się umiał ustawić przy cycku, ten ma mleko, a kto się dał wypchnąć do ogona, gówno w garść.

Żeby założyć gazetę, skoro sprawy mediów elektronicznych już wyjaśniliśmy, trzeba ogromnych pieniędzy, ale żeby gazeta przetrwała – nawet to nie wystarczy. Trzeba jeszcze zdobywać reklamy.

Wspomniany już krakowski „Czas", dzięki zastrzykowi gotówki, zainwestowanej przez Szwedów – reklamom, zdrapkom i ogólnemu uatrakcyjnieniu pisma – zdołał na czas dłuższy osiągnąć pierwsze miejsce pod względem zasięgu w swoim regionie. Był najchętniej czytaną i najchętniej kupowaną gazetą w Małopolsce. I – zbankrutował. Przedziwne, prawda? Ktoś by powiedział, że gazeta bankrutuje, kiedy traci czytelników, ale kiedy właśnie ma ich więcej niż konkurencja, to powinna prosperować.

Ale zagadka wyjaśnia się, gdy przejrzymy w bibliotece roczniki gazety. Żadnych reklam! Najbardziej poczytna gazeta w regionie w ogóle nie interesowała reklamodawców. Ot, dał ogłoszenie jakiś cukiernik czy szewc, który się pewnie identyfikował z konserwatywną tradycją, do której gazeta nawiązała. Ale przecież wiadomo, że nie z tego gazety żyją.

Wiadomo też, że nie żyją ze sprzedaży. Trudno dokładnie powiedzieć, jaką część wpływów może ona zapewnić – Związek Reklamy chwalił się kiedyś, że gdyby nie reklamy, to przeciętna gazeta musiałaby kosztować dziesięć razy więcej. To by znaczyło, że od reklamodawców zależy dziewięć dziesiątych dochodu gazety. Może to przesada, może nie.

A najlepsi reklamodawcy to oczywiście firmy wielkie. Banki, fundusze ubezpieczeniowe, dilerzy samochodowi. Problem w tym, że wielkie firmy, nawet prywatne, międzynarodowe koncerny, są zarazem najbardziej podatne na polityczne sugestie. Bo interesy idą lepiej, jeśli ma się dobrze z władzą. Zwłaszcza w kraju, gdzie gospodarka wciąż jest w ogromnym stopniu zależna od kaprysów administracji. Żeby te interesy szły jeszcze lepiej, dobrze jest w lokalnym oddziale swej firmy mieć ludzi w danym kraju ustosunkowanych, znających posłów, ministrów, mających przechodzone dojścia, najlepiej takich, którzy sami byli kiedyś ministrami lub sekretarzami. Zatrudnia się ich zwłaszcza w działach pijaru i reklamy. Na prywatny użytek obserwuję od lat te działy w wielkich firmach, krajowych i zagranicznych, i uważam ich politykę personalną za wskaźnik układu sił na scenie politycznej znacznie lepszy od prasowych sondaży. Jeśli nagle koncerny zwalniają ludzi związanych z jednym środowiskiem, a zatrudniają ludzi z drugiego, to znak, że idzie u władzy zmiana. Nie muszę mówić, że w okresie, w którym budowany był na wiele lat polski ład medialny, ze świecą szukać by w tych gremiach człowieka, który by nie miał jednoznacznych konotacji po stronie SLD albo UD i KLD. Dopiero sukces AWS wprowadził tam nieco inne towarzystwo, rodem głównie ze struktur związkowych, które w ułomnym opisie polskiej sceny politycznej przywykło się nazywać prawicą, choć trafniejsze było wymyślone przez Kaczyńskiego określenie „TKM" (czyli, jak wszyscy pamiętają, „Teraz, Kurwa, My").

Skoro nie zdołał zdobyć reklam lider w swym regionie, jakim był „Czas", cóż mówić o „Spotkaniach", o obłożonym środowiskową anatemą „Tysolu" czy o dzienniku „Nowy Świat". Cóż się dziwić upadkowi „Życia" po wydrukowaniu przez nie tekstu „Wakacje z agentem", oskarżającego samego Aleksandra Kwaśniewskiego o to, że w trakcie wypoczynku w rządowym ośrodku w Cetniewie spędzał czas razem z rosyjskim szpionem, Ałganowem. Jeśli wierzyć podanym wyżej danym, to żeby po takiej publikacji gazeta wyszła na swoje, jej nakład musiałby wzrosnąć dziesięciokrotnie – trudna sprawa.

Skoro przy tym jesteśmy – materiał „Życia" o wakacjach z Ałganowem przygotowany był wspólnie z „Dziennikiem Bałtyckim", należącym już wtedy do wydawcy niemieckiego, i opublikowany jednocześnie w obu gazetach. Niemiecki właściciel „Dziennika" natychmiast pofatygował się do Polski, wylał naczelnego i dziennikarza, który tekst napisał, złożył wizytę Kwaśniewskiemu z solennymi przeprosinami, i „Dziennik", w przeciwieństwie do „Życia", z reklamami nie miał kłopotów.

Oczywiście, nigdy też nie miała z nimi kłopotu „Gazeta Wyborcza".

Gdybym to napisał jeszcze kilka lat temu, zanim sytuacja na naszym rynku mediów wreszcie się powoli zmieniła, i gdyby któryś z szanownych pióropałkarzy Michnika raczył wtedy zwrócić na mój tekst uwagę, to wiem doskonale, w jaki sposób by to zrobił. Na użytek swoich paru setek tysięcy czytelników, którzy – mógłby tego być pewien – moich słów nie czytali i na pewno po nie nie sięgną, bo nigdzie nie przeczytają, że warto, zakpiłby: no proszę, Ziemkiewicz (nawet by może napisał „Rafałek", żeby czytelnik nie miał wątpliwości, że mowa o jakimś pętaku) łka – albo raczej by napisał – skamle, jakich to rzekomo krzywd doznała prawica, płacze, trzymając się za obitą pupę, jakie to rzekomo straszny Michnik jemu i jego kolegom zrobił kuku, odcinając im przez swe masońskie kontakty pieniążki z reklam! (Nie mam racji? Jeśli ktoś nie wierzy, niech przejrzy parę numerów „Wyborczej", czy taki mendowski styl, wzorowany na mowie literata Przymanowskiego wyśmiewającego w peerelowskim Sejmie internowanych kolegów po piórze nie jest ulubioną formą „polemik" michnikowszczyzny.) Ale przecież wszyscy wiedzą, napisałby, że reklamodawcy nie chcieli marnować swoich pieniędzy na dofinansowywanie marnych prawicowych pisemek, bo były cieniutkie, nudne, bo nikt ich nie chciał kupować!

Spór nie jest nowy i argumentacja michnikowszczyzny jest mi doskonale znana. Odnieśliśmy w rywalizacji na wolnym rynku sukces, bo widać potrafimy, a wy, prawicowi nieudacznicy, nie potrafiliście, to teraz siedźcie cicho!

Ani myślę. Po pierwsze – nie było żadnej rywalizacji, nie było żadnego wolnego rynku. Po prostu jedni, z woli Wałęsy i na mocy politycznego kontraktu, jaki zawarł on z czerwoną mafią, dostali za darmo, bez wyłożenia ani jednego grosza, wszystko, co było niezbędne do stworzenia wysokonakładowej gazety, papier, lokal, kredyty, dystrybucję i tak dalej, plus mający wtedy wielkie znaczenie znaczek „Solidarności" (co to jest „wartość brendu" zapytajcie pierwszego z brzegu przedstawiciela tak licznie rozmnożonej w ostatnich latach populacji specjalistów od marketingu), plus, jako gazeta „Solidarności", liczne prezenty, na czele z całą kompletną drukarnią od jednej z gazet francuskich. Owszem, potrafili to dobrze wykorzystać, bo przecież mogli zmarnować – więc nie myślę odmawiać im zawodowych umiejętności. Tylko że po prostu nikt inny takiej szansy nie miał.

Po drugie, milczące założenie, zgodnie z którym pismo ma pieniądze i dobrze się sprzedaje, bo jest dobre, to odwrócenie skutku i przyczyny. Pismo, żeby być dobre, musi mieć kasę – najpierw. Jeśli jej nie ma, nie może zainwestować w kolor, w bajery, w dodatki, które decydują o sprzedaży. Bez pieniędzy będzie szarą, nieefektowną broszurką i nie podbije rynku nigdy, choćby pisali w nim sami geniusze. Adam Michnik to było wtedy wielkie nazwisko, także w sensie rynkowym, zgoda, i wielu autorów, których ściągnął do swojej gazety to były wielkie nazwiska, ale przecież nie te nazwiska, nie treść artykułów wywindowała „Wyborczą" na pozycję najlepiej się sprzedającej gazety w Polsce („Tygodnik Powszechny" miał nie gorsze, i jak wygląda? Co prawda, jego upadek wynikł trochę z faktu, że jak się już czyta „Wyborczą", to tygodnika jakby nie ma po co). Pociągnęły tę sprzedaż wszystkie jej dodatki, lokalne, branżowe, kobiece, motoryzacyjne, z ogłoszeniami o pracy, i tak dalej.

Po trzecie, sam próbowałem wydawać w pierwszej połowie lat dziewięćdziesiątych pismo, nic zresztą niemające wspólnego z polityką, i stąd wiem, że największym problemem prasy owego czasu nie był papier, druk i nawet nie reklama – ale dystrybucja. Przez wiele lat jedyną firmą, przez którą można było sprzedawać gazetę czy czasopismo, był odziedziczony przez III RP po peerelu „Ruch". Nieruchawy, państwowy gigant, przyzwyczajony właśnie do „dystrybuowania" prasy, a nie do jej sprzedawania, z absurdalnym sposobem ustalania

„nadziałów", sprawiającym, że zawsze dziesiątki tysięcy egzemplarzy szły „na rozkurz", zwracający pieniądze ze sprzedaży z dwu-, trzymiesięcznym opóźnieniem. No i przede wszystkim – nie do ominięcia, monopolista całkowity, nie spodobasz się tam komuś z jakichkolwiek przyczyn, to spadaj.

Poza kioskami, przez prenumeratę, stoliki czy gazeciarzy pisma nie sprzedasz.

Po czwarte, kredyty... No, o kredytach to już chyba wspomniałem.

Dobrze, zgodzę się – w „prawicowych" pismach nie pracowali najlepsi dziennikarze, nie mówiąc o menedżerach. Sam fakt, że były one „prawicowe", że swe istnienie okupywały odwoływaniem się do jakiejś części Polaków identyfikującej się ze słowem „prawica", spychał je na margines, nie mówiąc o marnych możliwościach płatniczych. W prawicowym piśmie zawsze najłatwiej było o wstępniak, o komentarz, felieton, ludzi do zwykłej roboty dziennikarskiej brakowało, dopiero się przyuczali, a który się przyuczył, szedł do konkurencji, bo przecież trzeba z czegoś żyć i jakoś utrzymać rodzinę. W przeciwieństwie do ludzi lewicy, którzy w peerelu mieli możliwości zawodowego rozwoju, nawet wyjazdów na zachodnie stypendia, prawica była skoszona równo z glebą, musiała zaczynać od zera, nie tylko zresztą w dziedzinie mediów.

Ale droga do świata mediów naprawdę rzadko wiodła z tamtej strony. Tego, że „Gazeta Wyborcza" ma być czymś znacznie więcej niż gazetą, swoistym bractwem idei („grupą etosową", jak to nazwał jeden z jej szefów) nigdy jej założyciele nie ukrywali. Pewne redakcyjne rytuały – bardzo tania i dobra stołówka dostępna tylko dla członków redakcji, to, że każdy, nawet najniższy rangą pracownik był z naczelnym per „Adam" etc. – służyły wyraźnie budowaniu zwartości tej grupy. „My, ludzie »Gazety Wyborczej«", pisał nieraz Michnik, wyznaczając przy wielu okazjach, wokół czego, a przede wszystkim przeciwko czemu jest ta wspólnota tworzona. Wiele przykładów pokazuje, że „człowiekiem gazety" było się także po odejściu z niej. Że, krótko mówiąc, w zamyśle swych twórców gazeta miała stać się kuźnią kadr dla wolnej Polski, a zwłaszcza jej mediów – tych tworzonych przez rozwijającą się „Agorę", i tych, które prędzej czy później musiały się pojawić wskutek aktywności zachodnich inwestorów. Jeśli istniał taki zamiar (mnie wydaje się to pewne), to powiódł się tylko częściowo. Media tworzone w opozycji do michnikowszczyzny nie były w stanie jej bezpośrednio zagrozić, ale były w stanie stać się alternatywną wobec niej szkołą, a zachodni inwestorzy, wchodząc w konkurencję z „Wyborczą", szukali dziennikarzy, na których zbudować mogli właśnie wyrazistą alternatywę dla niej.

Mimo iż wspomniane wyżej pisemka nazywały się prawicowymi, politycy, też nazywani prawicowymi, bynajmniej nie starali się ich wspierać. Wręcz przeciwnie. Oczywiście mówili dużo o potrzebie istnienia niezależnych mediów, i nawet niekiedy próbowali wyszarpać na takowe jakąś państwową kasę – wtedy media już zasiedziałe na rynku, na czele z tymi, które same w ten czy inny sposób skorzystały na starcie z majątku państwa, czy to, jak „Wyborcza", przez przydziały, czy jak „Polityka", przejmując pismo na rzecz spółdzielni dziennikarskich, oczywiście wsiadały na nich z jazgotem, wywodząc, jak głęboko niesłuszne jest wykorzystywanie publicznego majątku do budowania wspierających władzę mediów. Ale dla orłów naszej prawicy niezależne znaczyły takie, które by dały się ustawiać w szykach prowadzonych przez nich bitew i posyłać do boju na rozkaz. Odniosłem wręcz wrażenie, że pismo „prawicowe" było dla większości polityków „prawicy" wrogiem znacznie większym, niż wspomniane tytuły, czy nawet Urbanowe „Nie", bo nasi, pożal się Boże, prawicowcy kombinowali tak, że tamte pisma czyta elektorat lewicowy, więc co sobie o nich ten elektorat myśli, to im to rybka, natomiast pismo, które adresowane jest do elektoratu prawicowego może ten elektorat przekabacać na rzecz konkurencyjnego lidera prawicy – *ergo*, jeśli nie trzymam na takim piśmie niepodzielnie łapy, to lepiej je zniszczyć. Z takiej właśnie przyczyny wśród serdecznych przyjaciół, jak w znanej bajce, psi zjedli „Nowy Świat", jedyną gazetę próbującą do ostatka bronić rządu Olszewskiego.

Ale to tworzyło tylko dodatkowy koloryt prawicowej bidy, nie było jej przyczyną.

* * *

Doświadczenie opisane przez Aronsona udawało się tylko wtedy, gdy poddany mu człowiek widział, że opinia wszystkich pozostałych jest zgodna. Gdyby część z odpowiadających przed nim wskazywała na jeden odcinek, a część na drugi, badany poczułby się zachęcony do posłużenia się własnym umysłem. W doświadczeniu, jakie przeprowadzono na nas po roku 1989, za sprawą między innymi Adama Michnika, chodziło o ty, by przekonać zwykłego, przeciętnego czytelnika gazety, widza programu telewizyjnego i słuchacza radia, że określony zespół poglądów wyznawany jest przez wszystkich. Z drugiej strony, w ustroju demokratycznym nie jest to możliwe. Nie można, jak w peerelu, całkowicie odebrać komuś głosu, zabronić zakładania niezależnych mediów, stworzyć jakiegoś „wydziału prasy", bez akceptacji którego nic nie będzie mogło wejść do publicznego obiegu.

Ale – jest wyjście. Przecież liczy się nie całość, tylko statystyczna większość. Nie potrzeba totalnej jednomyślności, wystarczy jednomyślność w kręgach „opiniotwórczych", w elicie, wśród tych, którzy podejmują decyzje w kulturze, gospodarce i polityce. Stąd tak chętne używanie przez michnikowszczyznę pojęć w rodzaju „ludzie rozumni", „ludzie na poziomie", „ludzie myślący" etc. i stąd tak uporczywe wyznaczanie przez nią opozycji: z jednej strony my, elita, najlepsza, oświecona część społeczeństwa, jego przyszłość – a z drugiej oni, ze wsi i małych miejscowości, słabo wykształceni i starsi. Tu Europa, tam Ciemnogród. Tu salon, tam kruchta.

Właśnie formuła salonu, dobrego towarzystwa była tutaj szczególnie przydatna. I to jest drugi powód, dla którego przytoczyłem anegdotkę o tej starszej damie, która nie słuchała, co śpiewał Szpot, bo nie śpiewał on o ludziach z Towarzystwa.

Dobre Towarzystwo na tym z zasady polega, że jest – słowo dzisiaj nadużywane pod wpływem angielszczyzny, ale właśnie w tym kontekście na miejscu – ekskluzywne. To znaczy, że trudno do niego się dostać, a łatwo być usuniętym. Bez żadnych ustalonych procedur, sądów koleżeńskich, komisji i tak dalej. Wystarczy siła ostracyzmu. Po prostu nie masz wejścia, i sam nie wiesz dlaczego - żadnej procedury odwoławczej nie przewidziano. Znalazłeś się poza Towarzystwem, a to, co jest poza nim, ludzi z Towarzystwa nie interesuje.

„Gazeta Wyborcza" pod kierownictwem Michnika wprowadziła do polskiej - przepraszam, teraz się będę mądrze wyrażał - debaty publicznej, czy może lepiej powiedzieć, zaraziła polską debatę publiczną czymś, co bym nazwał „dyskursem wykluczania". Ogromną część jej publicystyki, jej komentarzy redakcyjnych, zajmuje niespotykany w normalnej prasie ton wykluczania z dyskusji, demaskowania. Oczywiście, Zachód też zna pojęcie „politycznej poprawności", też ruguje z medialnego obiegu pewne osoby, i to nawet mniej więcej za to samo, co michnikowszczyzna - za „jaskiniowy antykomunizm", prawicowość utożsamianą z obskurantyzmem i ksenofobią, nacjonalizm i tego rodzaju grzechy. Ale u nas odmawianie prawa do zabierania głosu wydaje się wręcz główną treścią polemik, bardziej zresztą pamfletów, paszkwili nawet niż polemik. Pióra michnikowszczyny nie zajmowały się ważeniem racji, szukaniem kontrargumentów - zajmowały się głównie demaskowaniem i, od ręki, wydawaniem na zdemaskowanych wyroków anatemy z klauzulą natychmiastowej wykonalności.

Nie zawsze te wyroki były wydawane jawnie. Pewne osoby po prostu znikały z salonu, choć, wydawałoby się, miały wszelkie prawa, aby uczestniczyć w jego życiu i sporach. Zniknął z niego Paweł Hertz. Zniknął

Tomasz Burek. Przez wiele lat nie miał wstępu Jarosław Marek Rymkiewicz. Szczególnemu przetrzebieniu ulegli pisarze - bez Nowakowskiego, Odojewskiego, bez wyrzuconego za polemiki z Michnikiem Herlinga-Grudzińskiego, no i bez największego z nieobecnych, Zbigniewa Herberta. Istniało też coś takiego, co bym nazwał obecnością częściową. Kiedy po obaleniu rządu Olszewskiego michnikowszczyzna pobratała się z Wałęsą, nagle zaroiło się w salonie od ludzi deklarujących, że oni zawsze uważali, iż jaki Wałęsa jest, taki jest, ale ktokolwiek jest głową państwa, należy mu okazywać szacunek, i zawsze ich brzydziły prostackie żarty z Wałęsy. Przecierałem wtedy oczy, bo przecież jeszcze miesiąc wcześniej wydawało się, że „wszyscy ludzie rozumni" uważają, iż „przyśpieszacz z siekierą" to ćwok i prostak, a założenie koszulki z napisem „O take polskie walczyłem" albo „bendem prezydentem" to szczyt dobrego smaku i pasowanie na inteligenta. A tu nagle... Ale nie, sprawdziłem dokładnie, że żadna z osób nawołujących po czerwcu 1992 do szacunku dla Wałęsy przed czerwcem nie kpiła sobie z niego publicznie, choć wszystkie występowały w mediach. Tyle, że występowały na inne tematy. To, co z ich poglądów nie mieściło się w dopuszczalnym paśmie, co stanowiłoby dysonans w melodii dyrygowanej przez Michnika orkiestry - to mogli sobie uważać prywatnie.

W taki „częściowy" sposób, na przykład, obecny był w dyskursie publicznym III RP Jerzy Giedroyc - nawet już po wspomnianych wcześniej przeprosinach „syna marnotrawnego". Istniało z niego, i właściwie nadal istnieje, tyle tylko, ile zostało po przefiltrowaniu przez „Gazetę Wyborczą". A zniknęły w czasie owego filtrowania, na przykład, liczne komentarze Redaktora z przełomu dekad 80/90, w których nawoływał on, by zamiast o „liberalizacji", myśleć o niepodległości Polski, i protestował przeciwko bezkarności komunistycznych kreatur.

Albo, zatrzymajmy się nad innym przykładem – Jan Nowak-Jeziorański. Bez wątpienia nie można go uznać za człowieka wykluczonego z salonu michnikowszczyzny. Ale kto z Państwa wie, że od początku lat dziewięćdziesiątych Nowak-Jeziorański bardzo zdecydowanie krytykował Michnika za wybielanie przez niego komunizmu i rozmywanie prawdy o tym, czym ten zbrodniczy ustrój był w istocie? Oczywiście, Nowak-Jeziorański istniał w dyskursie publicznym, ale w innych sprawach.

Oto ciekawostka, którą znalazłem na internetowej stronie radiowej Trójki – rozmowa przeprowadzona z Nowakiem na jej antenie po opublikowaniu przez Michnika sławnego podwójnego wywiadu z nim i Czesławem Kiszczakiem. Rozmowę prowadzi Dorota Wysocka:

„DW: Czy zgodzi się Pan z opinią Adama Michnika, że generałowie Kiszczak i Jaruzelski, cytuję słowa Adama Michnika, już sto tysięcy razy odkupili swoje winy?

JNJ: Absolutnie się z tym nie zgadzam i uważam, że nikt nie ma prawa tak myśleć. Przedziwna promocja szefa aparatu terroru i represji, który niewątpliwie był aparatem zbrodniczym, zgorszyła mnie, mimo że imponował mi Michnik. Ten wywiad był dla mnie przykrym przeżyciem (...)

DW: Adam Michnik uważa, że wielkim szczęściem dla Polski było, że to właśnie ci generałowie wówczas rządzili krajem.

JNJ: Absolutnie się z tym nie zgadzam. Dziś już wiadomo, że Rosjanie nie chcieli inwazji, że było to zbyt kosztowne i chcieli to załatwić rękami polskimi. Mogłoby się im nie udać, gdyby gen. Jaruzelski poszedł w ślady swego poprzednika Gomułki i powiedział, żeby zostawili wszystko w jego rękach, metodę rozwiązywania problemu, wtedy Gomułka odważył się i powiedział, że ja z wami z pistoletem przyłożonym do skroni rozmawiał nie będę. Generał Jaruzelski nie miał takiej odwagi.

DW: Uważa Pan, że Adam Michnik nie miał prawa przebaczać generałowi?

JNJ: Na pewno nie tak radykalnie, posunięte do absurdu jest to zamazywanie systemu wartości w sposób demoralizujący społeczeństwo.

DW: A jeśli przebacza w swoim imieniu?

JNJ: Człowiek, który rozporządza takim medium jak »Gazeta Wyborcza« powinien być ostrożny w swoich wypowiedziach".

Zdziwko, co? Gdyby Nowak-Jeziorański powiedział w radiu coś dobrego o Michniku, coś rymującego się z jego olśnieniami, to by „Wyborcza" następnego dnia zacytowała go na drugiej, albo nawet i pierwszej stronie. Tego, oczywiście, nie zacytował nikt, bo niby kto. Radio to medium ulotne, ktoś może usłyszał, większości wpadło jednym uchem, wypadło drugim.

Oczywiście, przy innych okazjach, gdzie nie miał powodu z Michnikiem polemizować, mógł Nowak-Jeziorański na jego łamach występować. Jak najbardziej.

Ale wyobraźcie sobie Państwo, że obok „Gazety Wyborczej" byłaby jeszcze jakaś inna, niebojąca się wchodzić z nią w ostry spór, taka jaką jest dziś znienawidzony przez pracowników „Agory" „Der Dziennik" czy, od pewnego czasu, „Wprost" albo „Rzeczpospolita". Że w roku 1991, kiedy Michnik epatuje wszędzie swoim wzniesieniem się ponad podziały i wybaczeniem, rozgrzeszeniem komunistów, w takiej hipotetycznej gazecie pojawia się Nowak-Jeziorański, i cichutko, uprzejmie, bez wrzasku, powiada: tak nie wolno, Michnik demoralizuje społeczeństwo. Przecież ci ludzie, których broni, z którymi się brata i pije wódkę, dopuścili się takich, takich i takich zbrodni. Nie wolno spuszczać na oczywiste zbrodnie zasłony milczenia, nie wolno stawiać znaku równości między heroizmem a cynicznym karierowiczostwem, a tym bardziej nie wolno przewracać pojęć dobra i zła do góry nogami i wmawiać narodowi, że ni z tego, ni z owego, od pierwszego to komuniści są dobrzy, a antykomuniści źli, bo kiedy się to robi, niszczy się elementarny szacunek dla prawa, przyzwoitości i uczciwości.

Wyobraźmy sobie, że to mówi nie jakiś oszołom, którego można łatwo ośmieszyć, wykpić, ale Nowak-Jeziorański. A obok niego mówią to, co mówili, Kisiel, Herbert, Herling-Grudziński, wtórują im bohaterowie podziemia, którzy, nim ich wyślizgano przy Okrągłym Stole, też swoje odsiedzieli i nie muszą mieć pod tym względem żadnych wobec Michnika kompleksów. Mówią to, co przez całe lata dziewięćdziesiąte mówili, ale nie w jakimś małym pisemku, tylko w wielkiej gazecie, o porównywalnym z „Wyborczą" zasięgu. I jeszcze na dodatek wyobraźcie sobie Państwo, że potem to wszystko, co mówią, cytowane jest w przeglądach prasy przez najbardziej słuchane radia, że autorów tych słów zaprasza się do dyskusji w telewizji...

Wtedy prosty inteligent, zachłystujący się michnikowszczyzną, mógłby się stuknąć w czoło i pomyśleć: cholera, no też mi się tak wydawało, że to ten drugi odcinek jest krótszy...

Do tego, oczywiście, nie można było dopuścić.

Wspomniałem, że w opozycji do michnikowszczyzny (cóż to za opozycja? Z patykami na czołg!) istniały pisma, niektórzy mówili bieda-pisma, nazywane prawicowymi. Ale myliłby się, kto by sądził, że w takim razie istniały jakieś media nazywane lewicowymi (no, może poza „Trybuną"). Do dziś jeszcze tak jest, że jeśli gdzieś się w mediach pojawiam ja, Michalski czy Semka, to obowiązkowo się nas przedstawia jako „publicystów prawicowych". Ale żeby ktoś nazwał „publicystą lewicowym" Żakowskiego, Beylina czy Paradowską, to nie ma mowy. Po prostu dziennikarze dzielą się na prawicowych i normalnych.

Manipulowanie nazewnictwem też było jednym z ulubionych chwytów Towarzystwa. Adam Michnik sam ukuł określenie „lewica laicka" – kiedy pisał książkę „Kościół, lewica, dialog", ważny dla opozycji peerelu traktat polityczny, w którym przerzucał mosty pomiędzy podobnymi sobie działaczami wyrosłymi z tradycji marksistowskiego rewizjonizmu a środowiskami katolickimi. Wtedy taka identyfikacja była mu potrzebna. Ale w 1989, gdy mosty nie tylko były od dawna przerzucone, ale już i sforsowane, kiedy na sławnym posiedzeniu Komitetu Obywatelskiego nazwano go w ten sposób, zezłościł się: „jeśli ja jestem lewicą laicką, to wy jesteście świnie!". Ideą, której poświęcił dużo energii, było zorganizowanie rządów w Polsce nie na wzór zachodni na bazie partii politycznych, ale pod hegemonią szerokiego Ruchu Obywatelskiego, który nie byłby ani prawicowy, ani lewicowy (tylko, rzecz oczywista, sterowany przez „autorytety" z jego środowiska). Kiedy idea ta upadła i wspomniane środowisko zmuszone zostało, by powołać, w odpowiedzi na Zjednoczenie Chrześcijańsko-Narodowe i Porozumienie Centrum, własną partię, Ruch Obywatelski Akcja Demokratyczna, w napisanej dla niego deklaracji również zamieścił Michnik to zastrzeżenie: nie jesteśmy ani lewicą ani prawicą, jesteśmy na przedzie.

Przyznanie na głos, że się prezentuje zespół określonych wartości, dajmy na to lewicowo-liberalnych, zmniejszyłoby siłę oddziaływania Towarzystwa. Michnik nie chciał sprawować „rządu dusz" nad prawicą, lewicą czy centrum, on go chciał sprawować nad wszystkimi. Nad wszystkimi, którzy poczuwali się do szeroko pojmowanej elity – a za jej pośrednictwem nad resztą społeczeństwa, bo to, że masy z natury swej przejmują poglądy płynące z elit, uważano w Towarzystwie za oczywiste.

To skądinąd była kolejna - po samym utworzeniu oczekiwanego przez wielką część inteligencji salonu - cecha michnikowszczyzny dobrze trafiająca w potrzeby grupy społecznej, do której się on zwracał.

Rzecz paradoksalna, ale niewątpliwa: Polacy bez przerwy gadają o polityce, oglądają w telewizji polityczne programy, słuchają ich w radiu, polityka zapełnia czołówki dzienników i pierwsze strony gazet, i nie z przymusu, tylko wskutek autentycznego popytu na nią, polityka jest tematem rozmów na rodzinnych spotkaniach, w pracy i w barze, w stopniu zupełnie niespotykanym na Zachodzie. Ale zarazem - Polacy polityki nie lubią, brzydzą się nią i unikają politycznego opowiedzenia się. Polski inteligent chciałby być, mówiąc Kołakowskim, „konserwatywno-liberalnym socjaldemokratą". Taka postawa uchodzi za rozsądną. Ktoś, kto by powiedział wprost „jestem konserwatystą", „jestem liberałem" czy nie daj Boże prawicowcem, byłby z punktu uznany za zdecydowanie głupszego, niż człowiek deklamujący obiegowe mantry „mam swoje zdanie", „nie popieram żadnej ze stron".

Michnikowszczyzna zaproponowała coś niezwykle atrakcyjnego, bardzo imponującego polskiemu inteligentowi: pozór zdystansowania od wszelkiej polityki i wszelkiej ideologii. Dziś już nie ma sensu żadna tam prawica - lewica, nie ma konserwatysta - socjalista, dziś ludzie dzielą się na rozumnych i na jakąś tam ciemnotę ze wsi i małych miasteczek, która nie potrafi zrozumieć, że idziemy do Europy. Kupowanie i czytanie „normalnej" gazety, czyli najlepiej „Wyborczej", było po prostu czytaniem gazety. Kupowanie i czytanie jakiegoś prawicowego pisemka było już natomiast wyborem ideologicznym. A ktoś, kto się opowiada za ideologią, już z zasady ma w oczach polskiego inteligenta mniej racji, już jest ograniczony, w przeciwieństwie do odbiorcy mediów „normalnych". Miej swoje własne zdanie, wzywała michnikowszczyzna, czyli takie, jak my.

Zupełnie jak w adresowanych do małolatów reklamach w MTV – bądź sobą, miej własny styl, pij naszą colę albo noś nasze ciuchy. I z równie dobrym skutkiem.

Rzecz zresztą dotyczy nie tylko polityki. Polski inteligent ma to do siebie, że najbardziej lubi zdania okrągłe i stwierdzenia, z których niewiele wynika. A michnikowszczyzna wyspecjalizowała się w przemawianiu w takim właśnie stylu. Z jednej strony oczywiście niewątpliwie, niemniej z drugiej jednak nie można zaprzeczyć. Wszyscy się zgadzamy, że aborcja jest złem, ale czyż jej zakazywanie nie jest także złem? Oczywiście moralność to ważna sprawa, ale czy można społeczeństwo umoralnić dekretami lub represjami policyjnymi? Kilka razy cytowałem tu ulubioną retoryczną sztuczkę Adama Michnika, chętnie naśladowaną przez podwładnych – zaczynamy tekst od deklaracji, której w dalej idących akapitach konsekwentnie zaprzeczamy. I jeszcze okraszamy to rozmaitymi „problem jest oczywiście złożony, ale", czy „chciałbym być dobrze zrozumiany". Michnik tego wszystkiego oczywiście nie wymyślił, on po prostu wykorzystał nawyki myślowe sięgające korzeniami Bóg wie jak dawno – jeśli wierzyć „Myślom nowoczesnego Polaka" Dmowskiego, to aż po tak gniewającą twórcę polskiego nacjonalizmu miałkość i umysłowy zastój mielącej w kółko te same puste frazesy paplaniny ziemiańskich dworków. Pewną polską specyfiką wydaje mi się umiejętność bicia braw mówcy przy kompletnym ignorowaniu tego co powiedział. Nikt nie odmówił wielkości Kisielowi, ale jego cierpkie, zgoła bluźniercze uwagi o „Solidarności" i ustrojowej transformacji przyjmowano z milczącą wyrozumiałością, jaką otacza się czcigodnego sklerotyka. Nikt nie śmie nie klękać przy trumnie Giedroycia, ale to, czego konkretnie Giedroyc nauczał, jeśli nie zostanie akurat zinstrumentalizowane na użytek bieżącej bijatyki, pozostaje w zbiorowej świadomości polskiej inteligencji kompletnie nieobecne. Jak zresztą pisałem już we wstępie, koniec końców padł ofiarą tego zjawiska i sam Michnik.

Dlatego też tak niesamowitą karierę zrobiło słowo, które michnikowszczyzna puściła w obieg – pragmatyzm. Pragmatyzm stanowił przeciwieństwo ideologii, pragmatyzm był dobry, a ideologia zła. Kaczyński, Niesiołowski, do pewnego momentu Wałęsa, byli ideologiczni. A Cimoszewicz, Kwaśniewski czy Miller byli po prostu pragmatykami. Jeśli dodać jako trzeci istotny czynnik ustrojowej równowagi – Autorytety, czyli środowisko Familii, to wizja świata według michnikowszczyzny staje się pełna. Są politycy, i ci są źli, są Autorytety, i tych należy słuchać, no i są pragmatycy, którzy zajmują się codzienną robotą. I wszystko to nie ma nic wspólnego z prawicą ani lewicą, dajmy spokój tym archaicznym podziałom, które niczego już dziś nie znaczą.

Takie postawienie sprawy – niektórzy nazwali to „antypolityczną polityką" – lało miód na serce wielkich rzesz pracowników umysłowych peerelu, którzy za komuny albo niczego specjalnego nie zrobili, bo się bali, albo uświnili się w jakieś drobniejsze czy grubsze grzeszki.

Co do tych pierwszych – wielki „autorytet moralny" michnikowszczyzny, Andrzej Szczypiorski, w roku 1992 zaatakował Stefana Niesiołowskiego za jego stwierdzenie, że jest dumny ze swego opozycyjnego życiorysu, z działalności w „Ruchu", z lat spędzonych w więzieniu... Cóż, kiedyś wydawałoby się najoczywistszą rzeczą pod słońcem, że w wolnej Polsce ktoś, kto walczył o jej wolność, będzie mógł swą przeszłość nosić z dumą. Tymczasem Szczypiorski pryncypialnie Niesiołowskiego zganił, że mówiąc coś takiego, obraża te setki tysięcy Polaków, które w podziemiu nie działały – czyli, jak ich nazywa, „milczącą większość".

Nic nie zmyślam, można sprawdzić – ten kuriozalny tekst ukazał się w „Życiu Warszawy" z 16 czerwca 1992.

Nie ma wątpliwości, że „milcząca większość" wolała słuchać takich opinii niż kogoś, kto miałby jej wypominać, że była aż za bardzo milcząca. W końcu to nic dziwnego, nikt z nas nie lubi się czuć źle, nikt nie lubi mieć wyrzutów sumienia. To fakt, słyszałem to od kilku znanych działaczy podziemia, że w latach osiemdziesiątych, im głębiej w nie, tym trudniej było o ludzi gotowych na jakieś drobne usługi dla podziemia – przenocować kogoś trefnego, coś przenieść, coś przechować. Był pewien krąg zdecydowanych na działalność opozycyjną, niestety przeważnie już „namierzonych", ale poza tym kręgiem wśród przeciętnych ludzi mieszanka strachu i niewiary w szanse powodzenia, w sens podejmowania ryzyka robiła swoje.

Wielu z tych ludzi wstydziło się potem przed samymi sobą własnej bierności – zwłaszcza gdy okazało się, że przegapili okazję, by stosunkowo tanio stać się bohaterami. Chyba oczywiste, że w takiej sytuacji jakoś milszy wydawał im się Michnik, który własną heroiczną przeszłość przywoływał tylko po to, by uzasadnić swe moralne prawo do jej unieważnienia, niż Wyszkowski czy Gwiazda, nawet jeśli coś tam o nich słyszeli.

Niektórzy w peerelu milczeli, inni się starali jakoś ustawić. Życie w tym ustroju było nieustającą pokusą korupcyjną. Można było oczywiście unosić się dumą i w imię herbertowskiego poczucia smaku „wybrać dumne wygnanie", ale ludzie chcieli przecież żyć. Pójście na pochód pierwszomajowy nie było chyba jakąś wielką ceną za meblościankę; przyjęcie czerwonej legitymacji nie wydawało się wielkim drańswem, skoro bez tego nie można było dostać awansu. Przecież zresztą nie oznaczało to wcale poparcia dla reżimu, niejeden formalnie partyjny w chwilach próby okazywał się dzielniejszy od innych, niejeden bezpartyjny był odrażającym lizusem, którego partia wcale u siebie nie chciała, bo jako bezpartyjny był dla niej bardziej użyteczny. Życie w kraju totalitarnym trudne jest do zrozumienia i oceny dla tych, którzy go nie doświadczyli, granica między zdradą i wiernością bywa kręta, jak granice stref rozgraniczenia na oenzetowskich misjach. Czy wspomniany wcześniej Jerzy Zawieyski był kolaborantem? Jak cholera był, przecież zasiadał w marionetkowej peerelowskiej Radzie Państwa i korzystał ze związanych z tym apanaży. A czy był bohaterem? No, był, bo miał rzadką odwagę stanąć przed komunistycznym „sejmem" i pośród wycia i obelg partyjnej tłuszczy zaprotestować przeciwko rozpędzaniu pałami domagających się wolności słowa studentów. Może i nie wiedział wtedy, że zapłaci za to życiem, ale że zapłaci słono, to wiedzieć musiał.

Ale skala takich spraw była przeróżna. Jeden zapisał się do partii, albo, żeby nie podpaść szedł na wiec potępiający „warchołów z Radomia i Ursusa" i stał tam z zaciśniętymi ustami, wiedząc swoje i zachowując to dla siebie oraz najbliższych – a drugi na tym wiecu przemawiał, plując na ludzi, których właśnie wtedy pakowano bez żadnego prawa obrony do więzień. Inny pisał peany na cześć przyjaźni polsko-radzieckiej, a jeszcze inny donosił miejscowemu esbekowi (taki rezydent był w każdym co ważniejszym zakładzie, redakcji czy na uczelni), że kolega wyraził się źle o Gierku – po to, żeby odciąć kolegę od awansu, żeby wpakować się zamiast niego na zagraniczny wyjazd.

Zauważa się, że Michnik chętnie rozgrzeszał prominentnych komunistów, jeśli tylko dawali się oni umieścić w obozie „Polski otwartej, demokratycznej, europejskiej". Ale oprócz tej działalności detalicznej Michnik jako redaktor naczelny, czy może lepiej rzec, jako najwyższy kapłan „Gazety Wyborczej" dokonał rozgrzeszenia hurtowego. Rozgrzeszył za jednym zamachem tysiące zwykłych ludzi, którzy za komuny nie zrobili niczego, by z nią walczyć, a grzecznie tuptali na pochody i wybory. Rozgrzeszył ich z tego, że w trosce o ciepło w domach i kiełbasę na stole zdradzili „Solidarność", że widząc, jak kapusie łapią chłopaka rzucającego ulotki zwiewali do bram i że nie protestowali. Rozgrzeszył też wszystkich winnych drobnych, codziennych świństewek peerelu. Cokolwiek tam było, nic nie było. Wszyscy jesteśmy winni, i nie ma o czym gadać – ja to mówię, ja, Michnik, bohater podziemia, wieloletni więzień polityczny, któż ma większe ode mnie prawo moralne, by takiego rozgrzeszenia udzielić?

„Chrześcijańskie przebaczenie" – takiej zbitki używali z zamiłowaniem ludzie, którzy swych związków z chrześcijaństwem nigdy specjalnie nie eksponowali, bo często nie było czego. Ale nie dajmy się zmylić, nie było w tym przebaczeniu niczego chrześcijańskiego. Chrześcijańskie przebaczenie, jak to definiuje każdy katechizm, wymaga spełnienia pięciu warunków: rachunku sumienia, skruchy, wyznania win, postanowienia poprawy oraz zadośćuczynienia. Wybaczenie michnikowszczyzny, wręcz przeciwnie, służyć miało temu, by nawet do rachunku sumienia – tym bardziej do wyznania win czy okazania żalu za grzechy – w ogóle dojść nie mogło. Było to rozgrzeszenie w ciemno, rozgrzeszenie, jakiego udzielali przed wiekiem kapelani żołnierzom idącym do bitwy, którego jedynym warunkiem był akces do sił postępowych, w obliczu ich starcia z siłami reakcji.

To nic, że zdecydowanej większości rozgrzeszanych nikt wcale nie atakował ani niczego jej nie zarzucał. Propagandowa zręczność michnikowszczyzny wyraziła się między innymi w tym, że zdołała ona przedstawić swoich przeciwników jako oszalałych inkwizytorów, którzy chcieliby dekomunizować do gołej ziemi, i wsadzać do więzień każdego, kto kiedykolwiek poszedł na partyjny „subotnik". W ten sposób stworzono wielką wspólnotę zagrożenia, wsadzono na jeden wózek ludzi, których „winą" było to, że normalnie żyli, z najgorszymi kanaliami i z mordercami ofiar z „listy Rokity". Budowano tę wspólnotę wszelkimi środkami, nie wahając się sięgnąć po oczywiste draństwa tego rodzaju, jak opublikowanie w 1992 roku obszernego omówienia rzekomo przygotowywanego przez MSW Macierewicza i Olszewskiego projektu posuniętej do absurdu „ustawy dekomunizacyjnej", projektu, o którym MSW dowiedziało się właśnie z „Gazety". Albo po kłamstwo o rzekomych przygotowaniach rządu Olszewskiego do zamachu stanu.

Wielka Zmiana dokonała się w Polsce wbrew naturalnemu rytmowi przypływów i odpływów nadziei i woli zmian, który wymuszał cykliczne „odnowy" i „odwilże". Nie zdążyło się ukształtować i okrzepnąć nowe, nieprzetrącone pokolenie, które chciałoby nowej Polski. Nowa Polska została ni z tego, ni z owego, podarowana Polakom w chwili, gdy większość z nich pogrążona była w apatii i skupiona na przetrwaniu, a przeważająca część inteligencji wcale nie życzyła sobie zmiany zbyt radykalnej, zrywania z przyzwyczajeniami, przewracania hierarchii, w której wypracowała sobie swoje miejsca i stworzyła różne nisze. Oczywiście, ta pogrążona w apatii większość nie miała przywódcy i gdyby zmiany zostały jej narzucone, to by się z nimi musiała pogodzić. Ale Familia Michnika zwróciła się do niej z ofertą idealnie dostosowaną do jej potrzeb i zdołała zmobilizować do poparcia politycznej oferty, którą można by streścić w słowach – „zmiany tak, ale bez przesady". Granice tego, co byłoby przesadą, przesuwały się w kolejnych latach, ale zawsze wyznaczali je publicyści Michnika. W roku 1990 przesadą były postulaty likwidacji cenzury, odwoływania PZPR-owskich sekretarzy stanu i wojewodów, zapobiegania paleniu akt MSW i szukaniu winnych komunistycznych zbrodni; wszystko to określono zbiorczo „polowaniem na czarownice". Do połowy lat dziewięćdziesiątych przesadą było przywracanie w życiu publicznym dawnego miejsca religii, a już zwłaszcza podpisywanie jakichś konkordatów. Do końca lat dziewięćdziesiątych absolutnie niedopuszczalną przesadą było krytykowanie wypowiedzi prominentnych działaczy żydowskich, jakoby „Polacy byli gorsi od Hitlera", a Armia Krajowa stanowiła kolaboracyjną organizację powołaną do wyręczania Niemców w holokauście. Do chwili przyjścia Rywina do Michnika przesadą – „aferomanią" – było twierdzenie, że korupcja, która przecież zdarza się we wszystkich krajach, ma w Polsce szczególne rozmiary i specyficzny, systemowy charakter. Przesadą było stwierdzenie, że komuniści przy Okrągłym Stole mieli jakąś strategię i o coś, poza dobrem Polski, grali, i przesadą było mówienie o zbrodniach stanu wojennego, skoro czasy się zmieniły. Przesadą było wywlekanie komunistycznym karierowiczom ich przeszłości, skoro liczył się przede wszystkim pragmatyzm.

Owszem, komunizm był zły, przyznawała michnikowszczyzna, ale przesadą byłoby wyciąganie z tego wniosku, że należy z nim radykalnie zrywać. Przecież działo się wtedy wiele dobrego, powstawały ciekawe filmy, pisano dobre książki... A czytelnik dodawał w myślach: budowałem wtedy swą pozycję na uczelni czy w biurze, po co ma mi ktoś teraz wyciągnąć, że dla awansu wygłaszałem prawomyślne brednie na masówce potępiającej syjonistów albo warchołów z Radomia i Ursusa, że kierownikiem wydziału zostałem po podesraniu poprzednika, że moja habilitacja to kompletny bełkot spisany z partyjnych podręczników, po co przypominać, jak sobie załatwiłem wyjazd czy talon na to albo tamto... Czasy były jakie były, i nie ma co się w tym grzebać, jakie to szczęście, że mamy takiego mądrego człowieka, jak Michnik. Człowieka, który publicznie, w telewizji, deklarował: „ja rąbałem komunę, ale teraz to ludzie opluci!". Faktycznie, jeśli uświadomić sobie – a był to rok 1990 – jak straszne prześladowania cierpieli wtedy komuniści, zwłaszcza ci kradnący właśnie swoje pierwsze miliony, sadowiący się w spółkach, w służbach i administracji nowej (z nazwy) Polski, trudno się nie wzruszyć okazanym im spontanicznie przez Michnika współczuciem.

„Mówiliśmy – amnestia tak, amnezja nie", powiada dumnie redaktor naczelny „Gazety Wyborczej" w tekście podsumowującym dziesięciolecie jej istnienia. Może i mówiliśmy, ale robiliśmy coś dokładnie przeciwnego: „pragmatyzm" w wydaniu michnikowszczyzny był bowiem właśnie ofertą powszechnej amnezji, kuszącą już przez samą swą treść – ale kuszącą podwójnie, bo występował z nią człowiek postrzegany jako jeden z najbardziej zasłużonych, jeden z największych bohaterów. Ba, kuszącą potrójnie, bo uzasadnioną w sposób najwznioślejszy z możliwych – chrześcijańskim przebaczeniem, tolerancją, miłosierdziem... A półgębkiem dopowiadającą: „przecież wszyscy byli umoczeni". Wielu ludzi było zdumionych, kiedy dowiedzieli się, jak bliskie stosunki towarzyskie łączą byłego bohatera podziemia z byłym znienawidzonym rzecznikiem prasowym Jaruzelskiego. Znam pewną dystyngowaną starszą panią, postać skądinąd bardzo typową, zakochaną w Michniku bez pamięci, wpadającą przez wiele lat w święte oburzenie, gdy jakiś oszołom śmiał insynuować mu jakoby miał brata – stalinowskiego zbrodniarza, albo komunistyczną młodość. Gdy przed komisją rywinowską Urban, spytany, kiedy ostatni raz rozmawiał z Adamem Michnikiem, odpowiedział „wczoraj", gdy zaczęło się otwarcie mówić o wspólnym piciu przez obu panów wódki, ta biedna kobiecina wskutek doznanego szoku dosłownie się rozchorowała. Choć wiele lat wcześniej w telewizyjnym „Refleksie" Semki i Kurskiego pokazano ich obu, jak razem jadą na przyjęcie po wyjściu z programu Moniki Olejnik, choć mówiło się o tym, wyznawczyni Michnika po prostu nie przyjmowała tego do wiadomości, bo nie powiedzieli jej o tym ludzie „z Towarzystwa". Dopiero po Rywinie przyjąć musiała.

Ale przecież, kto umiał patrzeć, musiał dostrzec, że publicystyczna i edytorska działalność Urbana i Michnika od samego początku doskonale się rymowały. Pierwszy po chamsku, rzucając mięsem i odwołując się do sposobu rozumowania prymitywa, drugi moralizując i grając na inteligenckich tęsknotach do estetycznych i moralnych autorytetów, przekazywali w gruncie rzeczy to samo: że „wszyscy byli umoczeni" i szukanie winnych zbrodni komunizmu to próba oczyszczania samego siebie („eksternalizacji winy", by wspomnieć sławny wywiad Michnika). I jeszcze, że prawica to banda chorych umysłowo fanatyków, która chce stawiać szubienice i rozpalać stosy.

Pod hasłami moralnymi upowszechniała michnikowszczyzna wielką niemoralność – niszczyła po prostu podstawy poczucia sprawiedliwości, elementarne rozróżnienie dobra i zła, bez którego nie może istnieć żadna uczciwość, żaden społeczny ład.

Pisałem już o tym, wspominając o zbrodniach MSW i haniebnym zamilczeniu w III RP raportu Rokity, ale trzeba zwrócić uwagę, że wysuwając na plan pierwszy organizacyjną sprawność w zarządzaniu i przygotowanie fachowe, w istocie unieważniła michnikowszczyzna postulat moralności w życiu publicznym. Złodziej – nie złodziej, komuch – nie komuch, ważne, że fachowiec. „Nieważne skąd przychodzisz, byleś przychodził z pieniędzmi", jak ujął to Jacek Fedorowicz, satyryk skądinąd bardzo michnikowszczyźnie życzliwy. „Fachowiec" – to kolejne słowo-klucz michnikowszczyzny. Nagle okazało się, że peerel był krajem pełnym fachowców, do tego stopnia, że pojąć nie sposób, dlaczego właściwie socjalizm się był skichał. Każdy, kto pełnił wysokie funkcje w peerelu, stawać się miał przez to cennym nabytkiem dla wolnej Polski. Pozbycie się go stanowiłoby nieocenioną stratę. Choćby był ostatnim cymbałem, który wszystko, cokolwiek mu partia powierzyła, doprowadził do ruiny.

Wejście do polskich firm obcego kapitału zweryfikowało ten mit bardzo szybko – menedżerów z peerelowskim rodowodem, którzy zdołali sprostać wymogom prawdziwej konkurencji, można policzyć na placach jednej ręki. Tym rojniej obsiedli oni administrację i cudaczny, postkomunistyczny twór gospodarczy, jakim były „jednoosobowe spółki skarbu państwa", rujnując je i „transferując" kasę do własnych, zakładanych wyłącznie w tym celu spółek już prywatnych. Michnikowszczyzna czasem, gdy trafił się jakiś szczególnie jaskrawy przykład, potępiała, ale bez tego ognia, jaki umiała skrzesać w sobie w wojnach ideologicznych. Półgębkiem przyznawano, że „pierwszy milion trzeba ukraść", że cóż, nikt poważny nigdy nie miał co do kapitalizmu złudzeń, taki to po prostu złodziejski i z zasady niesprawiedliwy ustrój. A że okazał się historyczną koniecznością, trzeba jego wady po prostu ścierpieć.

Sprawny demagog gra zawsze na wielu strunach ludzkiej duszy, wiedząc, że u jednego mocniej odezwą się te, u innego tamte tony. Michnikowszczyzna odwołała się do różnych emocji. Także do takich, które właściwe są każdej ludzkiej populacji. Większość ludzi nie lubi słuchać o niepomszczonych zbrodniach, o strasznych nieprawościach i niesprawiedliwości, bo to przykre, to zmusza do zajmowania stanowiska. Łatwo było usunąć ze zbiorowej pamięci ofiary komunizmu, bo nikt, poza osieroconymi rodzinami, po prostu nie chciał sobie zaprzątać głowy myśleniem o nich, tak jak przez dziesięciolecia na szczęśliwym Zachodzie nie chciano słuchać o ofiarach Gułagu, o głodzie na Ukrainie czy Katyniu. Większość inteligencji czuła się mniej lub bardziej umoczona i wolała, aby problemu umoczenia zbyt szczegółowo nie rozważać – jak na dworze Ludwików stało się swego czasu obowiązkiem dobrego tonu noszenie peruki i pudrowanie twarzy, bo w ten sposób liczni w tym towarzystwie syfilitycy mogli się ukryć w tłumie, tak w elitach III Rzeczpospolitej nosiło się „Gazetę Wyborczą" przysłaniającą każdy wstydliwy detal życiorysów. Większość każdej populacji nie lubi radykalnych zmian, bo zmiany naruszają cenne dla przeciętnego człowieka poczucie bezpieczeństwa – więc i z tej przyczyny michnikowszczyzna, występująca, jako strona hamująca zmiany, zawsze z hasłami umiarkowania, zdrowego rozsądku, odcinania się od przesady, miała u przeciętnego Polaka wielki plus. Zwłaszcza, że przeciwko przesadzie występowali ludzie eleganccy, salonowi, cenieni w Krakowie i na Zachodzie, a rzecznicy radykalizmu jawili się jako banda oszołomów, którym źle patrzy z oczu i brzydko pachnie z ust.

Większość każdej populacji woli się opowiadać za dobrem i pięknem, nie za złem i brzydotą. A Adam Michnik przemawiał tak pięknie i wzniośle, jak rzadko który ksiądz. A jak już nie wiedział co powiedzieć, to – majstersztyk propagandy, kwintesencja michnikowszczyzny, i, biorąc to na zdrowy rozum, szczyt absurdu – zamiast komentarza politycznego rzucał na pierwszą stronę wiersz potępiający nienawiść.

* * *

Podsumowując krótko, trudno mi się zgodzić ze służącą „pokrzepieniu serc" tezą narodowych katolików, że Michnik dzięki swym wpływom i uzyskanej propagandowej potędze oszukał, ogłupił polskie społeczeństwo, z natury swej patriotyczne i kierujące się szlachetnymi porywami. Oferta michnikowszczyzny odniosła tak wielki sukces, bo doskonale trafiła w potrzeby większej części polskiej inteligencji – ześwinionej, umoczonej, głupiej, zdeprawowanej peerelem i niezdolnej do rozliczenia się z samą sobą. Inteligencji zastępczej, lewicowej albo z tak zwanego awansu, którą peerel umieścił na miejscu tej prawdziwej, wymordowanej w Palmirach i Katyniu. Michnik, taki, jakim wykreował się po roku 1989, był po prostu bohaterem na jej miarę, i na miarę jej potrzeb. Dlatego zakochała się w nim bez pamięci.

* * *

Jednym ze szczególnie często powtarzanych przez Michnika nonsensów jest budowanie analogii pomiędzy jego wizją „historycznego kompromisu", leżącego u podwalin III Rzeczpospolitej, z sytuacją II RP, której budowniczowie „przychodzili z różnych stron", ale mimo to potrafili się dla dobra Polski porozumieć. Pomińmy, że prawdę mówiąc w II RP było akurat inaczej – niezdolność porozumienia pomiędzy głównymi obozami czy raczej niemożność pogodzenia wyznawanych przez nie politycznych wizji okazała się tak wielka, że jedynym wyjściem z niekończącego się politycznego pata pozostał zamach stanu. Co najważniejsze: budowniczowie II RP, owszem, przychodzili z różnych stron, ale żaden z nich nie przyszedł ze strony zaborców! Piłsudski tworzył polskie wojsko u boku Austro-Węgier, a ludzie Dmowskiego u boku Rosji – ale tworzyli oni po różnych stronach wojsko POLSKIE, osobne od armii zaborczych. Pomiędzy współpracą pomiędzy Piłsudskim i Dmowskim a dogadaniem się „Drużyny Wałęsy" z Jaruzelskim i Kiszczakiem nie ma żadnej analogii. Żadnej! Byłaby, gdyby Piłsudski tworzył wolną Polskę z generałem Beselerem albo Wielkim Księciem Mikołajem, co, jak wiadomo, miejsca nie miało.

Owszem, używany przez Michnika historyczny przykład pasowałby znakomicie, gdyby miał uzasadniać wyciągnięcie ręki do – powiedzmy – Moczulskiego, Morawieckiego albo Kołodzieja. Gdyby w roku 1990 obóz Wałęsy wyciągnął rękę do całej „Solidarności" i całej antykomunistycznej opozycji, mówiąc: łączy nas wspólna walka o Polskę, budujmy ją teraz razem, nie tracąc czasu na licytacje, kto bardziej, a kto mniej się do upadku komuny przyczynił.

Tylko że tego właśnie nie zrobiono, wręcz przeciwnie – starano się rywali z opozycji zmarginalizować, wykluczyć, pozbyć. Wbrew utartemu stereotypowi, główny podział w opozycji nie przebiegał pomiędzy „niepodległościowcami" czy „narodowymi katolikami" z jednej, a pomarksistowskimi rewizjonistami z drugiej. W każdym razie już nie w latach osiemdziesiątych. Pod koniec istnienia peerelu najistotniejszym i dramatycznym podziałem stała się linia – z czasem wręcz przepaść – oddzielająca tych, którzy uważali, że z komunistami trzeba się dogadać i jak najwięcej przy tym wytargować, od tych, którzy uważali, że komunę trzeba pokonać. Czyli, mówiąc językiem ubeckim, który michnikowszczyzna przejęła nie wiadomo jak i kiedy, opozycję konstruktywną od radykalnej.

Opozycja radykalna, jak to już tutaj było wspominane, była przez tę „konstruktywną" traktowana jak poważne zagrożenie dla Polski i na różne sposoby dyskretnie tępiona. Józef Darski, przez czas pewien współpracownik KOR-u, opisywał kiedyś, jak próbował sprowadzić na potrzeby swoje i współpracujących z nim działaczy powielacz, i jak próba ta udaremniona została w ostatniej chwili osobiście przez Adama Michnika. „Oni muszą przyjść do nas, pokazać, co chcą drukować, i my zadecydujemy, czy wolno im to robić" – miał wtedy powiedzieć Michnik. Jest wiele relacji potwierdzających, że grupa Michnika i Kuronia czuła się swego rodzaju „komitetem centralnym" całej opozycji. Nie chcę ich nadmiernie mnożyć, bo wyprostowanie zmistyfikowanej legendy opozycji to temat na osobną książkę, która, aby oddać hołd prawdzie i nikogo nie skrzywdzić, wymaga wielkiej staranności i wielu rozmów – mam nadzieję, że Pan nie poskąpi mi do tej pracy sił, ale na razie za wcześnie o tym mówić. Tu ograniczę się do minimum.

Lech Dymarski, również współpracownik KOR, a potem działacz pierwszej „Solidarności" i jej podziemnej kontynuacji, pisze o ściśle zakonspirowanej Radzie Polskiego Funduszu Praworządności, która w latach osiemdziesiątych rozdzielała ze środków podziemnej „Solidarności" finansową pomoc dla represjonowanych, refundowała ofiarom prześladowań zasądzane przez peerelowskie sądy grzywny, wypłacała zasiłki zwolnionym z pracy, i tak dalej. „Działalność komisji nie cieszyła się poparciem części byłych korowców, ani ich wpływowego, podziemnego »Tygodnika Mazowsze«. Tamci uważali, że nie jest w porządku, gdy ratujemy ludzi przed nędzą bez ich zgody i poza ich kontrolą". Zasiadający w radzie Jan Józef Lipski „z widocznym zakłopotaniem przekazał nam kiedyś ofertę:

jeśli on ujawni skład Rady Funduszu, to oni nas uwiarygodnią. Sprawę rozstrzygnęła, jak zwykle bez ogródek, Romaszewska: Janku, czy twoim przyjaciołom się coś nie pomyliło? A może to my ich uwiarygodnimy?".

Ten sam Dymarski wspominał w filmie Jerzego Zalewskiego „Dwa kolory", jak wkrótce potem padł ofiarą „szeptanki", o którą podejrzewał to samo, wskazane wcześniej środowisko. W podziemiu był to morderczo skuteczny sposób eliminowania przeciwników – jeśli cieszący się znacznym mirem działacz po cichu ostrzegał, że na tego a tego trzeba uważać, bo kapuje, pomówiony po prostu pozostawał w próżni i nie miał sposobu nawet dowiedzieć się, dlaczego, nie mówiąc o obronie.

Broń ta była zresztą stosowana jeszcze w ostatnich miesiącach peerelu. Krzysztof Czuma wspomina, jak posunięto się do takiego właśnie pomówienia, aby w 1989 roku usunąć go z otwartego spotkania Komitetu Obywatelskiego. Co szczególnie charakterystyczne, powodem było samo nazwisko – Krzysztof Czuma jest bowiem synem znanego działacza niezależnego od grupy Kuronia Ruchu Obrony Praw Człowieka i Obywatela. Działaczka tego ruchu, Zofia Toborowicz-Jeglińska, wspominała, jakim szokiem była dla niej i jej zaangażowanych w opozycyjną działalność przyjaciół spotkanie z Michnikiem, wówczas już cieszącym się, dzięki marcowi 1968 i „Wolnej Europie", statusem jednego z nieformalnych przywódców całej opozycji. Oczekiwany bohater grubiańsko zrugał młodych działaczy ROPCiO za próbę działania poza kierowanymi przez niego strukturami, zasugerował, że są inspirowani przez bezpiekę i usiłował im zakazać dalszej działalności.

Jeszcze jedna historia: Adama Borowskiego, w latach osiemdziesiątych działacza Międzyzakładowych Robotniczych Komitetów „Solidarności" – struktury, która powstała i działała niezależnie od Wałęsy i jego doradców, i była w tych kręgach odpowiednio do tego traktowana. Aresztowanemu bezpieka zrobiła wyjątkowe świństwo: w Dzienniku Telewizyjnym pokazano bez dźwięku zdjęcia z jego przesłuchania, zrobione przez tzw. weneckie lustro, a głos lektora informował jednocześnie, że Borowski „sypie". Gdy zainteresowany o tym usłyszał, pchnął czym prędzej do podziemnego „Tygodnika Mazowsze" gryps ze sprostowaniem. „Tygodnik Mazowsze" odmówił jego publikacji, a pośrednikowi w prywatnej rozmowie zakomunikowano, że „redakcja nie ma do Borowskiego zaufania". On sam do dziś nie wątpi, że środowisko rządzące „Tygodnikiem" zupełnie świadomie wsparło ubecką manipulację, bo skompromitowanie działacza niepoddającego się jego kontroli uważało za korzystne dla siebie. I, szczerze mówiąc, wiedząc od różnych ludzi to co wiem, sądzę, że Borowski ma rację.

Nazwiska Kuronia i Michnika legenda tak silnie związała z KOR, że dziś, pisząc o ich środowisku, używa się często po prostu określenia „korowcy". Zresztą, legenda związała z KOR także nazwisko Geremka, który w nim nie był, ani w ogóle żadnej działalności opozycyjnej w tym czasie nie prowadził. Mało kto pamięta dziś, że w Komitecie byli bardzo różni ludzie, nawet jeden ksiądz.

Ale faktycznie, Kuroń i jego współpracownicy szybko KOR zdominowali. Wynikało to z różnych przyczyn. Macierewicz i jego formacja, która potem odnalazła się znakomicie u księdza Rydzyka, twierdzi do dziś, iż podstawową sprawą było przejęcie przez tę grupę kontaktów zagranicznych.

Coś w tym oczywiście jest. Nazwiska lewicowych rewizjonistów były na Zachodzie znane. Daniel Cohn--Bendit, przywódca lewackich ruchawek w 1968 roku, z dumą opowiadał, jak na swoim procesie, pytany przez sędziego zgodnie z procedurą o personalia, odparł: „nazywam się Kuroń-Modzelewski". Nie był jedynym, wielu lewaków z jego okolic zachwycało się dysydentami, widząc w nich bohaterów zdrowego, rewolucyjnego marksizmu, który odnowi zbiurokratyzowane Kompartie z obozu sowieckiego. Ponoć pierwszy w peerelu podziemny powielacz (w końcu zresztą bodaj nigdy nieużyty) przemycony został przez francuskich trockistów. Sprzyjało „lewicy laickiej" wiele okoliczności, nawet tak anegdotycznych, jak fakt, że ówczesny warszawski korespondent „New York Timesa" był synem Adama Kaufmana, przed wojną współtowarzysza ojca Michnika, Ozjasza Szechtera, z Komunistycznej Partii Zachodniej Ukrainy, razem z nim sądzonego za to i skazanego przez sąd wolnej Polski na kilkuletnie więzienie. Jest chyba oczywiste, do kogo w tej sytuacji zgłaszał się amerykański dziennikarz po opinie na temat sytuacji w Polsce i wiadomości o opozycji.

Kontakty zagraniczne – także te, które podczas swego pobytu na Zachodzie nawiązywał Michnik – były na pewno wielkim kapitałem tej grupy, i powodem, dla którego czuła się ona upoważniona do „uwiarygodniania" innych, bądź odmawiania im takiej rekomendacji. Były też przecież wielkim kapitałem całej opozycji. Przejście do działalności jawnej, zapoczątkowane przez KOR, a stanowiące dla całej peerelowskiej opozycji przekroczenie Rubikonu, być może nie udałoby się, gdyby nie fakt, że w grupie, podającej w ulotkach swoje nazwiska i adresy byli ludzie, których zniknięcie czy aresztowanie wywołałoby natychmiastową reakcję zachodnich mediów i zniweczyło gierkowskie starania o pożyczki. W innym wypadku możliwe, że SB łatwiej byłoby się zdecydować na siłowe załatwienie sprawy, co odepchnęłoby kolejne takie próby budowania jawnej opozycji co najmniej o kilka lat. A wtedy Sierpień 80, bez jej logistycznego wsparcia, zapewne sprowadziłby się do serii nieskoordynowanych ruchawek, i w najlepszym wypadku wypalił na jakichś guzik wartych postulatach płacowych – cała historia Polski poszłaby w innym kierunku, trudnym do przewidzenia nawet dla rutynowanego autora science fiction.

Kiedy od czasu do czasu wpadnę w towarzystwo, które z „prawicowych" pism zna proste odpowiedzi na wszelkie pytania, w tym także na pytanie o to, dlaczego to Kuroń, a nie kto inny, stał się punktem odniesienia dla całej opozycji, staram się je namówić do prostego eksperymentu myślowego. Jeśli ktoś z Państwa chce, też może go przeprowadzić. Proszę sobie wyobrazić, że w Państwa domu stoi telefon, który jest w całym kraju znany jako numer, na który można i trzeba dzwonić, jeśli ktoś został wyrzucony z pracy, pobity, aresztowany albo stała mu się inna niesprawiedliwość. Ten telefon dzwoni non stop, dzień i noc, i trzeba go za każdym razem odebrać, wysłuchać, o co chodzi, zapisać sprawę w specjalnym, przeznaczonym do tego zeszycie i nadać jej bieg. Dla ułatwienia pomińmy wszystkie inne niewygody, zapomnijmy, że mieszkanie obstawiają ubecy, że od czasu do czasu wpada milicja, robi rewizję i zatrzymuje na cztery-osiem, że kiedy nie robi tego milicja, wpada obić gębę i skopać nery „aktyw" ze związków socjalistycznej młodzieży (dziś celebrujący swe szczytne tradycje w stowarzyszeniu „Ordynacka"), że wisi nad głową wiele innych szykan, włącznie z zawsze aktualną groźbą zamordowania przez „nieznanych sprawców", których przez cały czas powstrzymuje od tego rutynowego działania tylko kaprys towarzysza pierwszego sekretarza. Zostawmy to wszystko, wystarczy tylko ten dzwoniący dzień i noc telefon, dzwoniący tak przez cały rok, potem drugi, trzeci, czwarty... Z ręką na sercu – ile by Państwo byli zdolni takiego życia wytrzymać, wiedząc, że raczej nie macie szans na żadną nagrodę poza niebieską, a dla ateisty, na przykład, to wyjątkowo słaby argument?

A Kuroń stał się dla świata i Polski symbolem opozycji, ważniejszym niż ktokolwiek inny, bo to właśnie w jego domu ten znany wszystkim telefon stał.

Nie zamierzam, i proszę mi tego nie insynuować, odbierać niczego z chwały należnej za heroizm, za bezsenne noce, więzienia, siniaki. Większość z tych setek, w porywach tysięcy, ludzi zaangażowanych mniej lub bardziej w opozycję, w ogóle nie myślała, jaka ta przyszła Polska ma być, nie zastanawiała się, kto z nich jest lewicowy, kto prawicowy – chcieli po prostu pomóc innym, przeciwstawić się triumfującej podłości. A ci, którzy myśleli o polityce – trudno się dziwić, że postępowali tak, jak postępowali. Byli przywódcami i czuli ciężar spoczywającej na nich odpowiedzialności. Stojąc w obliczu komunistycznej bezpieki mającej na koncie takie akcje, jak zorganizowanie i uwiarygodnienie osławionej „V komendy WiN" – całkowicie agenturalnego, fałszywego dowództwa antykomunistycznego ruchu oporu, które posyłało walczących o Polskę żołnierzy wprost w obławy KBW i NKWD – można było dopatrywać się wszędzie prowokatorów i traktować nieufnie wszystkich, którzy nie byli znanymi z dawna kumplami albo posłusznymi wykonawcami ich poleceń.

Ale fakty są faktami. Swą dominującą pozycję późniejsza Familia zdobyła przede wszystkim pracą, poświęceniem, odwagą – inne przewagi pomogły, ale nie one zdecydowały. Z czasem jednak zaczęła wykorzystywać swą dominację w sposób coraz bardziej wątpliwy. Szczególnie, gdy z jednej strony pojawiła się nadzieja, że sytuacja wreszcie zmusi komunistów do tak długo oczekiwanych negocjacji i ustępstw, a z drugiej – gdy na fali legendy zdławionej przez Jaruzela „Solidarności" zaczęły umacniać się albo od zera powstawać organizacje i struktury, które nie myślały już, jak opozycjoniści pokolenia poprzedniego, o żadnej finlandyzacji, o żadnych układach, których komuniści przecież i tak, jak udowodniła to lekcja „Solidarności", nie dotrzymywali – ale o walce do pełnego zwycięstwa. I których działacze doznawali metafizycznych dreszczy już nie przy żartobliwych piosenkach jak to „Wyszyński z Kuroniem za pieniądze Mao / Chcieli Żydom sprzedać naszą Polskę całą" albo melancholijnych balladach Kelusa o szosie E-7 – tylko przy wezwaniach Kaczmarskiego, by komuniście „zacisnąć drut na szyi / i krtań w śmiertelny zmienić krwiak”, słuchając „jak przed śmiercią wyje”; i by nie zdarzyło się „z którymś z nich popełnić błąd / szukając uczuć w jego twarzy / zamiast go zabić z zimną krwią”.

Z jednej strony pojawiła się szansa na osiągnięcie celu całej wieloletniej działalności, z drugiej – coraz liczniejsi nieodpowiedzialni gówniarze i przywódcy mający gdzieś i Wałęsę, i Kuronia, i innych zdziadziałych ugodowców.

Owszem, zaraz po stanie wojennym, kiedy Kuroń w przemyconym z internowania artykule wzywał omalże do organizowania powstania (później, przyznajmy uczciwie, uznał ten tekst za „najgłupszy, jaki w życiu napisał”, choć pozostawał w nim wierny sobie i nie ukrywał, że postulowany powszechny opór służyć ma zmuszeniu komunistów do negocjacji; możliwość upadku ZSSR przecież nie mieściła się w prawdopodobieństwie) – wtedy zdecydowani na wszystko młodzi byli potrzebni. Skoro, jak pokazały pierwsze dni stanu wojennego, wielbiona przez starych opozycjonistów wielkoprzemysłowa klasa robotnicza „Solidarność” olała i, zmęczona chaosem oraz przestraszona zimnymi kaloryferami, nie zastrajkowała, a potem, może nie tak spontanicznie, ale niemal równie masowo zaczęła wstępować do nowych, „wronich” związków zawodowych, musiały opozycję ratować, jak to nazwała komunistyczna propaganda, „rozwydrzone wyrostki”. I uratowały. Ilekroć przywódcy „Solidarności” wezwali, to „rozwydrzone wyrostki” ochoczo szły na ulicę i brały od ZOMO wpierdol. Po to, żeby przywódcy, którzy ich tam posłali, mogli się potem z generałami, którzy poszczuli ich zomiakami, dogadać i pobratać przy wódeczce.

Potem, kiedy w 1988 organizowano rachityczne strajki, stanowiące pretekst do Okrągłego Stołu, znowu poszli za przywódcami „Solidarności" niemal wyłącznie młodzi. A rok później ci sami młodzi, gdy zażądali wyprowadzenia z Polski sowieckich garnizonów, usłyszeli od Wałęsy, że „powinien zdjąć pasa i sprać im dupy" – jakby nie dość zrobili w tej kwestii podwładni jego wówczas już przyjaciela, Kiszczaka.

Bez względu, jakie motywacje kierowały ludźmi z kręgu Wałęsy, nie można tego nie powiedzieć, że podjudzeni przez komunistów wizją porozumienia „elit" z obu stron barykady, każdej przeciwko swoim radykałom, w końcówce lat osiemdziesiątych zasłużeni wcześniej działacze opozycji dopuszczali się wobec innych ludzi walczących o Polskę postępków, których nie można nazwać inaczej, niż podłymi. Poprzestańmy na jednym przykładzie: gdy w 1988 roku bezpieka aresztowała przywódców „Solidarności Walczącej", Kornela Morawieckiego, Andrzeja Kołodzieja i Hannę Łukowską-Karniej, z kręgu Kuronia i Michnika skierowane zostały do Amnesty International interwencje, aby nie broniła zatrzymanych, albowiem są to przywódcy „organizacji terrorystycznej". Podobny status – „terrorystów" – przyznali ci sami, wówczas już byli opozycjoniści, moszczący się właśnie na rządowych stołkach, zatrzymanym podczas ostatnich antykomunistycznych demonstracji w roku 1989; tych samych demonstracji, które Kiszczak, jak wspominał Kuroń, nie dość gorliwie pałował, mimo jego, Kuronia, nacisków. Ostatnio dopiero wyszły na jaw dokumenty pokazujące, że przed Okrągłym Stołem środowisko Wałęsy zaangażowało się razem z bezpieką w haniebną grę, mającą na celu usunięcie podstępem więzionych Morawieckiego i Kołodzieja z kraju, aby nie przeszkadzali „historycznemu kompromisowi" (Morawiecki wrócił szybko przez „zieloną granicę", ale niewiele to już zmieniło – choć bezpieka przestała go ścigać dopiero w styczniu 1990 roku).

„Oni byli tylko dysydentami, a my wrogami; oni chcieli lepszego komunizmu, a my niepodległej Polski", podsumowała po latach z goryczą działaczka „Solidarności Walczącej". Cytuję tę bardzo charakterystyczną dla byłych działaczy antykomunistycznej opozycji opinię, nie zgadzając się z nią. Środowisko Kuronia i Michnika też chciało, na swój sposób, niepodległości Polski. Miało więcej doświadczeń, z których wynikało jasno, że o pełnej niepodległości nie ma na razie co marzyć, że finlandyzacja jest wszystkim, co można osiągnąć, a porywanie się z motyką na słońce musi doprowadzić do tragedii i utraty wszystkiego. Cała działalność kręgu Kuronia, Michnika i pozostającego wtedy pod ich przemożnym wpływem Wałęsy, którzy z nieprzymuszonej woli podjęli się być świadomymi wspólnikami bezpieki w walce z antykomunistami, była z punktu widzenia polityki morderczo logiczna i uzasadniona. Oczywiście, w świetle tego, co wtedy mogli wiedzieć Wałęsa i jego doradcy. Bo w świetle tego, jak wówczas naprawdę się sprawy miały, ich działalność była kompletnie chybiona – jak to udowodnił w „Reglamentowanej rewolucji" Antoni Dudek, i z czym żaden poważny historyk dziś nie polemizuje, alternatywą dla Okrągłego Stołu nie była żadna wieszczona przez Michnika wojna domowa, tylko jeszcze kilka miesięcy gnicia peerelu i jego gwałtowny, całkowity upadek.

Oto paradoks historii, z którym ja, publicysta wychowany na Dmowskim i jego bezlitosnej, do bólu logicznej analizie politycznej, przyznaję otwarcie, nie umiem sobie poradzić. Gdyby Wałęsa i jego ludzie, zamiast polityczną rachubą, kierowali się odruchem moralnym, zabraniającym zwracać się ramię w ramię z komunistami przeciwko patriotom, rządy komunistycznej mafii skończyłyby się w Polsce paręnaście lat wcześniej.

Ale to nie ja, to nikt inny, jak sam Adam Michnik narzucił polskiemu dyskursowi publicznemu zasadę, że działania polityków trzeba sądzić nie według kryteriów politycznych, ale moralnych właśnie. Więc osądźcie Państwo sami, właśnie z punktu widzenia etyki i moralności, czym było zwrócenie się przez „drużynę Wałęsy" przeciwko tym, na plecach których przez ładnych parę lat jechali, a których narzucona przez komunistów logika porozumienia kazała im nagle uważać za wrogów wspólnych, już nie tylko Jaruzela i Kiszczaka, ale także i ich.

Piszę „drużyna Wałęsy", choć za każdym razem muszę cofać się i poprawiać, bo palce same z siebie naciskają klawisze „Soli...". Taka jest siła stereotypu. Dziewięćdziesięciu dziewięciu Polaków na stu, zapytanych, kto wygrał w 1989 roku „kontraktowe" wybory i objął potem władzę, odpowie (jeśli w ogóle odpowie, bo część pewnie wybałuszy cielęco gały i spyta „że co?"): „Solidarność". Bez wahania.

A przecież to nieprawda. „Solidarności" wtedy nie było, wyjąwszy tę podziemną, a ona w wyborach nie startowała. Legalnie odtworzona została dopiero później, a Bogiem a prawdą, w ogóle nigdy, bo związek zarejestrowany przez Wałęsę powtórnie, pod przejętą prawem kaduka historyczną nazwą, był już inną strukturą, z innymi ludźmi i stosowniej jest tu mówić o „neo-Solidarności", lub „Drugiej Solidarności", w odróżnieniu od tej pierwszej, zrodzonej z Sierpnia.

W wyborach wystąpił i zwyciężył efemeryczny twór o nazwie Komitet Obywatelski przy Lechu Wałęsie. Komitet tworzony na zasadzie kooptacji od wewnątrz, skupiający ludzi poleconych przez ludzi zaufanych, na którego skład i decyzje wpływ przemożny miał, jak sama nazwa wskazuje, Lech Wałęsa. Laureat pokojowej Nagrody Nobla, bohater, historyczny i charyzmatyczny przywódca i tak dalej. Człowiek, który, pamiętając swą ówczesną pozycję, do dziś często powtarza „Ja – JA! – obaliłem komunizm". Czy Wałęsa rzeczywiście ma prawo do całej zasługi za obalenie komunizmu, to moim skromnym zdaniem kwestia do dyskusji. Natomiast, że on właśnie ponosi największą odpowiedzialność za to, iż na owym obaleniu komuniści wyszli lepiej niż ktokolwiek inny, to na pewno.

Zasadniczo, członkowie Komitetu Obywatelskiego rekrutowali się z dwóch środowisk. Z inteligencji katolickiej, KiK-ów, „Znaku", „Więzi" i innych środowisk cieszących się zaufaniem Kościoła – oraz z ludzi związanych niegdyś z KOR i KSS KOR, przeważnie wywodzących się z tradycji marksistowskiego rewizjonizmu. Było też trochę działaczy „Solidarności" i „Solidarności

Wiejskiej", głównie reprezentujących mniejsze ośrodki, gdzie obie wcześniej wymienione struktury nie miały zakorzenienia.

Wałęsa, wówczas uległy wpływowi Geremka, Kuronia i Michnika, dał się namówić na taką konstrukcję list wyborczych KO, która zdecydowaną przewagę w przyszłej sejmowej reprezentacji Komitetu - i tak przez wszystkich uważaną za reprezentację „Solidarności" - dawała środowisku rewizjonistów. Argument, który wedle relacji miał go do tego przekonać, miał naturę czysto praktyczną. To środowisko było najlepiej zorganizowane i najbardziej karne. Miało do zaoferowania coś, na czym Wałęsie zawsze zależało najbardziej: posłuch. Ale, przyznajmy, w ówczesnych warunkach ten argument miał sens. Wałęsa szedł do walki z władzą, która wydawała się znacznie silniejsza niż była w rzeczywistości. Potrzebował w parlamencie karnej drużyny, a nie rozdyskutowanego klubu.

Nie piszę podręcznika historycznego, zresztą, mimo niechęci elit intelektualnych, ta historyczna praca została wykonana, choćby przez wspominanego już Dudka. Staram się na użytek czytelnika uchwycić sens tamtych wydarzeń i zdemaskować mity oraz mistyfikacje. Fatalna w skutkach „wojna na górze", która wybuchła w roku 1990, miała praprzyczynę właśnie w decyzji Wałęsy o takim, a nie innym ukształtowaniu list wyborczych, i, co za tym idzie, reprezentacji KO w parlamencie, zwanej Obywatelskim Klubem Parlamentarnym (cały czas nigdzie, poza plakatami wyborczymi, nie pojawia się słowo „Solidarność"!). W przeczuciu nieuchronnego zwycięstwa Familia popełniła ogromny błąd - uznała, że

Wałęsa przestał już być potrzebny i można go odstawić na boczny tor. Było to dla Wałęsy duże zaskoczenie, bo, jak się zdaje, sądził on, że jego pozycja jest niezagrożona tak długo, jak długo grać może na konflikcie między frakcjami, nazwijmy to, „korowską" i „kościelną". Frakcja „korowska" dążyła zaś – już o tym rozmawialiśmy – do zachowania struktury Komitetu Obywatelskiego, i stworzenia na bazie komitetu ogólnopolskiego i komitetów regionalnych ogólnopolskiego Ruchu Obywatelskiego, który przejąłby po PZPR rolę monopartii, realizując pomysł „czegoś więcej" niż demokracja w typie zachodnim, czyli „Rzeczpospolitej Samorządnej".

Kryzys zaczął się od tego, że frakcja druga, na którą liczył Wałęsa, okazała się politycznie niesamodzielna. Mazowiecki, z przyczyn, przyznam szczerze, dla mnie niezrozumiałych, a więc chyba personalnych, od samego początku swego premierowania robił Wałęsie rozmaite afronty i starał mu się pokazać, że skoro już kraj ma premiera i popierającą go większość parlamentarną, to przewodniczący jednego ze związków zawodowych może wracać do Gdańska. Bez większego trudu porozumiał się z „lewicą laicką" i stworzył z nią wspólny front (w szybkim czasie obie grupy stopiły się nierozdzielnie, przy czym to raczej środowisko KiK-ów i „Znaków" rozpuściło się w bardziej od niego wyrazistej „lewicy laickiej"), czego ostatecznym skutkiem była decyzja o wystąpieniu w wyborach prezydenckich przeciwko Wałęsie. Decyzja zupełnie szalona, świadcząca o kompletnym oderwaniu warszawskich i krakowskich kawiarni od rzeczywistości – w połowie roku 1990 Familia uważała, że wygrana jej kandydata jest więcej niż pewna, gdy w istocie nie było na to szans najmniejszych, co boleśnie zostało Familii udowodnione kilka miesięcy później.

Wałęsa, tracąc grunt pod nogami, musiał sięgnąć po ludzi nowych. Po Kaczyńskich, którzy sformułowali wtedy postulat przyśpieszenia, i po drugi szereg posłów OKP, tych, o których pisałem już, iż naiwnie sądzili, że idą do Sejmu po to, aby odstawić komunistów od władzy, a nie po to, żeby bronić ich przed „jaskiniowym antykomunizmem" albo udowadniać, że propaganda peerelu niesłusznie oskarżała opozycję o zamiar zniszczenia PZPR.

Ale to bynajmniej nie znaczy, że Wałęsa nagle zapałał większym niż kilka miesięcy wcześniej gniewem na czerwonych. Jego oparcie się na antykomunistach wynikało wyłącznie z taktyki, było, jak niemal wszystko, co robił po roku 1989, przejawem podporządkowania wszystkiego przemożnej chęci sprawowania władzy; w świetle tego, co działo się później, nie można co do tego mieć żadnych wątpliwości. Stosunek Wałęsy do Kiszczaka i Jaruzelskiego, czy, z drugiej strony, jego stosunek do pomordowanych przez „nieznanych sprawców", zasadniczo niczym się nie różnił od tego, co sądził na ten temat Michnik. Tyle, że dla Michnika najważniejsze było, żeby w Polsce nie rządził „endecki ciemnogród", a kto, to już mniejsza, byle nas wiódł ku Polsce „otwartej, europejskiej, tolerancyjnej" – Wałęsie natomiast zależało przede wszystkim, żeby w Polsce rządził Wałęsa.

Michnik nie zostawiał w tym czasie na Wałku suchej nitki, oskarżał go o dyktatorskie zapędy, robił z niego omalże faszystę. A jednak, jak to opisywał Jan

Maria Jackowski, kiedy zaraz po wyborach Wałęsa po raz pierwszy zobaczył Michnika, przywitał go słowami: „Adaś, wygraliśmy!".

To był spór w rodzinie, do której my, ludzie prostolinijnie wierzący, że obalenie komunizmu przyniesie Polsce uczciwość w życiu publicznym, nie należeliśmy z założenia. Prawdziwa wojna na górze nie toczyła się o rozstrzygnięcie, czy czerwona mafia zostanie odgłowiona, rozbita i zmuszona do lojalności wobec władzy, czy zachowa swe wpływy i pozostanie samodzielną siłą polityczną, związaną ideowym sojuszem z częścią byłej opozycji. W tej kwestii pomiędzy Familią a Wałęsą zasadniczej różnicy zdań nie było. Nie dzieliły ich też odmienne wizje przyszłej Polski, bo Familia miała wizję tak ogólnikową, że dawało się ją pogodzić ze wszystkim, a Wałęsa nie miał jej bodaj w ogóle.

Istniała, owszem, pewna różnica taktyczna. Familia, jak przystało na rozdyskutowanych inteligentów, za obszar kluczowy w walce o Polskę uznała media. „Gazeta Wyborcza" miała nadawać ton, wyznaczać hierarchie i ogólne kierunki – a pozostałe media, odziedziczone po postkomunistach, podchwytywać jej wskazówki i realizować je w codziennej pracy z masami. Dotyczyło to zwłaszcza telewizji i radia. Dlatego z równą zajadłością, jak struktur władzy, administracji i zarządzania gospodarką, broniła Familia przed jakimikolwiek zmianami komunistycznego personelu mediów elektronicznych. Pod rządami Andrzeja Drawicza, należącego do michnikowszczyzny całym sercem i duszą, oraz jego zastępców (wśród nich Lwa Rywina oraz Jana Dworaka, który po aferze Rywina był reklamowany, jeden Bóg wie na jakiej podstawie, jako człowiek, który oczyści i odpolityczni TVP) doskonale zakonserwowano mechanizmy rządzące telewizją od czasów osławionego towarzysza Szczepańskiego. Przypomnijmy, że Szczepański był tym, który pierwszy docenił propagandową potęgę tej instytucji – wcześniej traktowana była przez komunistów jako podrzędne medium, raczej służące dostarczaniu masom rozrywki, w związku z czym panował w telewizji pewien luz i pobłażanie umożliwiające powstawanie takich produkcji, jak „Kabaret Starszych Panów" czy programy Fedorowicza i Gruzy. To dopiero właśnie gierkowski nominat zrobił z TVP karny, wyspecjalizowany w propagandzie oddział janczarów, gotowych uporczywie wbijać masom do głów każdą bzdurę, jaką mafia, to znaczy, jaką partia wbić kazała („codziennie milion gwoździ w milion desek"... Już to cytowałem?). Za pierwszej „Solidarności" pisano na murach i w ulotkach „telewizja kłamie", usiłowano ośmieszyć jej szczególnie aktywnych na ideologicznym froncie prezenterów (hasło z muru: „Kocham Falskie – Albin"). Za wolnej Polski, pod rządami Familii, okazało się oczywiście, że Woronicza i Malczewskiego pełne są najwyższej klasy fachowców. Straciło pracę dosłownie kilka szczególnie skompromitowanych postaci, dających za Jaruzelskiego twarze i głosy najbardziej podłej propagandzie, w rodzaju Samitowskiego, Barańskiego czy Zakrzewskiego – osobistego reportera Jaruzelskiego, oddelegowanego do telewizji wprost z bezpieki. Innych przesunięto do tylnego szeregu, żeby nie drażnili ludzi skompromitowanymi gębami, ale ich fachowość została doceniona i wykorzystana.

I w sumie, fakt – to byli fachowcy. Fachowcy od robienia wody z mózgu, od odwracania kota ogonem i od skłaniania społeczeństwa, niczym psa Pawłowa, do zaplanowanych reakcji – czyli fachowcy od tego właśnie, czego michnikowszczyzna potrzebowała, żeby zapanować nad społeczeństwem, wyleczyć je z patriotyczno-religijnych emocji, wiodących nieuchronnie ku piekłu nacjonalizmu, i narzucić w zamian sznyt europejsko-postępowy.

Parę podanych wyżej przykładów, i wiele z braku miejsca pominiętych, dowodzi, że media – obok polityki zagranicznej – traktowała Familia jako swoją absolutną domenę. Na innych polach mogła oddać wiele, ale dopuszczenie rzeczywistego pluralizmu w docierającym do Polaków przekazie nie wchodziło w grę. Każda próba wejścia do masowego dyskursu kogoś niezaakceptowanego przez salon michnikowszczyzny była kontrowana z całą stanowczością, nawet jeśli ktoś chciał, jak popularny niegdyś prezenter „Teleexpressu" Wojciech Reszczyński, stworzyć tylko muzyczne radio rockowe. Prawdopodobnie dlatego właśnie – to moja hipoteza, nad udowodnieniem albo obaleniem której historycy będą się musieli trochę nabiedzić – w desperackiej próbie zablokowania nowego medialnego ładu, wprowadzanego przez rząd Millera, ładu spychającego „Agorę" do roli jednego z pośledniejszych graczy, zdecydował się Michnik ujawnić taśmy z nagraniem Rywina, co skończyło się pogrzebaniem całego towarzyskiego układu, tak zgodnie współpracującego przez lata dziewięćdziesiąte i zapoczątkowało rozpad oligarchicznej konstrukcji zwanej III Rzecząpospolitą.

Ale o tym dalej. Dla michnikowszczyzny więc od samego początku obszarem najważniejszym, decydującym o władzy (tej, która ją interesowała – „rządu dusz"), były media. Dla Wałęsy natomiast były to specsłużby. Jak już wspominałem, Wałęsa postanowił przejąć, jako nowy „ojciec chrzestny", bezpiekę. Piszę te słowa w chwili, gdy tak zwana szafa Lesiaka jest dopiero otwierana, ale doskonale się domyślam, co w niej zostanie znalezione. Domyślam się, bo udokumentowane tam sprawy, jako dziennikarz, śledziłem na bieżąco. Zostanie znaleziona dokumentacja działalności w stu procentach ubeckiej, takiej samej, jaką na zlecenie Kiszczaka i Jaruzelskiego prowadzono przeciwko podziemiu – tyle, że teraz inspirowanej przez Wałęsę i jego „dwór", a mającą na celu „dezintegrowanie" tych, którzy potraktowali „wodza" zbyt poważnie, i głupio myśleli, że naprawdę chodzi mu o Polskę, a nie tylko o usadzenie się w prezydenckim fotelu. Przypuszczam, że będzie tam o szukaniu na działaczy „haków", o rozpuszczaniu plotek na temat dziwkarstwa, homoseksualizmu albo ekscesów pijackich, o fabrykowaniu afer oraz wypuszczaniu o nich „przecieków" do gazet, i o wszelkich innych działaniach neobezpieki, mających pogrążyć działaczy opozycji „niekonstruktywnej".

Pewnie nie będzie o podcinaniu przewodów hamulcowych, wstrzeliwaniu w opony kołków i innych sposobach na spowodowanie kraksy przy dużej prędkości, o podsłuchach, pogróżkach i anonimach – bo o takich rzeczach bezpieka także za peerelu w raportach nie pisała. Ale pamiętam te czasy i wiem, że tak właśnie było, że działacze prawicy, występujący przeciwko zbratanym wtedy w jedno Towarzystwo komunie, michnikowszczyźnie i Wałęsie, na takie właśnie działania byli narażeni.

Cóż, poczekamy – kiedyś w końcu sprawa się wyjaśni.

Spór między michnikowszczyzną a Wałęsą był więc sporem taktycznym, czego dowiodły wypadki z maja i czerwca 1992 roku. „Lewica laicka", której nieopatrznie – miał stwierdzić po czasie – dał Wałęsa za dużo, wchłonąwszy postępowych katolików, uznała, że Wałęsa przeszkadza jej w planach zbudowania ruchu obywatelskiego „Solidarność" i podporządkowania sobie w nim wszystkich innych nurtów – a ten plan był dla niej ważny, bo tylko takie podporządkowanie dawało gwarancję zapanowania nad drzemiącymi w narodzie demonami nacjonalizmu. A ponieważ własnym gadaniem, z którym nikt nie polemizował, wbiła się w stan euforii i nastrój absolutnego triumfu (najgorzej to uwierzyć własnej propagandzie – nie pierwszy to i nie ostatni przykład), uznała, że może już Wałęsę odesłać na jego miejsce, do muzeum. Zagrożony Wałęsa sięgnął po jedynego możliwego w tej sytuacji sojusznika, po tłumiony wcześniej nurt narodowo-katolicki, eksponujący te emocje, których przeraźliwie bały się postkorowskie kawiarnie, a które dla społeczeństwa były właśnie najbardziej nośne. Sięgnął po patriotyzm, po „Boże coś Polskę", i po hasło rozliczenia komunistycznych złodziei i zbrodniarzy. Na krótką chwilę komuniści znowu stali się wrogami – do wyborów. Potem, gdy już Wałęsa wprowadził się do Belwederu (no, to teraz zostajemy tu co najmniej na piętnaście lat, miał powiedzieć swojemu „kapciowemu"), znowu komuniści stali się partnerami historycznego kompromisu oraz „lewą nogą", niezbędną do podtrzymywania sceny politycznej w równowadze, a tak naprawdę to do prowadzenia rozgrywek mających utrzymać Wałęsę na szczycie wytwarzanego przez niego nieustającego chaosu. Niezbędna także stała się i Familia, która już po pierwszych wolnych wyborach parlamentarnych dostała od Belwederu jasną propozycję powrotu do sojuszu sprzed „wojny na górze". Unia Demokratyczna miała zastąpić na dworze coraz bardziej niewygodne PC, z Kuroniem jako wicepremierem przy premierze-prezydencie albo z premierem Geremkiem. Faktycznie sojusz odnowiony został dopiero na okoliczność obalenia rządu Olszewskiego, i wyglądał mniej więcej tak, że każda ze stron dostała, na czym jej najbardziej zależało – Familia media, Wałęsa „prezydenckie" resorty siłowe, których premier Suchocka nawet nie próbowała kontrolować. A kiedy naród brutalnie podziękował Wałęsie za pięć lat krętactw i zamętu (czego zresztą legendarny i charyzmatyczny przywódca do dziś nie potrafi przyjąć do wiadomości, wyznając co i raz, że „nie przegrał wyborów, tylko liczenie głosów"), drugą stroną tego dilu stał się wreszcie partner oczekiwany w nim od samego początku – reformatorskie skrzydło PZPR, uosabiane przez Aleksandra Kwaśniewskiego, tego samego właśnie, którego w roku 1990 Michnik lansował i obwoził po kraju, a Kuroń kazał Kaczyńskiemu brać do pierwszego niekomunistycznego rządu, bo „są już pewne ustalenia".

Nie wdając się w szczegóły, ten układ przetrwał aż do końca drugiej kadencji Kwaśniewskiego. Nic mu przecież nie mogła zaszkodzić szamotanina rozdrobnionej centroprawicy, wiecznie bez sensu pokłóconej, nieudolnej i pozbawionej zdolności racjonalnej politycznej kalkulacji, a potem niezborne rządy AWS, nigdy niedopuszczonego do wymienionych wyżej, newralgicznych dla państwa obszarów - niedopuszczonego przez rządowego koalicjanta, który w tych sprawach trzymał sztamę z będącą w opozycji lewicą.

Michnik otrzymał w ramach tego układu wszystko, czego chciał - wszystkie narzędzia, niezbędne, żeby sprawować „rząd dusz".

* * *

„Przez cały czas obawiałem się - mówi Michnik w wywiadzie udzielonym Wołkowi - że w społeczeństwie polskim istnieje potencjał czarnosecinny, trudno powiedzieć, jak duży, ale z pewnością istotny. I bałem się, że ten potencjał w pewnym momencie zechce posłużyć się Kościołem i retoryką religijną jako trampoliną polityczną".

Cytuję, bo, choćby krótko, wspomnieć jeszcze trzeba o jednym resentymencie, który w pewnej chwili zaznaczył się w „Gazecie Wyborczej" mocno i poniósł ją, może nawet dalej, niżby chciała. Myślę o antyklerykalizmie. Sam Michnik nigdy nie formułował go w sposób skrajny - wyważał, podkreślał, że nie wojuje z Kościołem ani religią, ale z ich nadużywaniem do celów politycznych. Większość autorów, których wpuszczał na łamy, nie miała jednak tego typu zahamowań. Początek lat dziewięćdziesiątych to wybuch emocji antykościelnych, przeradzających się w histerię - czas oskarżania prymasa Glempa o chęć zbudowania „państwa wyznaniowego", szczucia przeciwko „czarnym", labidzenia nad „iranizacją" Polski, nad zagrożeniem wolności słowa i demokracji. Wprowadzenie religii do szkół, obecność mszy w telewizji, uczestnictwo duchownych w oficjalnych ceremoniach, a już zwłaszcza niezbyt skądinąd przemyślany i przez to od samego początku martwy zapis ustawowy o obowiązku respektowania przez media publiczne wartości chrześcijańskich dały asumpt do reakcji, jak to zwykle u michnikowszczyzny, histerycznych i nieadekwatnych do rzeczywistości.

Można, czytając stare roczniki „Gazety Wyborczej" odnieść wrażenie, że na „czarnych" wylano całą frustrację i złość, która tak naprawdę powinna się wylać na komunistów. W końcu, skoro ci ostatni znaleźli się pod ochroną, a frustracja aż w ludziach kipiała, komuś musiało się oberwać. Kościół był celem doskonałym, bo potencjalnie stanowił zaplecze dla prawicy, dla „czarnosecinnego potencjału"; a możliwego sojusznika naszych wrogów zawsze dobrze jest osłabiać, nawet jeśli wcale jeszcze nie zawarł z nim sojuszu. Na dodatek antyklerykalizm łączył znakomicie różne środowiska. I prymitywów, którzy nie mogli wybaczyć proboszczowi zagranicznej limuzyny, i inteligentów, których antykościelne uprzedzenia miały swe źródła w kampaniach międzywojnia i w „Kulturze", i partyjniaków, którzy u zarania ustrojowej transformacji łasili się do księży jako do nowej siły przewodniej, niczym wspominany tu politruk z mojej jednostki wojskowej, a zostali przez Kościół wzgardzeni i kipieli z tego powodu wściekłością oraz chęcią zemsty, i wreszcie zachłystującej się Zachodem młodzieży, którą łatwo było podbechtać, że nie będą jej „czarni" mówić, z kim i kiedy może się „bzykać".

Atak był o tyle łatwiejszy, że nagła obecność Kościoła i duchownych w życiu publicznym była jednym z najbardziej wyrazistych przejawów dokonującej się zmiany. W peerelu ksiądz nie mógł pojawić się nawet na zdjęciu w gazecie – zdejmowała je wtedy cenzura (w książce Artura Krajewskiego można znaleźć zakwestionowaną fotografię wypadku drogowego, która „spadła" z tego właśnie powodu). Cenzura nie dopuszczała też do realizacji filmów czy wejścia na afisz sztuk, w których ksiądz byłby jedną z aktywnych w akcji postaci; mógł wystąpić jedynie jako śmieszny, wsiowy proboszcz, element lokalnego kolorytu, ale broń Boże nie osoba z normalnego życia. Do legendy przeszła dyrektywa szefa gierkowskiej telewizji, wydana podczas pierwszej papieskiej pielgrzymki do Ojczyzny: „pokazywać tylko staruszki i zakonnice". Kościół i religia zostały zamknięte w kruchcie. W angielszczyźnie, podając daty starożytnych wydarzeń, mówi się po prostu „BC" – „before Christ", przed Chrystusem. I tak samo mówiło się i pisało u nas przed wojną. Komuniści narzucili zwrot „przed naszą erą" i ten językowy potworek do dziś ma się świetnie, podobnie jak pokrewne mu komunistyczne wynalazki w rodzaju nazywania Bożego Narodzenia „Gwiazdką", a Wszystkich Świętych „Świętem Zmarłych".

Skoro peerelu nie kontestowano, to peerel dla wielu ludzi pozostał normalnością. Obecność Kościoła w życiu publicznym – sama obecność – wydawała się więc tej normalności naruszeniem. „Kościół wtrąca się we wszystko", skandowali zgodnie luminarze kultury i gwiazdki popu, co im zresztą zupełnie nie przeszkadzało od czasu do czasu występować z obowiązkowymi wyrazami uwielbienia dla Papieża – Polaka.

Po roku 1989 Kościołowi wydawało się oczywiste, że ma prawo wrócić do tej samej roli, jaką pełnił w II Rzeczpospolitej. Zapewne zabrakło w tym powrocie politycznej zręczności. Zdarzało się hierarchom, którzy przecież w gnijącym peerelu Jaruzela byli traktowani jak politycy głównej partii opozycyjnej, a w czasie ustrojowej przemiany odgrywali rolę pośrednika pomiędzy komunistami a Wałęsą i gwaranta uczciwego prowadzenia negocjacji, formułować oczekiwania, które w normalnym kraju po prostu nie uchodzą – w stylu: chcielibyśmy, aby ten i ten został mianowany na takie a takie stanowisko, albo żeby w ustawie znalazł się taki a taki zapis. Swoje na pewno zrobił fakt, że komuna, tak jak latami tępiła Kościół wszystkimi środkami, tak, zdychając, starała się go kokietować, słuchała pilnie i obdarowywała częstotliwościami radiowymi czy zagrabionymi niegdyś nieruchomościami. Nic zresztą w ten sposób nie uzyskała, na co w swojej książce „Ja jako były" bardzo żali się Urban, uważając to za dowód wielkiej nielojalności. (Co ciekawe, ten sam Urban w tej samej książce opisuje, jak to w latach osiemdziesiątych straszył zachodnich dziennikarzy i rodzimych opozycjonistów, że „jeśli nie oni", komuniści, to wszystko tu wezmą za mordę księża – i zupełnie nie widzi między jednym a drugim sprzeczności.) Ta pokora komunistów w ich schyłkowym okresie na pewno miała swój udział w tym, że w wolnej Polsce niektórzy hierarchowie poczuli się uprawnieni do wpływania na bieg politycznych wydarzeń. Podobnie, jak oczywisty fakt istnienia znaczącej części elektoratu głosującej zgodnie ze wskazaniami proboszczów.

Niemniej oskarżenia, jakoby „katoliccy ajatollahowie" chcieli w Polsce wprowadzać „państwo wyznaniowe" były oczywistym nonsensem. Mimo to michnikowszczyzna nie powstrzymała się od ich stawiania. A że środowisko to zawsze skłonne było do histerii, więc szybko zaczęto je stawiać w formie maksymalnie zradykalizowanej. Wczoraj Moskwa, dziś Watykan. Wczoraj czerwony, dziś czarny. Ludzie nie mają pracy i głodują, a ci, zamiast nakarmić głodnych, marnują pieniądze na coraz to nowsze kościoły. Czarni wszystkim rządzą. Chcą zakazać kobietom ich podstawowego prawa – do aborcji. Zaraz zapłoną stosy. Z taktycznego punktu widzenia może i było to uzasadnione, bo przysporzyło „Gazecie Wyborczej" wyznawców wśród obsesyjnych antyklerykałów.

Ale tak w ogóle, to było po prostu głupie i obrzydliwe.

* * *

Pomieszała więc michnikowszczyzna i połączyła ludzi przeróżnych. Starych komunistów, zachwyconych „szlachetnością i odwagą" dyżurnego przebaczacza III Rzeczpospolitej, i dawnych sympatyków opozycji, widzących w nim wciąż bohatera podziemia. Tych, którzy w peerelu robili dla kariery mniejsze i większe świństwa, i pokochali Michnika za ogłoszenie w tej sprawie totalnej amnestii, z poczciwcami, którzy rozgrzeszenia nie potrzebowali, ale uwiódł ich blichtr salonu, gdzie i nobliści, i tylu profesorów, i sławni artyści. „Marcowych docentów", dla których kpiny z przesadnego dekomunizowania były laniem miodu na serce, i ludzi młodych, skłonnych w Towarzystwie dostrzegać wzorce nowoczesności i europejskości. Bywalców Klubów Inteligencji Katolickiej, widzących w „Gazecie Wyborczej" kontynuację starań Jerzego Turowicza, i obsesyjnych antyklerykałów, uradowanych, że ta sama gazeta odczarowała i wpuściła do publicznej debaty język pojęciowy ukuty w Towarzystwie Krzewienia Kultury Świeckiej i innych peerelowskich jaczejkach do walki z religią i Kościołem.

To pomieszanie może nie udałoby się tak dobrze, gdyby Adam Michnik - raz jeszcze wróćmy do tego wątku - nie wskazał tym wszystkim ludziom wspólnego wroga. Fakt faktem, że przy swoich żydowskich korzeniach, obracając się przez całe życie w kręgu lewicowej inteligencji, w tradycji przedwojennych „Wiadomości Literackich", które w znacznym stopniu - acz zapewne bezwiednie - przygotowały w dwudziestoleciu intelektualne podstawy do powojennej kolaboracji z sowietyzmem, nie miał z tym problemu. Wróg się narzucał, był oczywisty, dziedziczny.

Piotr Wierzbicki, wówczas jeszcze zajadły krytyk tego, co nazywał „Eleganckim Towarzystwem", pisał w książce „Upiorki": „W jednym z numerów korowskiego kwartalnika opozycyjnego »Zapis« ukazał się (były późne lata siedemdziesiąte) artykuł, który mógł przejść niezauważony, bo podpisany był nikomu nic niemówiącym nazwiskiem jakiejś pani. Ów tekst był wszakże być może najważniejszą publikacją antytotalitarnego środowiska opozycyjnego wywodzącego się z pezetpeerowskich i postpezetpeerowskich środowisk rewizjonistycznych. Miał on wyjątkową zaletę: szczerość. Wykładał kawę na ławę kierowaną do opozycjonistów przestrogę, żeby zdawali sobie sprawę z tego, co czynią, podkopując wszechwładzę PZPR: mogą mianowicie spowodować, że pewnego dnia nacjonalistyczne demony i upiory zamknięte dotychczas i zakneblowane przez komunistyczny reżim wyjdą na światło dzienne i ożyją. Artykuł owej pani ujmuje samą istotę myślenia tych ludzi, którzy tworzą najbardziej wpływową koterię polityczną współczesnej [książka Wierzbickiego ukazała się w roku 1995 – RAZ] Polski".

Życie dopisało do tych słów szczególnie gorzką pointę. W kilkanaście lat po „wojnie na górze", w dziesięć po założeniu „Gazety Polskiej", opluwanej przez michnikowszczyznę na rozmaite sposoby, okrzykiwanej pismem antysemickim, kloacznym, przyrównywanej do „Nie" Urbana (przedziwne były te łamańce Towarzystwa, w którym porównanie z Urbanem i z innymi komunistami stanowiło obelgę, ale jednocześnie obściskiwanie się z nimi i wspólne picie wódki nie hańbiło) – Piotr Wierzbicki sam uległ porażającej jak cios cepa dialektyce michnikowszczyzny, że kto nie z nią, ten z nacjonalistami. I dołączył do niej. Zaczął o sto osiemdziesiąt stopni zmieniać kurs gazety, cenzurować mi felietony krytykujące Michnika i innych, których przed laty sam krytykował, a pytany uprzejmie, co mu się stało, z wielkim przejęciem tłumaczył, że w obliczu zagrożenia, uosabianego przez księdza Rydzyka, nie wolno być przeciwko „Gazecie Wyborczej". Pisał to zresztą otwartym tekstem - że bardziej poczuwa się do wspólnoty inteligenckiej z Michnikiem, niż prawicowej z nawiedzonymi tropicielami Żydów i masonów z toruńskiej rozgłośni i LPR. Polemizując z nim na łamach, zadałem retoryczne pytanie, czy zdaje sobie sprawę, że w Towarzystwie, które wybrał, znajdzie nie tylko byłych bohaterów podziemia, ale i Urbana. Nie odpowiedział.

Ale to daje pojęcie o sile resentymentu, do którego Michnik się odwołał - a może nie tyle się odwołał, co po prostu dał wyraz fobii głęboko zakorzenionej w nim samym i w jego środowisku. Nienawiść do endecji, do oenerowca bijącego pałką żydowskiego studenta albo krojącego żyletką twarz Żydówki, obsesyjny lęk przed nim, to uczucie artykułowane nie tylko w tym czy tamtym artykule jakiegoś korowskiego kwartalnika. To środowiskowa histeria, obecna w niezliczonej liczbie artykułów, wystąpień, wywiadów, książek. „Wszystko lepsze od tego endeckiego ciemnogrodu!" - usprawiedliwiała stalinizm Maria Dąbrowska. Julian Tuwim w zachowanym liście do przyjaciół cieszył się, że cenzura nie pozwoliła „reakcyjnym szubrawcom" z „Gazety Ludowej" (organ mikołajczykowskiego PSL, który wkrótce potem zniszczono, a jego redaktorów i innych „reakcyjnych szubrawców" powsadzano do więzień) skrytykować właśnie z łaski komunistów wznowionego „Balu w Operze". „Bardzo dobrze!" - stwierdził poeta, informując, że tekst w gazecie „cenzura znacznie złagodziła, a innych w ogóle nie puściła".

Żeby tych przykładów nie mnożyć, piękne *exemplum* rozwiniętej endekofobii z najwyższej intelektualnej półki stanowi Czesław Miłosz. Zastanawiam się, co tu było skutkiem, co przyczyną – czy faktyczny lęk przed „faszyzującymi" bojówkami Falangi pchał niektórych inteligentów w objęcia Stalina, czy raczej tworząc i umacniając gorliwie czarną legendę endecji, rozgrzeszali się nią z kolaboracji z największym zbrodniarzem wszech czasów? Na zasadzie: owszem, komunizm był zły, ale było coś jeszcze gorszego – endecki ciemnogród! Tym samym nasze ześwinienie znajduje jednak pewną moralną, uczciwą rację.

Skłonny jestem przychylać się do tej drugiej wersji. Władcy peerelu chętnie się odwoływali do takich konstrukcji myślowych: ZSSR wiadomo, że nie jest rajem, ale jednak to Stalin nas obronił przed Hitlerem. Michnikowszczyzna tylko to podchwyciła: Jaruzelski i Kiszczak może i mają na sumieniu to i owo, ale najważniejsze, to nie dopuścić do recydywy „upiorów nacjonalizmu".

Argument z przytoczonego przez Piotra Wierzbickiego tekstu z „Zapisu" – komuniści ocalili nas przed „nacjonalistycznymi demonami" moralnie równoważny jest słowom, które czasem można usłyszeć w skrajnie patologicznych grupkach antysemickich: jaki Hitler był, taki był, ale gdyby nie on, to byśmy dziś wszyscy byli parobkami u Żydów.

I właściwie tyle by dla polemiki wystarczyło.

Ale nie odpuszczę. Mój dziadek, Stanisław Ziemkiewicz, był działaczem Stronnictwa Narodowego. Nigdy w życiu nie zrobił niczego, za co musiałbym się dzisiaj wstydzić. Przeciwnie. Walczył o Polskę w konspiracyjnej POW i u generała Hallera, był zapalonym społecznikiem, całe życie ciężko pracował dla Ojczyzny. Jeśli każe mi się go wypierać ktoś, kto miał przodków w komunistycznej, sowieckiej agenturze, jaką stanowiła Komunistyczna Partia Polski, albo, co jeszcze gorsze, Komunistyczna Partia Zachodniej Ukrainy czy Zachodniej Białorusi, nawet nazwami podkreślające, że ich działalność obliczona jest na zniszczenie niepodległego państwa polskiego – to otwiera mi się w kieszeni scyzoryk.

Mój stryj, Kazimierz Ziemkiewicz, całe życie oddał stowarzyszeniu „Pax", w którym pełnił różne funkcje, mało eksponowane, ale wymagające mrówczej, codziennej pracy. Nie znalazł się tam bynajmniej z miłości do komunizmu. Wiem to na pewno, bo jako dzieciak słuchałem rozmów, które w błogim przekonaniu, że taki kajtek nic nie ma prawa z nich zrozumieć, toczył w mojej obecności (mieszkaliśmy sześcioosobową rodziną w dwóch pokojach, więc trudno było tej obecności uniknąć) ze swym starszym bratem mój Ojciec. Rzeczywiście nic nie rozumiałem, ale z podniesionych głosów, z przejęcia wypisanego na twarzach czułem, że obaj mówią coś strasznie ważnego, i strzępy tych rozmów wbijały mi się w pamięć, by dopiero po latach odsłonić znaczenie. Mój Ojciec kwestionował sens działalności stryja, ale nie były to rozmowy pomiędzy kimś, kto nie akceptował sowieckiej okupacji z jej zwolennikiem – to były rozmowy ludzi równie okupantów nienawidzących, tyle że obdarzonych różnymi temperamentami. Rozmowy, jak się w tej rzeczywistości zachowywać. Tata, wydaje mi się miał rację, machając ręką, że trzeba się od tego całego gówna trzymać jak najdalej. Ale i stryj miał swoje argumenty, gdy – pamiętam – wyliczał, ile książek udało im się wydać, ile ocalić z polskiej kultury, ilu ludziom prześladowanym przez komunę podać rękę, załatwić pracę, umożliwić publiczne istnienie. Nie było w tym nic z kolaboracji, był tylko pozytywizm, bodaj ten sam, z jakim Dmowski musiał w czasie głośnego kryzysu perswadować narwanym patriotom, dlaczego lepiej mieć w zaborze szkoły, które wprawdzie w języku rosyjskim, ale kształcą, niż dla głupiego patriotycznego gestu doprowadzić do ich zamknięcia i w ogóle pozbawić polską młodzież wykształcenia.

Przepraszam, może te osobiste emocje nie mają nic do rzeczy. W latach po katastrofie szukano różnych dróg, i nawet sam Kisiel, będąc za granicą z peerelowskim paszportem, przekonywał Emigrację, że komunizm dzięki industrializacji i reformie rolnej umożliwił Polsce cywilizacyjny skok (szybko mu to przeszło, ale był taki moment). Niech się o tym wszystkim toczy historyczna dyskusja, niech się wyważa zasługi, winy i złudzenia, nie domagam się wcale dla wychowanków endecji żadnej taryfy ulgowej. Jedyne, czego się domagam, to traktowanie ich uczciwie. Bo dziś się ich tak nie traktuje. Michnikowszczyzna, która znajdzie sto tysięcy okoliczności łagodzących dla każdej szmaty, byle była czerwona, dla aparatczyka i cenzora, dla rymopisa od dytyrambów na cześć reżimu, dla pracownika nauki, wypisującego brednie na teoretyczną podkładkę dla nonsensownych decyzji podejmowanych przez ciemniaków z KC – dla kolaboracji Bolesława Piaseckiego czy „Słowa Powszechnego" nie znajduje ani cienia usprawiedliwienia. Ci sami, którzy rzewnie opłakują męczeństwo komunistów z KPP i snują bajki w stylu „Matki Królów", bajki, jakoby ci przedwojenni komuniści byli jacyś lepsi, uczciwsi od powojennych – nie są zdolni wykrztusić ani słowa ku czci męczeństwa rozstrzelanego w Palmirach Stanisława Piaseckiego czy zakatowanego na UB Doboszyńskiego.

Zacietrzewienie sięga takich szczytów, że kiedy w Warszawie postanowiono wystawić Dmowskiemu pomnik, znalazła się grupa intelektualistów – na czele z Markiem Edelmanem i Marią Janion – która wystosowała przeciwko temu żarliwy protest. Dmowski był przecież obok Piłsudskiego jednym z ojców polskiej niepodległości, żaden historyk tego nie kwestionuje. Był człowiekiem, który Ojczyźnie poświęcił całe życie, który właściwie stworzył w Polsce myśl polityczną, bo wcześniej byli tylko Towiański i Czartoryski, który ukształtował całe pokolenie intelektualistów upominających się o niepodległość i zagospodarowujących ją... Ale to dla naszych postępowych mędrków nie ma znaczenia. Ma znaczenie, że Dmowski był niesłuszny. Był „antysemitą". Biorę to słowo w cudzysłów, bo takimi jak on „antysemitami" było na przełomie wieków XIX i XX trzy czwarte czczonych dziś europejskich mężów stanu, a i połowa późniejszych, niech sobie z łaski swojej sygnatariusze protestu przejrzą choćby mowy Winstona Churchilla... O czym tu zresztą z ludźmi nawiedzonymi dyskutować, można tylko zapytać, dlaczego ich głos sprzeciwu wobec „nienawiści" i „antysemityzmu" jest tak słaby, dlaczego nie pójdą na całość? Przecież nie wystarczy wyrugować z polskiej historii samego Dmowskiego. Trzeba z niej jeszcze wypierdzielić jego wyznawców. Trzeba oczyścić polską literaturę z Reymonta, trzeba wywalić na śmietnik Chrzanowskiego i Konopczyńskiego, trzeba przegnać wraz z innymi endeckimi upiorami Grabskiego i Kwiatkowskiego... No proszę, wywalcie z polskiej historii ich wszystkich, wykastrujcie ją, żeby zaczęła wyglądać „postępowo"!

Ponoć mamy w Polsce „antysemityzm bez Żydów". Owszem, mamy, choć jest to zjawisko marginalne, daleko mniej istotne, niżby można sądzić po enuncjacjach „Wyborczej" czy „Polityki". Ale gdyby nawet było tak znaczące, jak mu to przypisywano, pozostałoby i tak zjawiskiem dalece mniej dziwnym, niż rozpętana u zarania III RP histeria strachu przed nacjonalizmem, którego wtedy nie było, nawet w ilościach śladowych.

Bo cokolwiek sądzić o ONR (ja sądzę, że byli to głupi pałkarze, ale przy KPP można ich uznać za zwykłą chuliganerię) i cokolwiek sądzić o całej endeckiej tradycji (ja sądzę, że więcej w niej dobrego niż złego) – to nie ulega kwestii, że do roku 1989 nie zostało z tej tradycji właściwie nic. Ci ze spadkobierców endecji, którzy podjęli współpracę z komunistami, zawiśli w próżni i mimo dobrze zorganizowanego zaplecza nie mieli w społeczeństwie praktycznie żadnego wpływu. Zostali bowiem odrzuceni przez Kościół – a organizacja katolicka skłócona z Kościołem nie mogła liczyć na nikogo. Ci, którzy znaleźli się na emigracji, również stopniowo schodzili na jej margines. Większość zaś po prostu nie żyła. Już dla mojego pokolenia hasła endeckie, podobnie zresztą jak i piłsudczykowskie, były zupełnie obce, przebrzmiałe. Zresztą los licznych stronnictw narodowych, które wszystkie razem wzięte nie zdołały w wolnej Polsce nigdy uzyskać bodaj pół procenta głosów nie pozostawia co do tego wątpliwości.

„Jest ONR-u spadkobiercą partia!" – pisał Czesław Miłosz, i słowa te traktowała michnikowszczyzna jakby pochodziły z księgi objawionej. Czytałem w przedruku jakiejś zachodniej gazety, jak pod koniec rządów Gorbaczowa odbywała się przeciwko niemu na ulicach manifestacja. Demonstranci nieśli wielki transparent z napisem „Gorbaczow, jesteś prawicą!". Biedni ruscy manifestanci najwidoczniej nigdy w życiu nie słyszeli gorszej obelgi, więc jak już nie wiedzieli, jak gorzej obrazić Gorbaczowa, to sięgnęli po nią. Identyczny mechanizm kazał takimi właśnie słowami obrażać komunistów Miłoszowi.

Ale to bzdura. PZPR nie była spadkobiercą ONR-u. PZPR miała w swych szeregach farbowanego partyzanta Moczara, i często cynicznie posługiwała się narodową frazeologią, ale grupy nacjonal-komunistyczne, w rodzaju osławionego Zjednoczenia Patriotycznego Grunwald, nie miały w niej istotnych wpływów.

Domyślam się, że Państwo zaraz powiedzą – a ksiądz Rydzyk? A Giertych, a LPR? Ależ Radio Maryja zaczęło nadawać dopiero rok po obaleniu rządu Olszewskiego, a wyrazistego, narodowo-katolickiego charakteru nabrało jeszcze później. A Liga Polskich Rodzin odniosła dzięki poparciu tego radia sukces właśnie wtedy, gdy przestała być Stronnictwem Narodowo-Demokratycznym i zamiast tego, co płynęło z tradycji endeckiej, eksponować zaczęła raczej tak znienawidzoną przez Dmowskiego, powstańczą, bogoojczyźnianą mistykę polityczną w duchu mickiewiczowskim.

Tymczasem wszystkie zarzuty, które można by postawić lektorom Radia Maryja, michnikowszczyzna postawiła wiele lat wcześniej tym, którzy akurat zupełnie na to nie zasługiwali. Wałęsie, żoliborskim inteligentom Kaczyńskim, „Gazecie Polskiej", kierowanej przez byłego współpracownika KOR i „Tygodnika Powszechnego", czy dziedzicowi tradycji przedwojennego PPS-u Olszewskiemu... Od biedy za najbardziej postendeckie można by w III Rzeczpospolitej uznać środowisko Młodej Polski, ale też była to endecja raczej od Chrzanowskiego i Wasiutyńskiego, niż od Piaseckiego. Zresztą za sprawą Halla znalazła się ona akurat po stronie michnikowszczyzny.

Twierdzę, i jeśli tego nie rozwijam, to tylko dlatego, że książka nie o tym, iż Radio Maryja nie powstałoby, to znaczy nie byłoby tym, czym było, gdyby nie michnikowszczyzna. A ściślej, gdyby nie propagandowe zniszczenie przez michnikowszczyznę umiarkowanej prawicy, usunięcie jej z Towarzystwa i całkowite pozbawienie wpływu. Radio Maryja, jako obóz polityczny, jest symetrycznym, choć oczywiście siermiężnym, odbiciem michnikowszczyzny. Identyczny jest stosowany także przez nie „dyskurs wykluczania", identycznie jak Michnik zachowuje się niewchodzący w żadne spory ani dyskusje ksiądz Rydzyk, identyczne jest otaczające go i gaszące wszelkie próby dyskusji irracjonalne uwielbienie, starczające za wszelkie argumenty. Podobieństwa sięgają nawet pewnych szczegółów, choćby takich, że w radiomaryjnych mediach swoich prezentuje się ze wszystkimi tytułami naukowymi – witamy w naszej audycji profesora doktora habilitowanego... – a o wrogach mówi się po prostu per „Geremek". Nawiasem, skoro o profesorach doktorach habilitowanych, miałem okazję rozmawiać z gorąco wspierającymi to radio ludźmi naprawdę dużego formatu – szacownymi naukowcami, wykładowcami, ludźmi o wielkiej, przedwojennej ogładzie i erudycji. Gdy pytałem, jak mogą im nie przeszkadzać pojawiające się na antenie „katolickiego głosu w twoim domu" prymitywne, antysemickie brednie, unosili się gniewem: to nieprawda, w Radiu Maryja nie ma i nigdy nie było żadnego antysemityzmu, to oszczerstwo Michnika, to część propagandowej kampanii wymierzonej przeciwko Kościołowi, wierze i patriotyzmowi!

Nie oszukiwali. Oni po prostu naprawdę nie przyjmowali faktów do wiadomości. Tak jak wielu ludzi nie jest w stanie przyjąć do wiadomości, że Michnik niekoniecznie stanowi wzór wszelakich cnót.

Rydzyk nie mógłby istnieć bez Michnika, bo to Michnik sprawił, że pojawiła się rzesza ludzi, wierzących katolików starej daty, która w swoim kraju poczuła się odsuwaną na bok, pozbawioną głosu, prześladowaną i obrażaną na każdym kroku większością. Ale i dla Michnika Rydzyk jest najwspanialszym prezentem od losu, wrogiem, o jakim mógł tylko marzyć. Jeden i drugi są sobie niezbędni, jeden i drugi nawzajem potrzebują siebie do utrzymywania swych wyznawców w stałym poczuciu zagrożenia – nie jest przypadkiem, że w roczniku „Gazety Wyborczej" 2005 znalazło się ponad 400 traktujących o Radiu Maryja bądź jego założycielu tekstów, co oznacza około 1,3 takiego tekstu dziennie – a z drugiej strony, że o „polskojęzycznej" „Wyborczej" i jej naczelnym „od lat plującym jadem na wszystko co polskie i katolickie" gada się w politycznych audycjach toruńskiej rozgłośni w kółko i na okrągło. Rydzyk był odpowiedzią, jaką znalazł na Michnika wciąż spychany do kąta, pouczany i atakowany „Ciemnogród", i nie ma się co dziwić, że tak łatwo udało się obu prorokom zamienić polską debatę publiczną w wojnę pomiędzy dwiema twierdzami, dwoma okopami Świętej Trójcy, z których każdy czuje się oblężony.

Powstanie i okrzepnięcie Radia Maryja było, będę się przy tym upierał, triumfem michnikowszczyzny, bo zyskała ona wygodnego dla siebie wroga. A zarazem Rydzyk samym swym istnieniem postawił w arcytrudnej sytuacji tych, którzy starali się w Polsce budować normalny obóz konserwatywny, w typie amerykańskich republikanów czy brytyjskich torysów. Skrajna opozycyjność Radia Maryja działała na jego korzyść – jeśli Michnik wygłaszał nad grobem Miłosza przemowę, w której zaprzęgał go do „wtórnej roboty" w wojnie z kołtunerią i fundamentalizmem, to Rydzyk walił z grubej rury, że ten Miłosz to zdrajca, wróg Polski i jeszcze na dodatek grafoman. Jeśli „Gazeta Wyborcza" chwaliła Owsiaka, to dla symetrii „Nasz Dziennik" robił z niego deprawatora i dilera narkotyków. Jeśli w świecie mediów „polskojęzycznych" dobrze się mówiło o popularnych powieściach Jane K. Rowling, to w mediach „szczeropolskich" Harry Potter przedstawiany był jako przebiegła satanistyczna propaganda. Wszystko, co tam jest czarne, tu musi być białe, i odwrotnie.

Wykluczenie jest bronią, którą trzeba stosować ostrożnie. Wiele z tego, co mieściło się w przekazie Radia Maryja, może nawet większość, gdyby padło w normalnym publicznym dyskursie, nie mogłoby się obronić. Wykluczone z niego zyskało nimb męczeństwa. Stało się czymś, co cenzurują, czego zabraniają głośno mówić, a zatem czymś, z czym najwyraźniej dyskutować nie są w stanie. Wpychając przeciwnika do getta, zarazem wzmocniła michnikowszczyzna jego siły.

Czarno-biały schemat jest wyrazisty, i do pracownika umysłowego, i do chłopa przemawia znacznie mocniej niż próby wyważania niuansów. Podzielenie się w nim rolami przez Michnika i Rydzyka przypieczętowało klęskę ludzi, którzy chcieli walczyć z michnikowszczyzną o duszę polskiego inteligenta. Bo przecież i „Tygodnik Solidarność", i „Czas", i krakowska „Arka", później przemianowana na „Arcana", i „Gazeta Polska" Wierzbickiego, i wcześniej „Nowy Świat" – wszystkie te ośrodki starały się walczyć z Michnikiem, zwracając się do tej samej elity, tego samego salonu. Ale próbując tego, stawały na przegranej pozycji, bo pod propagandową nawałą od pierwszej chwili musiały bezustannie się tłumaczyć, wyjaśniać, prostować, przekonywać – nie, nie jesteśmy tacy, jakimi nas Michnik maluje, nie jesteśmy obskurantami ani antysemitami, nie, nie jesteśmy kołtunami, nie chcemy Polski odciąć od Europy, nie, nie jesteśmy faszystami ani katolickimi fundamentalistami. Mamy uczciwe racje w sporze o Polskę, posłuchajcie nas... A zarażona michnikowszczyzną inteligencja słuchać nie chciała.

Sukces odniósł dopiero Rydzyk, bo on wziął ludzi, których Michnik wziąć nie mógł i powiedział im – nie lękajcie się być tacy, jacy jesteście. Nie dajcie się wpędzać w kompleksy, nie tłumaczcie się. Plujcie na Michnika, jak on pluje na was, bo to załgany trockista i bezbożnik, a my jesteśmy prawdziwymi Polakami, katolikami i patriotami. To chwyciło. Dlatego Kaczyński, który w którymś momencie odsądzał Rydzyka od czci i wiary jako ruskiego agenta, a wieloma jego prelegentami zwyczajnie się brzydził, musiał dla politycznego sukcesu pojechać do Torunia z pielgrzymką i oznajmić publicznie, że się mylił, że ksiądz Rydzyk dokonał fantastycznej rzeczy, budząc Polaków z uśpienia, mobilizując ich dla Polski i tak dalej.

Familia – Konfederacja. W polskiej szopce wszystko wróciło na swoje miejsca. Powtórzę, to był wielki sukces Michnika. Największy jego sukces.

I dodam: zbyt wielki.

Bo ustawiając cały publiczny dyskurs w taki sposób, Adam Michnik nie zauważył jednego: że zdejmując z postkomunistów całe odium podłości, jakich się dopuścili, i kreując tak wygodną dla nich opozycję pomiędzy nowoczesnym Polakiem-Europejczykiem z jednej, a zapyziałym Polakiem-katolikiem z drugiej strony, sam staje się zupełnie niepotrzebny i odbiera rację istnienia swojemu obozowi.

* * *

W rozmowach z działaczami, którzy organizowali w peerelu opozycyjne działania, często zadawałem pytanie: w jaki sposób udawało im się pozyskiwać do pracy w podziemiu ludzi, co sprawiało, że za nimi szli. Pytałem o to, między innymi, organizatora sierpniowego strajku w stoczni, Bogdana Borusewicza. Przecież stoczniowcy to była w peerelu, pod względem płac i warunków życia, robotnicza arystokracja. Dlaczego mimo to włączali się do działalności WZZ-ów? Borusewicz odpowiedział prosto – choć nie pamiętam, czy użył tego słowa – że z patriotyzmu i wiary. Ludzie pamiętali Grudzień '70, pamiętali Katyń i Armię Krajową, i chcieli walczyć o wolną Polskę. Ludzie chodzili do kościoła, cieszyli się z Papieża – Polaka, i chcieli, żeby katolicyzm przestano szykanować, żeby Msza Święta mogła być nadawana w telewizji.

Żądanie podwyżek, lepszego zaopatrzenia sklepów, przyśpieszenia budowy mieszkań miały oczywiście znaczenie, gdyby nie one, pewnie nie udałoby się poderwać do strajku tak licznych. Ale nie one były najważniejsze.

Natomiast społeczeństwa otwartego, upodmiotowienia, nawet władzy rad robotniczych – tego nie żądał nikt, to były intelektualne igraszki bardzo wąskiego środowiska antypezetpeerowskich „odstępców w wierze", bo to dokładnie znaczy słowo „dysydent".

To samo mówił mi każdy z ludzi, którzy za peerelu podjęli się beznadziejnej z pozoru pracy u podstaw, organizując struktury podziemne wśród robotników, wciągając ich do kolportażu wydawnictw i samokształcenia. Jakkolwiek komu te słowa brzmią – Bóg i Ojczyzna, to był powód zaangażowania większości z tych, którzy się angażowali.

Niektórym te słowa – Bóg i Ojczyzna – brzmią pięknie, niektórych śmieszą. W niektórych budzą podejrzliwość. Środowisko, które formowało Adama Michnika, i które on sam formował, to ten trzeci przypadek. „Byłem wychowany tak, że jak coś mówił episkopat katolicki, to musi to być reakcyjne, nacjonalistyczne, wredne i szowinistyczne" – wyznaje Michnik w rozmowie z Cohn-Benditem, dodając, że później czuł się z powodu tego zaślepienia winny. W tym samym wywiadzie opowiada: „To było bardzo paradoksalne, ale należałem do komunistów w latach sześćdziesiątych (...) Uważałem, że komunista to taki człowiek, który jak widzi zło, to ma mówić o nim prawdę. To ja mówiłem prawdę. W normalnych polskich domach taki rodzaj edukacji był niemożliwy. W normalnych polskich domach mówiono dzieciom, że tu jest sowiecka okupacja, i że na każde ich nieostrożne słowo czeka szpicel. W związku z tym mają być ostrożne i te dzieci się bały, bo wiedziały, czego mają się bać. A ja nie wiedziałem, że mam się bać. Ja byłem odważny".

W publicystyce Michnika jest wiele dowodów przezwyciężenia dziecięcego antyklerykalizmu i zafascynowania komunizmem. Z drugiej strony, jest w niej wiele dowodów żywotności środowiskowych urazów. Polityczny działacz, który w cytowanym fragmencie sam mówi o sobie, że był odważny (i potwierdzają tę jego odwagę liczne świadectwa współuczestników podziemnej działalności), jako publicysta bezustannie wyznaje, że się boi. Boi się czarnosecinnego potencjału polskiego społeczeństwa, boi się antykomunistycznej retoryki, boi się sądzenia zwyciężonych zbrodniarzy przez zwycięzców... Odmieniany na wszystkie sposoby lęk jest jednym ze słów-kluczy Michnikowej publicystyki, cokolwiek jest w niej postulowane, w argumentacji pojawia się wyznanie lęku przed piekłem nacjonalizmu, fundamentalizmu i fanatyzmu. Oczywiście, to przede wszystkim skuteczny chwyt retoryczny. Ale czy tylko?

Myślę, że nie tylko. Lęk przed Polakiem-katolikiem, przed czarnosecinnym potencjałem, przed, mówiąc krótko, polskim społeczeństwem, z którego czuje się on w jakiś sposób wyobcowany, jest istotną częścią osobowości Michnika. A gdzie fobia, tam i podejrzliwość. Michnik znał doskonale, od podszewki, ruch „Solidarności", i nie mógł nie wpłynąć na niego fakt, że w momencie rozkwitu tego ruchu został praktycznie na marginesie. W podziemiu, w działaniach małych grup, jego zdyscyplinowane środowisko, kierujące się wspólnym, jasno określonym celem, podzielające jeden sposób myślenia, wygrywało. W warunkach autentycznej rewolucji, jaką był posierpniowy karnawał – traciło znaczenie. Było odtrącane przez żywioł płynący na fali patriotycznego i religijnego uniesienia. Dokąd płynący? Antysemicka reakcja na zgłoszenie podczas zjazdu „Solidarności" deklaracji podziękowania Komitetowi Obrony Robotników, do dziś nie wiadomo, na ile płynąca z autentycznej żydofobii niektórych delegatów, a na ile zorganizowana przez ubecką agenturę, dawała tu do myślenia.

Problem przeprowadzenia Polski z totalitaryzmu do Europy i niewpadnięcia przy tym w otchłań nacjonalizmu był więc dla Michnika i jego współpracowników, w oczywisty sposób, problemem utrzymania narodowego żywiołu pod kontrolą światłej elity.

Rozwiązanie tego problemu, jak tu się starałem udowodnić, widział Michnik w zdezawuowaniu potencjalnych przywódców owego żywiołu, potencjalnych jego sojuszników, oraz jego haseł. Z jednej strony, drogą do „Polski otwartej, tolerancyjnej, europejskiej" było zohydzenie w oczach opiniotwórczej elity, a za jej pośrednictwem, całego społeczeństwa, wzorców, nazwijmy to tak nieprecyzyjnie, patriotyczno-katolickich, z drugiej – wylansowanie wzorców konkurencyjnych.

Tylko że był w tym jeden haczyk, który Michnik przegapił. Jeśli, mówiąc najkrócej, uznajemy, że komunizm nie był złem – to i walkę z nim musimy przestać uważać za upoważniającą do szczególnej chwały. Zdejmując z Kiszczaka i Jaruzelskiego winę, jednocześnie odebrał Michnik sobie, Komitetowi Obrony Robotników i całej w ogóle antykomunistycznej opozycji, zasługi. A przecież prawo swojego środowiska do zajmowania w wolnej Polsce szczególnej pozycji wywiódł był właśnie z tych zasług.

Innymi słowy: dezawuując antykomunizm oraz jego najpowszechniejszą, patriotyczno-katolicką motywację, skutecznie zdezawuował też Michnik samego siebie i swoje środowisko.

Skoro wygląda to wszystko tak, jak mówi Michnik, to nie ma żadnego powodu, by obrony przed „jaskiniowym antykomunizmem" szukać u antykomunistów „niejaskiniowych". Skoro tak było i tak jest, że nam zagraża katolicki kołtun i endek, to najlepszą obronę przed nimi znajdziemy nie u tych, którzy niegdyś razem z owym kołtunem i endekiem podgryzali peerel, ale u tych, którzy stanowią ich najbardziej wyrazistą antytezę – u postkomunistów.

Tym bardziej, skoro postkomuniści to pragmatycy, skoro są nie tylko europejscy i nowocześni, ale też sprawni, świetnie wykształceni, fachowi i skuteczni. A Unia Demokratyczna, później zwana Unią Wolności – to ludzie niewątpliwie godni szacunku, ale przeraźliwie niepraktyczni, wiecznie dzielący włos na czworo, niepotrafiący podejmować decyzji.

To samo, co sprzyjało skuteczności michnikowszczyzny w urabianiu opinii – jej swoiste rozmamłanie, rozmycie, owa ani lewicowość ani prawicowość, wieczne zasiewanie wątpliwości – zarazem obezwładniło pozostające pod jej przemożnym wpływem środowisko polityczne. Jako partia żywiąca ambicję pomieszczenia w sobie i socjalistów, i konserwatystów, i liberałów, Unia w prawie każdej sprawie „pięknie się różniła" i nic nie mogła zrobić, bo jedna frakcja blokowała drugą. Co więcej, nie mając wspólnoty ideowej ani programowej, siłą rzeczy eksponowała Unia swe jedyne spoiwo – poczucie wyższości. Ukształtowało to jej wizerunek jako partii przemądrzałych zarozumialców przemawiających zawsze nieznośnie mentorskim tonem. Najbardziej zagorzały zwolennik musiał w końcu mieć tego wyżej uszu.

Słowem – kto dał się „Gazecie Wyborczej" przekonać trochę, głosował na Unię Demokratyczną, ale ten, kto dał się jej przekonać całkowicie, wybierał SLD. Partię „pragmatyków" i ludzi skutecznych. Geremkowi i Kuroniowi niski pokłon, ale głos Kwaśniewskiemu i Millerowi. Był to wybór oczywisty, logiczny, narzucający się.

Jak Michnik mógł tego nie zauważyć? Powiem szczerze: nie umiem tego wyjaśnić inaczej, niż pychą.

Tylko ona może człowieka inteligentnego do tego stopnia pozbawić rozumu i kontaktu z rzeczywistością.

Były bohater podziemia niewątpliwie miał skłonność do pychy, podobnie jak i inne drobne przywary, zaświadczone we wspomnieniach jego towarzyszy z podziemia – na przykład wielką słabość do brylowania, bycia na świeczniku, obracania się wśród sławnych i wielkich tego świata. Jeśli ktoś zastanawiał się, jak do Michnika podejść, jak go dla swoich celów pozyskać – a wydaje mi się oczywiste, że komunistyczni generałowie się nad tym zastanawiali, bo takie osobowościowe analizy stanowiły w bezpiece rutynę – nie mógł nie uznać tych cech Michnika za najbardziej obiecujące. Ileż tam się musiało polać wazeliny, wie tylko nasz bohater i jego przyjaciele „z drugiej strony historycznego podziału". Pewnie więcej niż wódki. Adam, jak my cię nie docenialiśmy, jaki ty jesteś mądry, jaki szlachetny, noblistom równy, słuchaj, powiedz nam, poradź nam, ty się na wszystkim tak dobrze znasz... Ach, wspaniale powiedziane, no, naprawdę, co za głowa...

Z kilku źródeł, niezależnych od siebie, słyszałem, że Adam Michnik zupełnie na poważnie uważa za swoją osobistą, historyczną zasługę fakt, że Kwaśniewski, Miller i pomniejsi postkomuniści nie poszli w kierunku nacjonalizmu ani powrotu pod skrzydła Moskwy, ale ku Unii Europejskiej i NATO. Że to on tak na nich wpłynął, dzięki swoim osobistym kontaktom, dzięki umoralniającym tyradom, jakie im wygłaszał i jakich słuchali ze skupioną uwagą (pewnie, by za jego plecami śmiać się w kułak, ale tego nie wiedział).

Jeśli Michnik naprawdę tak sądzi – a wierzę ludziom, w obecności których to mówił – i jeśli nie rozumie, jakie realne, namacalne i przeliczalne na walutę interesy skłaniały przywódców lewicy do takiego wyboru, tylko przypisuje sobie rangę słuchanego przez Millera czy Kwaśniewskiego autorytetu, to trudno o bardziej jaskrawy dowód, że kompletnie stracił kontakt z rzeczywistością i przeszedł do świata urojeń.

Świata, z którego wybudzony został boleśnie dopiero za sprawą ludzi, którzy w znanych całej Polsce prasowych relacjach doczekali się miana „Grupy Trzymającej Władzę".

* * *

Prawica skłócona, rozbita i ośmieszona, „Solidarność" skompromitowana nieudolnymi rządami AWS, Kościół przerażony wybuchem antyklerykalizmu i zepchnięty do defensywy, władza nad państwem i nad państwowymi mediami trzymana mocno przez przyjaciół z lewicy, konkurencji w mediach żadnej, ot, parę prawicowych gazetek balansujących na krawędzi bankructwa, w tym, po upadku „Życia", żadnego dziennika, obóz narodowo-katolicki zamknięty w radiomaryjnym getcie moherowych babć, co tydzień nowe zaszczyty, nagrody i tytuły honorowe, skrzętnie odnotowywane na drugiej stronie jego gazety. W świecie kultury, w środowiskach twórczych, na uniwersytetach michnikowszczyzna króluje niepodzielnie – nikt nie próbuje rewidować schematów odziedziczonych po peerelu, nikt nie przywraca pamięci, dajmy na to, pisarzom skazanym wtedy na zapomnienie, nie rewiduje utartych stereotypów, nie ośmiela się pisać historii najnowszej. Michnikowszczyzna poprzez klakę i nagrody rządzi hierarchiami w literaturze, w kulturze, zawsze ważnej dla niej w stopniu niewiele mniejszym niż media. Nawet Instytut Pamięci Narodowej, kierowany przez kompromisowego, akceptowalnego dla lewicy kandydata, którego przymioty charakteru zyskują mu u dziennikarzy i u podwładnych przezwisko „Galareta", wydaje się spacyfikowany i chwilowo niegroźny.

Mając tyle powodów do triumfu, redaktor naczelny „Gazety Wyborczej" może u progu XXI wieku machnąć ręką na drobne niepowodzenie, jakim była marginalizacja jego własnego obozu politycznego. Tym bardziej, że choć do Platformy Obywatelskiej jest mu dalej, niż do Unii Wolności, podobnie, jak do tej ostatniej było mu dalej niż do Unii Demokratycznej - wciąż nie są to partie zdolne wystąpić przeciwko niemu. Blisko mu za to do ludzi sprawujących prawdziwą, realną władzę. Aleksander Kwaśniewski nieodmiennie słucha go z wielką atencją i okazuje szacunek - z racji częstych wizyt w Belwederze i rewizyt Kwaśniewskiego w Alei Przyjaciół przyjęło się w SLD nazywać Michnika „wiceprezydentem". Wiele wskazuje, że sam Michnik czuje się kimś więcej, niż „wice" - czuje się mentorem prezydenta i jego przewodnikiem na trudnej drodze transformacji już nie tyle ustrojowej, co cywilizacyjnej. Leszka Millera i Włodzimierza Cimoszewicza również.

W tej sielance odzywa się tylko jeden zgrzyt: samozwańczy sekretarz Krajowej Rady Radiofonii i Telewizji, Włodzimierz Czarzasty (bratanek tego mędrca, którego za swą wyborczą *wunderwaffe* uznał przed laty Jaruzelski), sekuje spółkę „Agora" i blokuje jej ekspansję w mediach elektronicznych. Odwleka przyznanie radiu Tok FM obiecanych mu z dawna częstotliwości, mogących uczynić tę rozgłośnię przedsięwzięciem opłacalnym (nadając w kilku miastach bez prawa rozszczepienia pasm reklamowych, radio skazane jest na wieczny deficyt – ani to medium lokalne, ani krajowe, media-planerzy, choćby chcieli, nie mogą umieścić go w swoich budżetach), a po tym, jak Radio Zet po śmierci Andrzeja Wojciechowskiego wyłamało się z walki o wychowanie lepszego Polaka i poszło w czystą komercję, właśnie Tok FM ma się stać głównym głosem Sił Światłości urabiających elity. Tymczasem Rada, a konkretnie Czarzasty, zaczyna stawiać zgoła bezczelne żądania, także personalne.

Trudno sądzić, żeby redaktor naczelny „Gazety Wyborczej" nie interweniował w tej sprawie u swoich przyjaciół. Nic jednak pewnego o tym nie wiemy. Można się domyślać, że jest uspokajany i zapewniany, iż wszystkie sprawy ureguluje nowa, przygotowywana przez SLD ustawa. Na razie rząd Millera toczy walkę o przejęcie kontroli nad dziennikiem „Rzeczpospolita". Gdyby Michnik mocniej stąpał po ziemi, musiałby już wtedy poczuć się zaniepokojony – czerwona mafia, trzymając już łapę na wszystkim innym, najwyraźniej chce mieć także swoje media, wyemancypować się spod kurateli Oberautorytetu. Tymczasem „Gazeta Wyborcza" wręcz wspomaga Millera w walce z kontrolującym drugą co do znaczenia polską gazetę zagranicznym koncernem, zamieszczając pokrętny i słabo udokumentowany artykuł demaskujący rzekome przekręty finansowe jego przedstawicieli. W tym samym mniej więcej czasie, w ramach szykan, zdaniem opozycji obliczonych na zmiękczenie udziałowców „Presspubliki" i skłonienie ich do odsprzedania pakietu kontrolnego spółki, odnośne władze zatrzymują im paszporty. Ta publikacja będzie potem przedmiotem procesu wytoczonego „Gazecie" przez „Rzeczpospolitą" – procesu niezwykle przewlekłego, bo okaże się, że Adam Michnik przez prawie rok nie może odebrać sądowych pism, a spółka „Agora" nie ma z nim kontaktu (!). Cóż, Michnik w ogóle jest człowiekiem trudno uchwytnym, a w takich sprawach zwłaszcza – krótko przed wydaniem tej książki odmówił stawienia się na procesie, który sam wytoczył był Józefowi Darskiemu i „Gazecie Polskiej", z powodu pobytu za granicą, a traf chciał, że tego samego dnia został przez reportera sfotografowany pod swoim warszawskim mieszkaniem.

Pewne zasady są dla frajerów, a nie dla autorytetów moralnych.

Wracając jednak do tematu wybudzania Michnika – projekt wspomnianej ustawy powstaje w bólach. Toczą się rozmowy między przedstawicielami „Agory" a rządem, ustalane są kolejne wersje. Niektóre są dla „Agory" korzystne i dają jej nadzieję na kupno ogólnopolskiej telewizji, inne nie. Waży się, które zostaną zrealizowane. W czasie, gdy się to waży, Lew Rywin, związany z lewicą producent filmowy, spotyka się z przedstawicielami spółki i proponuje dil – ustawa będzie brzmiała po myśli „Agory" i da jej możliwość wejścia w ogólnopolską telewizję, jeżeli spółka zapłaci 17,5 miliona dolarów. Co istotne, i co czyni wątpliwym ustalenia sądu, jakoby

Rywin działał sam i z głupia frant, nie żąda on tych pieniędzy z góry – mają być wpłacone dopiero po przyjęciu ustawy przez Sejm.

Wiedzą Państwo doskonale, co było dalej – menedżerowie „Agory" odsyłają Rywina do Michnika, Michnik nagrywa go na dwóch magnetofonach, i...

I jeśli ktoś naiwny wierzy w oficjalną wersję wydarzeń – w to, że Michnik jest oburzony i wstrząśnięty tym, że tak bezczelna korupcja jest w kraju możliwa, to spodziewałby się, że zapis z tych taśm ukazuje się w „Gazecie Wyborczej" nazajutrz. Ale nic podobnego – nagrane w lipcu, ukażą się dopiero pod koniec grudnia.

Na razie targi o ustawę trwają. Michnik o posiadanej taśmie informuje premiera Leszka Millera. Potem prezydenta Aleksandra Kwaśniewskiego. Obaj, teoretycznie, mają prawny obowiązek zawiadomić o popełnionym przestępstwie prokuraturę. Zresztą Michnik też ma taki obowiązek. Ale nikt prokuratury nie zawiadamia. Targi trwają. Przeciągają się...

Kto ciekaw, niech sięgnie po raporty sejmowej komisji. Albo po książkę „Alfabet Rokity", gdzie cały pierwszy rozdział to szczegółowe aż do znudzenia referowanie przez Rokitę, kto, kiedy, o której godzinie, z kim się spotyka, do kogo potem dzwoni, przez ile minut z nim rozmawia, do kogo potem udaje się albo oddzwania z kolei tamten, albo komu wysyła mejla, i jak się to ma do kolejnych zmian w przygotowywanym projekcie ustawy. Rywin do Jakubowskiej, Jakubowska do Czarzastego, Czarzasty do Kwiatkowskiego, Kwiatkowski... Oszczędzę Państwu tych szczegółów. Członek komisji śledczej Jan Rokita (podobnie zresztą, jak i jego kolega z komisji, Zbigniew Ziobro) wyciąga z tego wniosek, że i przed, i po nagraniu pomiędzy „Agorą" a rządem, przy udziale Michnika, toczy się gra o kształt ustawy, a taśma z Rywinem jest w tej grze argumentem.

Według wersji samego Michnika, półroczne opóźnienie publikacji wynikło z dwóch przyczyn: po pierwsze – „Gazeta" nie chciała zaszkodzić polskiej akcesji do Unii Europejskiej i czekała z odpaleniem afery aż się ten historyczny akt dokona, po drugie – prowadziła dziennikarskie śledztwo mające ustalić, kto Rywina do Michnika przysłał.

Pierwszy argument trudno zweryfikować, można co najwyżej podać w wątpliwość – co niniejszym czynię – czy informacja o aferze istotnie mogłaby jakoś polskiemu wejściu do Unii zaszkodzić. Ja śmiem wątpić, Europa też niejedną aferę u siebie miała i jakoś się przez to nie rozpadła. Natomiast argument drugi dla każdego dziennikarza jest po prostu śmieszny. Żaden dziennikarz „Gazety Wyborczej" nie zainteresował się w tym czasie podstawowymi sprawami, od których takie śledztwo należałoby rozpocząć. Inne gazety, gdy wreszcie sprawa stała się jawna, w kilka dni ustaliły więcej, niż owo rzekome śledztwo trwające jakoby pół roku (!) i godne jedynie włożenia go między bajki.

Co więcej, w trakcie tego „śledztwa" Michnik zaczyna robić coś przedziwnego – na prawo i lewo opowiada w sytuacjach towarzyskich o posiadanej taśmie. W pewnym momencie w Towarzystwie wiedza o tym, że Rywin przyszedł żądać od „Agory" łapówy, a Michnik go nagrał, stała się tajemnicą poliszynela.

Co mówi nam wszystko o tworze państwowym zwanym „III Rzeczpospolitą", ta tajemnica poliszynela nie przeniknęła do mediów. Po długim czasie ukazała się jakaś mętna notka w humorystycznej rubryce „Wprost", z której niewtajemniczeni nie mogli zrozumieć, o co w ogóle chodzi. Znana dziennikarka „Polityki" Janina Paradowska zadała pytanie o ową głośną w Towarzystwie taśmę jednemu z lewicowych szefów państwowej nawy, uzyskała – nie wiem nawet jaką – odpowiedź, po czym „Polityka" wyrzuciła z druku i to pytanie, i odpowiedź, na osobistą telefoniczną interwencję Michnika. „Dysponentem tematu był Michnik", wyjaśniła to potem publicznie Paradowska. Doprawdy, rozczulające.

Spróbujcie to sobie Państwo wyobrazić w jakimś cywilizowanym państwie: oto, okazuje się, jest afera najgrubszego kalibru, okazuje się, że parlament i rząd handlują ustawami, i wszyscy o tym wiedzą, ale nikt nie pisze! Nikt nie pyta! Bo „dysponentem tematu" jest redaktor jednej z gazet, który na własny użytek trzyma tego „niusa" pod kocem i używa go do swojej prywatnej rozgrywki z przedstawicielami władzy?!

Oto kwintesencja michnikowszczyzny – wszyscy wiedzą, ale sprawy nie ma. Tak jak nie było „komisji Michnika", jak nie było raportu w sprawie zbrodni MSW, jak nikt nie odważył się nawet zapytać Kwaśniewskiego, co robił jego ojciec przed rokiem 1957, bo pojawiła się uporczywie powtarzana plotka, że był funkcjonariuszem zbrodniczego stalinowskiego Urzędu Bezpieczeństwa, jednym z tysięcy owych stalinowskich zbrodniarzy, których po roku 1956 objęto programem zmiany nazwisk i życiorysów. Nie ma już cenzury, nie ma już wydziału prasy KC PZPR, ale pewne fakty są z mediów wycięte równie skutecznie, jakby te instytucje wciąż istniały.

Jeśli aż dotąd nie przekonałem Państwa, że był sens napisać tę książkę przeciwko zgniliźnie III Rzeczpospolitej i przeciwko michnikowszczyźnie, która ją spowodowała – to oto, wydaje mi się, argument ostateczny.

Już po ujawnieniu przez „Wyborczą" afery Michnik zgodził się udzielić wywiadu „Gazecie Polskiej" (zażądał, aby był przy tym jego podwładny z drugim magnetofonem). W tym wywiadzie jasno i kategorycznie stwierdził, że o nagraniu Rywina nie rozmawiał w ciągu tego półrocza z prezydentem Kwaśniewskim. Wkrótce potem prace komisji udowodniły niezbicie, że owszem, rozmawiał.

Rzadki wypadek, żeby Michnik dał się nakryć na prostym, by nie rzec prymitywnym, kłamstwie. Trudno przede wszystkim zrozumieć, po co właściwie się do niego posunął – przecież rozmowa z prezydentem to nic karalnego. Czemu poszedł bez sensu w zaparte, narażając się na kompromitację? Trudno nie zauważyć, że zachował się równie niemądrze, jak sam Kwaśniewski w sprawie Ałganowa, kiedy to spokojnie mógł rzec: owszem, widywałem się z nim, musiałem, bo przecież byłem członkiem rządu, a on oficjalnym przedstawicielem ZSSR w naszym kraju, więc co za sprawa? – a tymczasem głupio zaprzeczał, dając się nakryć na kłamstwie i skompromitować.

Nie wiem, czy dziś jeszcze czyta się w szkole „Szatana z siódmej klasy". Jeśli ktoś ma tę lekturę za sobą, to pewnie przypomni sobie opowieść o arabskim mędrcu, który wykrył złodzieja, każąc wszystkim podejrzanym dotykać po ciemku ubłoconego boku swej oślicy. Złodziej nie wiedział, o co chodzi, ale na wszelki wypadek postanowił oślicy nie dotykać, tylko zamarkować, jako jedyny miał więc czyste ręce i po tym go mędrzec rozpoznał. Być może Michnik na tej samej zasadzie wyparł się kontaktów z Kwaśniewskim na wszelki wypadek, żeby nie padły następne pytania: a co mu pan powiedział, a co na to prezydent – pytania, które byłyby naprawdę kłopotliwe? Czy nie zadziałał przypadkiem mechanizm „na złodzieju czapka gore"?

Bo ustalenia sejmowej komisji pozwalają postawić następującą hipotezę: że przyjaciele Adama Michnika, których zwykł on uważać za swoich uczniów, po prostu zrobili go w konia. Gdy ich postraszył taśmą, obiecali – dobra, niech to zostanie między nami, załatwimy sprawę. Tylko wiesz, jeszcze parę dni. Jeszcze chwilę. I tak upłynęło parę miesięcy. Michnik, chcąc wzmocnić presję, zaczął o taśmie rozgadywać, oni nadal nic. Aż wreszcie musieli mu powiedzieć: Adam, teraz, jak minęło pół roku, to sobie możesz wsadzić tę taśmę w buty, będziesz wyższy. Przecież jak ją teraz ujawnisz, to jesteś skończony. Wszyscy się zorientują, że wszedłeś z nami w ten szemrany interes, że kombinowałeś tak samo jak i Rywin, i koniec z twoim autorytetem, twoją reputacją i moralnym zadęciem. Wracaj na swoje miejsce w szeregu i nie podskakuj, bo wszyscy jedziemy na tym samym wózku.

Jakie mam dowody, że tak było? Żadnych. To tylko dedukcja. Jedyne logiczne wyjaśnienie takiego a nie innego przebiegu wydarzeń. Jeśli ktoś potrafi je wyjaśnić w inny sposób, tak, żeby wszystkie znane przesłanki trzymały się kupy, słucham uprzejmie.

Mimo wszystko Michnik zdecydował się taśmę z półrocznym opóźnieniem ujawnić. Może, jak już pisałem, powodowała nim desperacja – Miller z Kwaśniewskim pokazali mu boleśnie, że po upadku Unii Wolności jego pozycja wynika tylko i wyłącznie z ich, prezydenta i premiera, kaprysu, że skończyła się jego władza nad mediami, że rządzą nie żadne „autorytety moralne", ale ci, którzy mają kasę i układy. Może ta szarża, czyli odpalenie afery Rywina, miała odwrócić nieuchronny bieg wydarzeń?

Ale – może odpowiedzią znowu jest słowo „pycha"? Adam Michnik, jak można sądzić po jego zachowaniu, zupełnie nie przewidział, jakie będą skutki opublikowania taśm Rywina. Sądził, że je opublikuje, oznajmi: w tej sprawie winni są Czarzasty, Jakubowska i kto tam jeszcze, natomiast Miller i Kwaśniewski są niewinni – i wszyscy postąpią zgodnie z jego oczekiwaniami. Przecież jest największym autorytetem w tym kraju!

Przez jakiś czas jeszcze tego właśnie próbował, z wielką pewnością siebie dyktując, co kto powinien o sprawie myśleć. Ale od czasu, gdy nikt nie śmiał go pytać, czego szukał w archiwach MSW, coś się jednak zmieniło. Powstała sejmowa komisja, Michnik został wezwany do złożenia zeznań, i choć zachowywał się na tej komisji, delikatnie mówiąc, dziwnie, to odmawiając zeznań, to pouczając śledczych – jego interpretacja wydarzeń została zignorowana.

Jak się to skończyło, Państwo wiedzą. Michnik, do którego chyba wreszcie dotarło, że żył w świecie urojeń, zamilkł, znikł z kraju i ze swojej gazety, gdzie od czasu do czasu pojawia się najwyżej jakiś jego tekst o literaturze albo historii, a postkomunistyczna lewica rozsypała się jak domek z kart. Po pierwszej sejmowej komisji przyszły następne, Miller i Kwaśniewski stali się równie nieaktualni, jak ich mentor, a w odwleczonych wyborach parlamentarnych 70 procent głosów zdobyły łącznie Platforma Obywatelska oraz Prawo i Sprawiedliwość, dwie partie postsolidarnościowe, zgodnie głoszące, że trzeba skończyć ze skorumpowanym, przegniłym państwem wytargowanym przez nomenklaturę od Wałęsy i Familii przy Okrągłym Stole, i zbudować Polskę nową, prawdziwą – IV Rzeczpospolitą.

Co z tym poparciem wyborców obie wspomniane partie zrobiły, to już osobna historia. Historia, w której michnikowszczyzna wciąż istnieje, wciąż równie irytująca i rozzuchwalona, ale istnieje już na zupełnie innych prawach, jako jedna z wielu stron w publicznej debacie.

A to znaczy, że wszystko, co dalej, to temat na inną rozmowę.

* * *

Podobno mam skrzywienie na punkcie ekonomii. Tak twierdzą i przyjaciele, i krytycy. Niech będzie, że mam. Więc spójrzmy na koniec na aktywa i pasywa Adama Michnika właśnie z ekonomicznego punktu widzenia.

Bez wątpienia, miał on ogromny kapitał – kapitał swej popularności i zaufania, kapitał zasług dla Polski, kapitał podziwu, jaki budził. Wielki kapitał, porównywalny może jedynie z Wałęsą i Kuroniem.

Kapitał się inwestuje. Dobrze ulokowany, przyrasta i przysparza zysków. Źle ulokowany – marnuje się i przepada.

Adam Michnik swój kapitał zainwestował w rehabilitowanie komunizmu, w Jaruzelskiego, Kiszczaka, Kwaśniewskiego, Cimoszewicza, w zakłamywanie pojęć, w nazywanie drańskiego odpowiedzialnością, a podłości szlachetnym kompromisem.

Jeśli ktoś lokuje swój kapitał tak źle, to go po prostu traci. I bankrutuje.

Adam Michnik przez kilkanaście lat uparcie inwestował w złe przedsięwzięcia, i w końcu wszystko przeputał. Stracił zasługi, zaufanie, dobre imię, i na końcu – twarz.

Zbankrutował. Po prostu.

I tyle.

Zamiast zakończenia

W listopadową noc 1830 na ulice Warszawy wyszli zbuntowani uczniowie szkoły podchorążych. Wyszli z bronią, aby rozpocząć powstanie – w imię wolnej Polski. Ich dowódcy, starzy generałowie, próbowali ich powstrzymać i zapędzić z powrotem do koszar. Niektórzy przypłacili to życiem.

To jedna z dziwniejszych kart polskiej historii. Dlaczego podchorążowie, patrioci, zwrócili broń przeciwko bohaterom wielkiej napoleońskiej epopei? Przeciwko ludziom, którzy o wolną Polskę walczyli na niezliczonych polach bitew, ryzykowali za nią życiem, krwawili z ran? Albo, jak kto woli, od drugiej strony – dlaczego ci bohaterowie spod Wagram czy Tarutino stanęli przeciwko patriotycznemu zapałowi młodzieży, czemu usiłowali ją zapędzić na powrót pod carski knut?

Otóż dlatego, że zdaniem generałów powstanie nie miało żadnego sensu, bo wolna Polska już przecież istniała; było nią właśnie Królestwo Kongresowe. Miało swojego króla, polskiego, choć będącego zarazem carem Rosji, miało konstytucję i osobną administrację kierowaną przez królewskiego namiestnika. Miało polskie wojsko, w polskich mundurach, z orłami i sztandarami oraz polską kadrą oficerską. A książę Drucki-Lubecki, jako polski minister, mógł dzięki temu wszystkiemu budować drogi i patronować z jak najlepszym skutkiem rozkwitowi gospodarki, którą wcześniej przedrozbiorowe długi i wymuszone przez Napoleona zbrojenia wtrąciły w głęboką ruinę.

Dodajmy, że poza wszystkim – dla generałów to była ich Polska. Państwo wywalczone ich żołnierską służbą i krwią.

Podchorążowie, patrząc na ten sam kraj, widzieli zupełnie co innego – to wszystko, czego ich dowódcy dostrzegać nie chcieli. Konstytucja, regularnie i bezceremonialnie gwałcona, była fikcją, w pałacu namiestnikowskim urzędowała jedna z najżałośniejszych kreatur polskiej historii, odrażający lizus i służalec Zajączek, polskich oficerów publicznie upokarzał i prał po mordach grieduszczij cham, carski brat, a codzienne życie zatruwał lęk przed rojącymi się wszędzie szpiclami. Więc nie była to żadna wolna Polska, tylko kacapia, w której żyć bez buntu spadkobiercom legendy Somossiery i Raszyna wydawało się hańbą.

Wraca do mnie myśl o tym szczególnym momencie naszych dziejów, ilekroć czytam w prasie bądź czasopismach kolejną filipikę w obronie III Rzeczpospolitej, wysmażoną – nie mówię, przez jakiegoś cymbała, bo z takimi nie mam moralnego i intelektualnego zgryzu, ale właśnie przez któregoś z ludzi, których naprawdę głęboko szanuję. I ilekroć zdarza się, że sam muszę się polemicznie zderzyć z kimś, kto przed laty wydawał mi się świętym i bohaterem, choć potem, przyznaję, bywało, że i żałosnym kunktatorem albo zgoła zdrajcą ludzi, których sam zwoływał na barykady. Dziś już, na szczęście, do siebie nie strzelamy. Najwyżej, jeśli czasem puszczą nerwy, obrzucamy się inwektywami.

Państwo poczęte przy Okrągłym Stole to niepodległe państwo polskie, przekonują oni, i nie wolno tego państwa przedstawiać jako jakiegoś gangsterskiego układu, nie wolno go deprecjonować i odrzucać. Próżna gadanina! Jeśli ktoś III RP przymierza w myślach do gnijącego peerelu lat osiemdziesiątych, jeśli kto pamięta, jak beznadziejne wydawały się wtedy poświęcenia opozycjonistów, borykających się nie tylko z policyjną przemocą, ale także z obojętnością zastraszonego i zniechęconego społeczeństwa – to rzecz jasna, że porównanie zawsze musi wypaść korzystnie. Nawet, jeśli powstawały tu szemrane fortuny, stara nomenklatura blatowała się u koryta z nową, na górze wysocy funkcjonariusze państwa pertraktowali z obcym wywiadem, żeby obhandlować mu bezpieczeństwo energetyczne Polski, a na dole kroku nie dało się zrobić bez łapówek i protekcji – i wszystko, nawet zamordowanie generała policji, uchodziło bezkarnie.

Ale pokolenie, które zaczyna dominować w naszym życiu publicznym, ma zupełnie inny układ odniesienia – ono chciałoby żyć w kraju sprawiedliwym, cywilizowanym, takim, żeby przejeżdżając zachodnią granicę nie dostrzegało się różnicy. Między tymi dwoma punktami widzenia nie ma możliwości wydyskutowania kompromisu.

Wpadły mi niedawno w ręce wyniki badań socjologicznych, w których zadawano dorosłym Polakom jedno proste pytanie: o czym nie rozmawiają, bo boją się rozmawiać, ze swoimi dziećmi. Jakie są w ich rodzinie tematy tabu?

Myślicie Państwo, że na czele takiego rankingu znalazły się – ja wiem – homoseksualizm czy inne sprawy obyczajowe? Albo przynajmniej konflikty polsko-żydowskie czy rzeź na Wołyniu? Nic podobnego. W Polsce, piętnaście lat po odzyskaniu niepodległości, tematem, o którym rodzice nie chcą i nie potrafią rozmawiać z dziećmi, okazała się historia najnowsza.

Jeśli nie wydaje się to komuś niczym szczególnym, to dodam jeszcze jedną informację: że bliźniaczo podobne wyniki takich badań uzyskano kiedyś w Niemczech, też mniej więcej 15 lat po zakończeniu wojny.

W Niemczech musiało dorosnąć zupełnie nowe pokolenie, żeby zaczęło zadawać swoim dziadkom i ojcom pytanie: jak to było naprawdę? Gdzie wtedy byliście, co robiliście, jak do tego doszło? W Polsce z różnych względów – przede wszystkim dlatego, że komunizm nie był naszym wynalazkiem, ale ustrojem narzuconym przez okupantów, kolaboracja z nim ani w części tak ochocza, jak z narodowym socjalizmem w Niemczech, a przykładów zdecydowanego oporu nieskończenie więcej – pytanie „jak było naprawdę?" pada szybciej.

Dlatego piewcy cukierkowego mitu III Rzeczpospolitej, snujący nam przez lata bajki o porozumieniu elit „przychodzących z różnych stron" we wspólnym poczuciu odpowiedzialności za Polskę, sięgają po swój ulubiony argument: wrzask oburzenia. Tak, jak robili to w 1989, gardłując za pozostawieniem komunistów przy wpływach i majątku, tak i teraz. Równie głośno i równie demagogicznie. Usiłują zabronić dochodzenia, kto był kim i co robił w opozycji, bo w ten sposób „udowadnia się, że KOR i »Solidarność« były prowokacjami SB", a „ci, którzy nic nie robili, biorą się do sądzenia bohaterów". „Największy sukces Polaków w XX wieku – pokojowy demontaż komunizmu – dziś jest przedstawiany jako główna zdrada narodowa", rozdziera Michnik szaty na sesji poświęconej dorobkowi Giedroycia i straszy, że Polską debatę publiczną zaczynają dominować „trumny Piaseckiego i Moczara". Jak przez całe piętnastolecie, wciąż nie ma argumentów racjonalnych, politycznych, jest pouczanie, że tak i tak nie wypada – „gęg", jak to nazwał nieoceniony Szpot. Na szczęście coraz mniej poważany.

To, oczywiście, publicznie. Prywatnie, na podsłuchanym przez dziennikarzy „Wprost" obiadku z Urbanem, powiada Michnik lekceważąco, że ci, co mu podskakują, to jacyś „młodzi gnoje". I obaj panowie naśmiewają się, że jak to-to się nazywa, jakiś Semka, jakiś Warzecha... Czym te nazwiska są gorsze od nazwisk w rodzaju Szechter czy Urbach, wiedzą jedynie obaj zasłużeni architekci „największego sukcesu Polaków w XX wieku".

Za kadencji SLD uczestniczyłem w rozmowie z ambasadorem jednego z najbardziej liczących się na świecie krajów zachodnich; nie piszę którego, by była to rozmowa „off the record" i chodzi tylko o przykład. Powtórzył on nam, polskim dziennikarzom, historię usłyszaną od rodaka, Biznesmena reprezentującego wielką międzynarodową firmę, która chciała w naszym kraju zainwestować. Owoż był ów Biznesmen w sprawie tej inwestycji na poważnych rozmowach w odpowiednim ministerstwie, ustalono wszystko, parafowano, uściśnięto ręce. Następnego dnia zaś zgłosił się do Biznesmena pewien jegomość, z takich, co to wszyscy o nim wiedzą, że kręci się gdzieś przy rządzie, ale co konkretnie robi, nikt powiedzieć nie umie. Ów jegomość, doskonale poinformowany o szczegółach negocjacji w ministerstwie, choć nie miał żadnego prawa ich znać, powiedział Biznesmenowi, że wszystko będzie jak należy, inwestycja się uda i przeniesie inwestorowi zysk, tylko trzeba wpłacić tyle a tyle milionów dolarów na konto takiej to a takiej fundacji.

Biznesmen odmówił, gość grzecznie się ukłonił i sobie poszedł. Dzień później Biznesmen dowiedział się, że sprawy w ministerstwie nie są takie proste, jak się wydawało. Pojawiły się przeszkody. Trzeba załatwić specjalne zezwolenie. Nie ma jasności co do gruntów, które ma zająć inwestycja. Zabrakło homologacji urzędu do spraw kontroli tego i owego. Musicie uzupełnić dokumentację. Niestety, sprawa musi jeszcze potrwać. Dwa tygodnie później jegomość pojawił się znowu i w tonie łagodnej perswazji ponowił ofertę: tu jest numer konta fundacji, proszę wpłacić wymienioną sumę i kłopoty się skończą jak ręką odjął.

Biznesmen skonsultował się z zarządem korporacji, zwinął interes i wyjechał, na odchodne opowiadając ambasadorowi swojego kraju, jak wyglądają stosunki w państwie przyjętym do Unii Europejskiej i NATO, aspirującym do tego, by być częścią zachodniej cywilizacji.

Powie ktoś: Biznesmen powinien był tego cwaniaczka nagrać, jak Michnik Rywina. No dobrze, powiedzmy, że by nagrał, że by tym nagraniem zdołał zainteresować jakąś wpływową gazetę, na tyle niezależną i odważną, że chciałaby się sprawą zająć (a przypomnijmy sobie los „Życia" po publikacji o Cetniewie; przypomnijmy sobie też, że o taśmie z Rywinem opowiadał Michnik wszystkim i nikt nie odważył się tego napisać), i powiedzmy jeszcze, że jej publikację nagłośniłaby potem jakaś telewizja, bo bez nagłośnienia przez telewizję każda afera przechodzi bez śladu. W najlepszym wypadku skończyłoby się jak z Rywinem – facet poszedłby w zaparte i sąd musiałby uznać, że była to próba wyłudzenia, a oskarżony oszukiwał, podając się za władnego załatwić sprawę, choć tak naprawdę niczego załatwić nie mógł.

Taka tam historyjka, ale gdzie dowody – zapyta ktoś. Proszę bardzo, oto dowody, w skali makro. Firma doradcza Ernst & Young, znana doskonale w światowym biznesie i renomowana, obliczyła właśnie (czerwiec roku 2006), że wskutek „wysokiego ryzyka nadużyć gospodarczych" Polska traci około jednej piątej potencjalnych inwestycji zachodnich. Wedle przeprowadzonego przez tę firmę sondażu wśród zachodnich menedżerów, Polska jest uważana za najbardziej skorumpowane państwo Europy Środkowej. „Lepiej jest nawet w Ameryce Południowej i Afryce – inwestorzy uważają, że problemy z korupcją są u nas podobne jak w Rosji", oznajmiła przy prezentacji tego badania polska przedstawicielka firmy. Cóż za porównanie! Problemy w Rosji, jak wie każdy, to przecież nie jakieś staroświeckie, poczciwe łapówkarstwo, tylko rządy skorumpowanej oligarchii rodem ze służb i mafii, pod najwyższym patronatem wychowanka KGB.

Zostałem o raporcie Ernst & Young poinformowany notatką w jednej z gazet, w jej dziale gospodarczym – notatka zajmowała mniej więcej powierzchnię pudełka zapałek. W tym samym czasie całe gazetowe płachty i całe godziny publicystycznych dyskusji w mediach elektronicznych zapełniały drwiny z obsesji poszukiwania Układu. Za swoich najlepszych czasów „Wyborcza" ukuła pojęcie „aferomania" – zniknęło z jej łamów dopiero po sprawie Rywina. Dobrze przynajmniej, że nikt już nie próbuje sugerować, jak u zarania III RP, że jeśli mafie się bogacą, to w sumie dobrze, gospodarka na tym zyskuje, no, pewnie, że to niełądnie, ale przecież kapitalizm jest z zasady niemoralny...

Nie, nic podobnego. Kapitalizm jest moralny. To właśnie, że tolerujemy w nim od piętnastu lat niemoralność, kosztuje nas miliardy złotych rocznie.

Układ to bzdura, nie ma żadnego Układu, żaden Układ nam nie zagraża, zagraża nam nacjonalizm, faszyzacja kraju, zamach na demokrację – powtarza wciąż michnikowszczyzna, a może da się już powiedzieć, niedobitki michnikowszczyzny, usiłując wciąż prowadzić rozmowę według wypracowanych przez lata wzorców: rozmowę, w której ważne jest nie to, co się mówi, ale kto mówi, w której rozstrzygają nie racje, ale wyroki autorytetów i etykiety – ten szlachetny, a ten podły.

W normalnym świecie tak się nie rozmawia. W normalnym świecie nie jest możliwe, że wszyscy o czymś wiedzą, ale nie przyjmują tego do wiadomości, że można coś schować pod sukno, mocą wydanego nie wiedzieć przez kogo wyroku: o tym a tym mówić ani nawet myśleć nie wolno pod karą uznania za człowieka „któremu nie należy podawać ręki". Nie będziemy należeć do normalnego świata, dopóki nie zaczniemy ze sobą normalnie, rzeczowo dyskutować, zamiast zadowalać się salonowym paplaniem, które starannie omija wszystkie trudne tematy.

Analogie historyczne czasem mylą, ale ta do nocy listopadowej wydaje mi się pożyteczna. Powie ktoś, że w 1831 to starzy mieli rację, bunt, podniesiony przez podchorążych, nie przyniósł przecież Polsce niczego, prócz szkód i utraty resztek suwerenności. Ale powie na to kto inny, że powstanie mogłoby się udać, gdyby nie fakt, że nie miał nim kto dowodzić, poza nieudacznymi generałami, którzy wszystko spieprzyli. Gdy obserwuję, w jaki sposób zabrali się do Układu Kaczyńscy, wchodząc w sojusz z Lepperem, mam wrażenie, że analogie idą dalej, niżbym chciał. Pocieszam się tylko, że ta spóźniona o piętnaście lat dogrywka „wojny na górze", w której zderzamy się z recydywą tego samego stylu działania, tylko pod krańcowo odmiennymi hasłami, mimo wszystko coś dobrego dla Polski przyniesie.

Może nie dojdziemy od razu do jakiejś lepszej, niech będzie, że IV Rzeczpospolitej, ale do tego samego kanału już po raz drugi nie wpadniemy.

Wierzę, że jesteśmy bliscy uzdrowienia naszej publicznej debaty, że już niedługo uda nam się całkowicie wyleczyć tę chorobę, którą nazywam michnikowszczyzną, i która na paręnaście lat odebrała polskiej inteligencji zdolność myślenia.

Wierzę, że to już niedługo.

Październik 2006

Polecanka

Ta książka, oczywiście, prześlizguje się po powierzchni poruszanych zagadnień. Po części dlatego, że autor jest niepoprawnym felietonistą i inaczej nie potrafi. Po części dlatego, że w formie mniej felietonowej, za to o wiele bardziej metodycznie, pracę udokumentowania prezentowanych tu tez wykonali już inni.

Zaciekawionemu czytelnikowi pozwalam sobie zwrócić uwagę na niektóre książki, warte jego zainteresowania, gdyby chciał poważniej zająć się poruszaną tu tematyką.

Warto oczywiście zrobić to, czego nie robią wyznawcy Adama Michnika, to znaczy przeczytać jego publicystykę, zwłaszcza z tomów *Diabeł naszego czasu*, *Wyznania nawróconego dysydenta* oraz *Wściekłość i wstyd*.

Warto przeczytać prace historyczne Antoniego Dudka rekonstruujące wydarzenia przed i po Okrągłym Stole – *Regla-*

mentowana Rewolucja oraz *Pierwsze lata III Rzeczpospolitej*. Świetnym ich uzupełnieniem jest kalendarium Teresy Bochwic *III Rzeczpospolita w odcinkach*.

Jako teksty źródłowe potraktowałem liczne wspomnienia uczestników przytoczonych tu wydarzeń, w tym zwłaszcza *Alfabet Rokity* i *O dwóch takich* – obie książki autorstwa Michała Karnowskiego i Piotra Zaremby – oraz *Moja zupa* i *Spoko* Jacka Kuronia.

Warto sięgnąć po pracę Pawła Śpiewaka *Pamięć po komunizmie*, która oprócz przenikliwego komentarza, zawiera obszerne, uporządkowane cytaty z publikacji prasowych, doskonale przypominające atmosferę nieco dziś już zapomnianej nawały medialnej u zarania niepodległości.

Wiele wyjaśnią Czytelnikowi prace Antoniego Dudka *Ślady PRL-u*, Henryka Głębockiego *Policja tajna przy robocie*, Sławomira Cenckiewicza *Oczami bezpieki*, a także zbiory publicystyki Bronisława Wildsteina *Długi cień PRL-u, czyli dekomunizacja, której nie było*, Krzysztofa Czabańskiego *Ruska Baba*, Lecha Dymarskiego *Zsiadłe mleko, lewica, sprzeciw*, Cezarego Michalskiego *Ministerstwo prawdy*.

Z dzieł najcięższego kalibru przyda się przeczytać Mirosławy Grabowskiej *Podział postkomunistyczny*, Zdzisława Krasnodębskiego *Demokracja peryferii*, Jadwigi Staniszkis *Postkomunizm*, Andrzeja Zybertowicza *W uścisku tajnych służb*.

I na pewno mnóstwo innych książek, których wszystkich wyliczyć nie sposób, i do których czytania serdecznie Państwa namawiam.

Spis treści

Wstęp / 7

Nie będę walczył bronią nienawiści / 19

Ideolog czasów NEP-u / 71

Ludzie honoru / 163

Siły światła i ciemności / 271

Zamiast zakończenia / 387

Polecanka / 397

Wydanie pierwsze

Opracowanie graficzne i projekt okładki
Studio Wizualizacji GRAPHit
Poznań (61) 856-00-39
Krzysztof Spychał

Redakcja
Grzegorz Kondrasiuk

Korekta
Jolanta Aleksandrowicz
Barbara Caban

Skład
Blind Dragon

ISBN-10: 83-60504-16-4
ISBN-13: 978-83-60504-16-1

Sprzedaż internetowa
www.merlin.pl

Zamówienia hurtowe
Firma Księgarska Jacek Olesiejuk
01-217 Warszawa, ul. Kolejowa15/17
tel./fax: (22) 631-48-32
www.olesiejuk.pl, e-mail: hurt@olesiejuk.pl

Wydawnictwo
Red Horse sp. z o.o.
www.redhorse.pl, e-mail: biuro@redhorse.pl

Druk i oprawa
WZDZ – Drukarnia LEGA w Opolu